EL AURA
Y LOS CHAKRAS

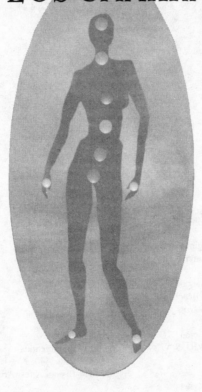

Título original: YOUR AURA & YOUR CHAKRAS
Traducido del inglés por Mª Dolores Carmona Ortiz

©   de la edición original
      1998 Karla McLaren

Publicado inicialmente por
Samuel Weiser, York Beach, ME, USA como
your aura & your chakras: the owner's manuel

©   de la presente edición
      EDITORIAL SIRIO, S.A.   Ed. Sirio Argentina
      C/ Panaderos, 9   C/ Castillo, 540
      29005-Málaga   1414-Buenos Aires (Argentina)
      E-Mail: edsirio@vnet.es

I.S.B.N.: 84-7808-376-6
Depósito Legal: B-24.171-2001

Impreso en los talleres gráficos de Romanya/Valls
Verdaguer 1, 08786-Capellades (Barcelona)

Printed in Spain

EL AURA
Y LOS CHAKRAS

Karla McLaren

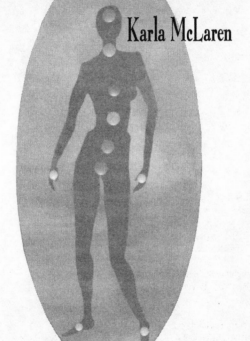

editorial Sirio, s.a.

Introducción

El conocimiento activo del aura y los chakras ha sido, durante mucho tiempo, dominio exclusivo de videntes y místicos. Este hecho es comprensible en una cultura que destierra la espiritualidad, aunque en el fondo se sienta desgraciada. En la actualidad, son los videntes y los místicos quienes mantienen toda nuestra espiritualidad, mientras que el resto de nosotros deambulamos por un mundo desprovisto de sentido.

Carentes de una conexión personal con nuestra propia espiritualidad y con Dios, la mayoría de nosotros vive en un mundo inferior, por más bonito u opulento que éste pueda ser. Dejamos nuestra comunicación espiritual en manos de iglesias y clero, o chamanes y místicos, y nos perdemos la aventura más importante y enriquecedora de todas: la búsqueda de la trascendencia personal, del destino individual y de un camino rico y lleno de sentido.

Sin un propósito personal, nuestra vida es sólo una sombra de lo que podría ser. Una devoción profunda hacia cierto camino espiritual preexistente puede dotarla de sentido para algunas personas, pero no será válida para todas. Sobre este punto, basta con echar una simple mirada a los numerosos disidentes que existen en cualquier religión. Incluso el cristianismo, que se suponía baluarte de todas las religiones, posee más disidentes, facciones combatientes, vástagos extraños e ideologías fundamentalistas de los que se puedan contar. El único punto de intersección es la devoción hacia Jesucristo, aunque su apariencia y conducta cambie de forma asombrosa de una comunidad cristiana a otra. En cualquier otra tradición religiosa ocurre exactamente lo mismo.

Lo único que las religiones tienen en común es la creencia en una inteligencia superior y el deseo (a menudo vehemente) de compartirla con otros. La mayoría de las religiones se muestran en contra del pensamiento independiente y no permiten que sus seguidores mantengan una conexión autónoma con Dios. Si lo hiciesen no serían religiones, serían sociedades filosóficas. Bienvenido a mi sociedad filosófica. Las reglas son muy simples. Confío en su capacidad e inteligencia. Creo en Dios y en Jesús, pero a mi manera. También creo en Lao Tse, Krishna, Buda (en sus momentos de mayor vitalidad), Alá, Horus, Osiris y Kurt Vonnegut hijo.

Estoy cansada de la Nueva Era y de su proclividad al dinero, el poder y la salud perfecta. Prefiero vivir en el mundo real, en el que sólo soy una criatura de Dios pero no el mismísimo Dios. Mi trabajo con instrumentos de sanación psíquica no constituye una forma de obtener poder y perfección, sino un modo de limpiar mi mente y mi psique de manera que pueda recibir una orientación sana y no malgaste el tiempo de Dios con problemas de los que me puedo encargar yo misma.

En este libro no encontrará una nueva religión, ni más poder, dinero o la salud perfecta; pero si está buscando nuevas ideas o ayuda en su camino de vuelta a su excelente, confusa, significativa y real vida, entonces ya forma parte de mi sociedad filosófica y yo formo parte de la suya.

Primera parte

NOCIONES
FUNDAMENTALES

El Punto
de Partida

Para llegar a ser capaz de curarse a sí mismo, no es necesario que posea un poder psíquico sobrenatural ni clarividencia; lo único que necesita es una simple toma de consciencia de su cuerpo. Si ya es vidente y se ha dirigido a este libro con el objetivo de incrementar sus facultades, debe saber que no hay mayor facultad que la de conocerse a uno mismo.

He conocido a demasiados videntes que poseían un gran talento pero cuyas vidas no conducían a ninguna parte; he visto y conocido la tragedia que supone emplear los dones espirituales sobre otros, en lugar de sobre uno mismo. También he descubierto que las personas verdaderamente estables y armoniosas son los mejores sanadores de todos aunque su acto de curación se oculte, generalmente, tras llamadas de teléfono en los momentos precisos, preguntas perspicaces o regalos cariñosos. Los verdaderos sanadores no se abalanzan sobre el malestar y hacen que desaparezca: simplemente contribuyen a que las personas se curen a sí mismas. Los verdaderos sanadores nos recuerdan nuestra conexión con Dios o con las energías creadoras del universo y no se sitúan por encima de nosotros, endiosados, obstaculizando nuestra visión de lo divino.

No se deje engañar por la idea de que cualquier otro ser humano es más espiritual que usted, ni trate de ejercer su poder espiritual sobre otras personas. La curación no es un acto de engrandecimiento propio ni un espectáculo de feria. Es un proceso de concienciación, intención y descubrimiento. Esta obra no trata, en modo alguno, de ocultismo, interpretaciones de otras vidas, precognición, adivinación o poder psíquico externo, sino de cómo adentrarnos en el meollo de nuestra vida, cómo afrontar las consecuencias que hemos provocado y las que hemos creado. Esta obra trata de enraizarnos firmemente en la realidad.

Un verdadero sanador es capaz de curar porque cumple con su cometido y trabaja con su propia salud, o la falta de ésta. Es honrado consigo mismo y con los demás. Su facultad de curación no proviene de un saco repleto de trucos o píldoras, sino de un compendio de técnicas de concienciación y actitudes fortalecedoras que adquiere a través del estudio, tanto de su método de sanación como de su propia vida. Éste consigue la condición de sanador cuando se ocupa de su vida interior *junto con* la práctica sanadora.

La primera tarea que usted debe emprender, antes de aprender a sanar o a interpretar su aura y sus chakras, consiste en crear un lugar desde el que interpretar las señales o curar. Necesitará despejar un espacio en medio de su ajetreada vida y su agitada mente; de otro modo, se precipitará sobre toda esta información como un aficionado, no como un estudiante serio, y al final no habrá adquirido conocimientos, sólo conocerá hechos.

Piense en la alquimia, la legendaria capacidad de convertir los metales en oro... La sola idea es emocionante.

¡Imagínese que tuviese un poder tan maravilloso! Pero nadie lo posee, no porque la alquimia sea imposible, sino porque el camino que se debe seguir para llegar a ser un alquimista es arduo y exige mucho tiempo. En épocas remotas, el alquimista ambicioso tenía que aprender todos los secretos de la herbolaria y la magia, a hacer fuego, leer, escribir, adivinación, lenguas muertas y muchas cosas más. Como se puede imaginar, todo este penoso trabajo se hacía intolerable para unas personas que lo único que querían era oro y más oro.

En algún lugar del camino, los escasos alquimistas que aceptaron esta laboriosa tarea perdieron el interés por el oro y se sintieron más atraídos por el propio conocimiento. La fiebre del oro desapareció en el momento en que el alma descubrió una riqueza más tangible. Puede que se hubiese conseguido la capacidad para transformar metales, y puede que no. No obstante, la figura del alquimista en la sociedad cobró relevancia gracias a su vasto y profundo conocimiento; los sorprendentes trucos de magia que realizaban desempeñaron una función de menor importancia (aunque memorable).

Si lo que desea es ser una especie de Merlín sin realizar ningún esfuerzo, estoy segura de que encontrará un maestro o algún libro que pueda servirle de ayuda; yo no soy ese maestro ni éste es ese tipo de libro. Es libre de pasar a las secciones que tratan de la interpretación de la deslumbrante aura y los chakras si así lo desea, pero sepa que el destello sólo viene tras el trabajo y, sólo entonces, se vuelve luz y consciencia. El camino de la interpretación psíquica está repleto de trabajo, estudio, autoevaluación, más autoevaluación, más estudio y más trabajo. Aunque merece la pena, si lo consigue.

Y AHORA, UNA ADVERTENCIA: cambiar es maravilloso y vital, pero la mayoría de los sistemas vivos se resistirán al cambio. Esta resistencia, este estatismo, es de igual modo maravilloso y vital. Ambos son necesarios en un ser, una familia, una comunidad y una sociedad saludables. Sin embargo, como somos personas educadas para centrarnos en una cosa o en otra, pero difícilmente en dos a la vez, calificamos el cambio o el estatismo de buenos o malos dependiendo de nuestra situación particular.

Nos encanta cuando nuestro cuerpo hace uso del estatismo y continúa funcionando y manteniendo su peso cuando nos olvidamos de comer bien, dormir y cuidar de nosotros mismos, pero odiamos que, debido precisamente al estatismo, no pierda peso a la hora de ponernos el traje de baño. Por otra parte, nos encantan los cambios cuando nos benefician y los odiamos cuando no es así. No nos han educado en la amplitud de miras necesaria para considerar el cambio y el estatismo como partes iguales de un continuo perfecto y saludable.

Este libro cambiará su vida, lo que significa que su vida y las personas que la conforman pueden intentar utilizar el estatismo para apartarle del cambio. Aunque las personas cercanas a usted le hagan sentirse como si hubiese perdido el juicio y sus tácticas de «quédate como estás» puedan hacerle sentirse inseguro e inquieto, se trata de estatismo. Cuando las personas le frenan, le cuestionan, le amenazan y se inmiscuyen en el rumbo que le hace tomar el cambio, significa que lo consideran una parte de su universo; al sofocar sus intentos, le protegen, protegen su universo y el statu quo. Esta atracción hacia el estatismo es señal de un sistema que funciona (aunque no necesariamente de forma sana) y que está siendo trastornado por sus pasos hacia la plena consciencia.

Dependiendo del ambiente que le rodee, el estatismo le puede llegar en forma de interés, interrupciones y una atención desmedida por parte de los demás o en forma de críticas y burlas a fin de hacer descender su autoestima hasta un punto más manejable. Toda interferencia necesita tratarse bien de manera verbal, bien a través de las técnicas de separación que contiene este libro, como *destruir imágenes* y *quemar contratos* (véanse las páginas 79 y 103). Debe comprender, no obstante, que las personas que interfieren, tratan tan sólo de ayudarle a vivir con arreglo a las relaciones con las que han trabajado, por las que han luchado y que han convenido juntos.

Cuando establecemos relaciones, a menudo creamos contratos de energía que determinan qué comportamientos son aceptables, quién hace qué a quién, qué nos parecerán las cosas y cómo reaccionaremos ante ellas, etcétera. Estos contratos inconscientes dan forma y crean un espacio para la relación. Incluso en las relaciones más saludables, la libertad para efectuar un cambio repentino rara vez forma parte de dichos contratos. Cuando las personas realizan cambios, sus compañeros contractuales se pueden sentir con derecho a reexaminar los contratos y forzarlas de cualquier manera posible a la sumisión, lo cual no es malo en sí mismo, simplemente es así. Con frecuencia, las personas reacias al cambio tratan de proteger una posición y una relación que se estipuló sobre un tiempo suplementario, tanto si las partes eran conscientes de ello como si no. Resulta enormemente útil recordar este hecho durante el trabajo con este libro.

En él, encontrará un gran número de mecanismos de separación y seguridad que le ayudarán a llevar a cabo sus cambios vitales sin que un nubarrón de estatismo nuble su vida. No obstante, es necesario que tenga en cuenta que el estatismo es un aspecto irreemplazable en cualquier sistema natural. Una vez que los mecanismos de curación formen parte de usted, y su sistema acepte ideas nuevas como el enraizamiento del espíritu y la concentración, la interpretación de sus chakras y la sanación de su aura, éstos entrarán a formar parte de su nuevo estatismo. No es necesario que realice la técnica del enraizamiento espiritual o la autocuración a diario. Estas técnicas y facultades formarán parte de su vida y no resultarán extrañas o amenazantes pera los demás. Pronto, cualquier tipo de amenaza hacia su recién descubierta capacidad curativa desviará ese nubarrón de estatismo protector de su aura. Entonces, sabrá que se ha desplazado hacia un nuevo lugar de la consciencia.

A medida que avance en la toma de consciencia de la realidad, es más probable que avance también en sus relaciones. Puede resultarle un proceso solitario y aterrador si no llega a darse cuenta de lo que está ocurriendo. Cuando realicé mis propios cambios, desconecté por completo de mi núcleo familiar; hoy en día cuento con un grupo de amigos y allegados que constituyen mi familia espiritual. La energía del estatismo me ayudó a darme cuenta de que estaba perdiendo algo que era importante, pero la energía del cambio me ayudó a comprender que estaba avanzando hacia algo más cercano a mi verdadero yo. En cualquier progreso real son necesarios tanto el estatismo como el cambio.

Mientras avance, sus antiguas formas de vida intentarán llamar su atención, a veces de forma estentórea. Si es capaz de reconocer esas señales como energía estática y agradecerles la protección que le proporcionan, su progreso será más agradable. Si las llamadas al estatismo provienen de personas cercanas a usted, no importa lo terriblemente fuertes que éstas sean, las puede ver como ofrecimientos de amor y seguridad de uno u otro tipo. Si es capaz de ver el interés que se oculta tras las llamadas y hacerles frente desde ese conocimiento, en vez de reaccionar instintivamente con mal humor, no sólo progresará de forma más agradable, sino que, además, arrojará luz sobre las vidas de los que le rodean.

Es importante que, mientras realiza estos cambios, advierta cómo intentan los demás mantener el statu quo. Es probable que en las próximas semanas o meses se sorprenda enormemente de quién le apoyará mediante su interés y atención y quién entorpecerá su camino con violencia o vergüenza. Su círculo de amistades puede cambiar de manera insospechada a medida que se producen sus cambios de energía. No obstante, pronto alcanzará un nuevo estatismo y creará nuevas relaciones contractuales en su vida. La clave está en alejarse de las personas que traten de mantener el estatismo a costa de su salud y su buen juicio.

Si se encuentra en un ambiente ofensivo o quiere permanecer sometido a una relación de abuso (con respecto a la gente, al trabajo o las tareas cotidianas, o con respecto a los fármacos), le pediría que se detuviese en este preciso instante y cerrase el libro.

Este libro le conducirá fuera de ciertas situaciones intolerables. Comenzará a romper con los viejos modelos y a reorganizar su mundo. Si está dispuesto a ponerse en marcha, esta reorganización resultará excelente. Si, por el contrario, prefiere quedarse donde está, abusando o siendo objeto de abusos por parte de los demás, esta obra le creará unos trastornos terribles, pues cuando comience la reestructuración, su falta de resolución hará de ellos verdaderos dramas, en lugar de interesantes desvíos en su camino.

La advertencia real es la siguiente: no continúe si quiere permanecer como está. Es muy peligroso emprender un viaje espiritual si no se tiene intención de llegar a ninguna parte. Si es así, por favor, acepte mis consideraciones y cierre este libro. Hay muchos otros caminos además de éste. Es el momento de asumir el estatismo en su mundo actual; puede que el cambio tenga que venir más tarde.

Aunque, si está preparado para continuar, pase la página y comencemos.

Una Habitación
en su Mente

El primer paso para llegar a ser capaces de realizar interpretaciones intuitivas es crear un lugar tranquilo y seguro desde el que interpretar. Numerosas terapias y sistemas de meditación ayudan a las personas a crear santuarios mentales. Nosotros daremos un paso más y crearemos este santuario dentro de los límites de nuestro cuerpo, de nuestro momento actual y nuestra vida real. Crearemos una habitación dentro de nuestra mente.

Esta habitación es un lugar privado e inaccesible cuyo sosiego no depende de los demás ni de las condiciones físicas circundantes. Ni siquiera requiere silencio o largas sesiones de tiempo. Es un lugar donde siempre se puede disponer de intimidad, dentro de nuestro cuerpo. Su santuario interior le puede ayudar a enraizar la consciencia en el cuerpo, proporcionándole un medio para controlar lo que ocurre en él.

Para muchas personas la sensación de estar dentro del cuerpo será completamente nueva. Muchos de nosotros nos pasamos el tiempo en el pasado, en el futuro, en conflictos y suposiciones. Esta primera herramienta nos ofrece la oportunidad de reunir toda nuestra consciencia y comenzar a hacer un todo de ella.

CÓMO CREAR UNA HABITACIÓN EN LA MENTE

A continuación veremos cómo se construye esta habitación: dibuje una línea imaginaria que parta de la parte alta de la nariz y llegue hasta la zona trasera de su cabeza. Ahora, dibuje otra línea desde la parte alta de la oreja derecha hasta la de la oreja izquierda (véase la ilustración 1, página 21). El punto de intersección entre ambas líneas será el centro de la habitación. Asegúrese de que la habitación esté centrada en la zona baja de la cabeza, hacia el centro de la nariz y no por encima. Si se centrase más arriba podría experimentar vértigo (para su explicación, véase la Guía de Dificultades, página 341).

Cree cuatro paredes, un suelo y un techo, todo dentro de su cabeza. En la zona frontal de la habitación habrá dos ventanas (los ojos) y, entre ellas, una puerta. Cuelgue el letrero de *No molestar* por fuera de esta puerta mientras trabaja.

Ahora viene la parte más divertida: decore su habitación en el estilo que más le guste. Pero recuerde que es su santuario, así que no lo llene de ruido y bullicio ni lo provoque invitando a alguien más. Las otras personas tienen terminantemente prohibido el acceso a esta habitación. Dótela de objetos de arte y almohadones, un *jacuzzi* o una chimenea y, tal vez, uno o dos tótems de animales. Haga de su habitación un templo egipcio, una cueva cristalina, la biblioteca de un antiguo castillo inglés o un palacio mesopotámico. No intente

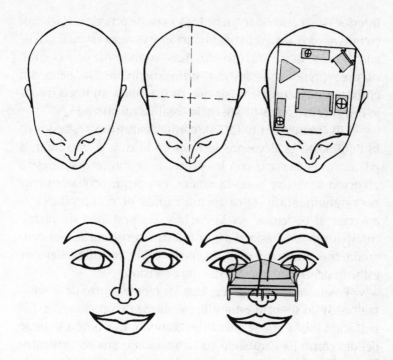

Figura 1. Cómo crear una habitación en la mente.

reproducir una habitación que ya exista en su vida real; en vez de eso, haga uso de toda su fantasía.

Cree un asiento lujoso y cómodo para usted (y para nadie más) y colóquelo justo delante de las ventanas de sus ojos e imagínese contemplando su paisaje preferido a través de éstos. Con dicho paisaje ante usted, podrá experimentar una sensación de paz y de conexión con la naturaleza que no dependerá de lo que le rodee. Incluso en medio de un embotellamiento puede ponerse a contemplar un jardín, un bosque o el desierto en el momento de salir la luna.

Cuando esté lista su habitación, siéntese en ella y practique la observación desde detrás de los ojos. Intente permanecer en la habitación durante un minuto o más, pero no se preocupe si aún no puede hacerlo. Permanecer de verdad en el interior de su cuerpo requerirá un poco de práctica. Hace casi treinta años que tengo mi habitación y a veces estoy fuera de ella durante días e incluso semanas; cuando me doy cuenta, no me reprendo a mí misma: simplemente vuelvo a ella. Sin embargo, soy consciente de que nunca hago un buen trabajo durante esos días de ausencia total de mi cuerpo.

Una manera muy fácil de comprobar que no estamos en la habitación es llevarnos la mano a la cara y presionar la parte alta de la nariz con los dedos. Si sentimos que nuestra atención se vuelve hacia la cabeza, es porque probablemente no estábamos allí. Otra forma rápida de comprobarlo es apreciar si podemos ver la nariz y las pestañas sin dirigir nuestra mirada hacia ellas; si nuestra consciencia está centrada tras nuestros ojos, la nariz y las pestañas siempre estarán dentro de nuestro campo de visión.

Practique el permanecer tras los ojos y dentro de la habitación. Si no soporta estar allí, cambie la decoración o la distribución hasta que se encuentre cómodo. Examine a lo largo del día cómo ha cambiado su habitación o sus sentimientos hacia ella. No dude en volver a decorarla y recuerde que la puede hacer tan opulenta y fantástica como desee... ¡No le costará nada!

A la mayoría de las personas se les ha dicho que es mejor «estar aquí ahora». Yo he oído una y otra vez que el poder real reside en el presente: el pasado es un recuerdo y el futuro un sueño. Sin embargo, nada de eso tenía sentido para mí hasta que entré en mi cuerpo (en mi infancia, abandoné mi cuerpo durante una agresión; véase mi libro *Reconstruyendo el jardín*, Columbia, CA: Laughing Tree Press, 1997). Mi santuario interior me asentó en el mundo real, pues me ofreció, por primera vez desde que puedo conscientemente recordar, un lugar donde estar sola, bajo control y en paz. Uno de mis alumnos describe esta habitación como el centro de control, descripción que comparto. Dentro de tu habitación te sientes como en la cabina de un aeroplano, como en una atalaya o en un trono. Hay una gran cantidad de poder dormido en el interior de nuestros cuerpos.

En cuanto a la teoría de «estar aquí ahora», cada una de nuestras vidas es un velero que sólo puede estar aquí y ahora. Nuestros cuerpos no pueden vivir en el pasado, ni pueden viajar al futuro: sólo pueden existir en cada momento. Si nos adentramos en nuestros cuerpos y nos sentamos tras nuestros ojos estaremos viviendo el momento. Es así de simple: ya que todo el poder existe en el momento presente, al habitar conscientemente nuestros cuerpos dispondremos del poder que necesitamos para vivir, crecer y curar.

Si le resulta difícil crear su habitación, es perfectamente aceptable que, por lo menos, intente hacerlo. La construcción de una habitación dentro de la mente puede que sea el primer contacto consciente que haya tenido con su cuerpo durante mucho tiempo. Habitualmente, su cuerpo tiene mucho que decir sobre cierto dolor, esta persona o aquellas otras emociones... Estas observaciones se desvanecen, pero la técnica llamada *enraizamiento espiritual* (véase el próximo capítulo) contribuirá a que su cuerpo se sosiegue. Por ahora, será suficiente que establezca un espacio detrás de sus ojos, lo llene de objetos de su agrado, se procure un asiento cómodo y contemple su paisaje favorito tanto tiempo como sea capaz.

He de resaltar que aún no le debe resultar natural el estar en el centro de su cabeza; no nos han enseñado a centrar nuestra consciencia, así que el punto focal de ésta podría estar en cualquier parte. Si usted es un buen atleta o matemático, su consciencia podría estar flotando por alguna parte sobre su cabeza, o detrás de ésta o al lado de su hombro... Divagar es natural y sano para su consciencia; debería hacerlo siempre que quisiera, pero usted también debería tener una conexión consciente con ella y ser capaz de llamar su atención cuando lo necesite.

Su consciencia sabe cómo variar su centro de atención y su localización. Usted ya posee un centro de atención para la escritura o la lectura, un centro para la música o el arte, un centro para preparar comidas o comer, un centro para prepararse para irse a la cama, un centro para hacer balance, etc. Su consciencia ya sabe cómo moverse y cómo permanecer inmóvil. Este ejercicio de crear un centro de atención para meditar se puede simplificar si tiene en cuenta que lo único que hace es crear un centro más para que su consciencia lo visite.

No debe forzar a su consciencia para que permanezca en el interior de su mente a todas las horas del día; no sólo sería antinatural y poco saludable, sino además imposible. Debe permitir que su consciencia se mueva como desee hasta que necesite centrarse para la meditación, momento en el que ésta deberá ser capaz de reunirse tras sus ojos mientras trabaja. Como ayuda, puede hacer una leve presión sobre la parte alta de la nariz y, de este modo, hacer pasar a su consciencia al interior de la habitación; no es mentira, yo lo hago todo el tiempo. Cuando termino de meditar, dejo que mi consciencia se centre donde le apetezca. Ella sabe lo que hace.

Tómese su tiempo y construya su habitación (cueva, gruta, salón del trono, torreón, tienda o lo que quiera), incluso si no es capaz de introducirse en su mente. Cree una base, será más fácil.

El Enraizamiento
del Espíritu

Construir una habitación dentro de su mente es una forma muy agradable de darle la bienvenida a su cuerpo. No obstante, éste necesita algo más que un saludo por su parte para vivir con plenitud. El siguiente paso consiste en enraizar el espíritu y establecer una conexión energética con la Tierra.

Las personas podemos conectar con nuestros cuerpos y con la Tierra de diversas formas: a través del tacto y el ejercicio físico, a través de la comida, del contacto con la naturaleza, el agua o los animales o a través de una práctica sexual sana. Al proceso de adentrarse en el cuerpo y conectarlo con el momento presente y con la Tierra lo llamo *enraizamiento*. Es un proceso simple y la mayoría de las personas lo experimentan de manera natural a lo largo del día.

Si alguna vez ha llegado a marearse de hambre y ha sentido un soplo de alivio cuando le ha suministrado a su cuerpo la comida que necesitaba, ha experimentado el enraizamiento. Si alguna vez se ha deleitado con el masaje que le ha proporcionado una persona de su confianza al final de una semana estresante, ha experimentado el enraizamiento. Cualquier cosa que le devuelva al presente y a la sensación de placer y liberación constituye enraizamiento.

Las personas cuyo espíritu no está enraizado en el presente tienden a inestabilizarse, a estar desorientadas, estresadas, a resultar estresantes para los demás y a dedicarse en exceso a controlar todo lo que las rodea. Por el contrario, las que se encuentran enraizadas en el momento actual son, generalmente, prácticas, equilibradas y se encuentran a gusto en sus cuerpos. El enraizamiento espiritual tiende a estabilizar a las personas porque sosiega sus cuerpos y hace de ellos un lugar cálido y apacible para vivir. Controlar a los demás se vuelve innecesario porque la armonía proporciona al cuerpo un medio para controlarse a sí mismo, liberar la energía y las emociones reprimidas y despejarse a cada instante. Inténtelo y verá.

CÓMO CREAR SU PRIMER CORDÓN DE ANCLAJE

A continuación veremos cómo puede enraizar su espíritu: siéntese erguido en una silla con respaldo, sin cruzar los brazos ni las piernas y apoye bien los pies en el suelo. Entre en la habitación de su mente si puede. Coloque la mano derecha sobre su vientre, justo por encima del pubis, y la izquierda, a su espalda, en la base de la columna.

Si puede, mantenga los ojos abiertos, concéntrese y visualice un centro circular de energía dentro de su pelvis, justo entre sus manos. (Si conoce el sistema de chakras, reconocerá este centro como su primer chakra, como muestra la ilustración 2, página 27). Habitualmente, este centro se visualiza como un disco de unos seis a ocho centímetros de diámetro, orientado hacia el frente y con una energía de color girando dentro de él (el color debe ser rojo).

Este disco de energía, sujeto firmemente, siempre reside en el interior de su cuerpo y ha estado presente desde antes de que naciera. Proporciona un suministro constante e ilimitado de energía y su función primordial es alimentarle y servirle.

Permanezca en su mente visualizando cómo la energía gira en el interior de este chakra y vea un cordón o un haz de la misma energía que se desplaza hacia abajo. Dicho cordón puede ser del mismo diámetro que su chakra o ligeramente más pequeño, como un tubo de un espléndido color. Visualice su chakra anclado firmemente dentro de su cuerpo y observe cómo el cordón desciende hasta salir de sus genitales, atravesar la silla e introducirse en la porción de suelo que hay bajo sus pies.

Sepa que la cantidad de energía disponible para crear el cordón es ilimitada. Con esta práctica no está agotando su primer chakra, simplemente está redirigiendo una cantidad de su inagotable energía hacia el centro del planeta. Respire

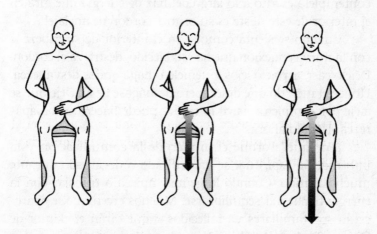

Figura 2. Cómo crear su primer cordón de anclaje.

acompasadamente, permanezca, si puede, en su santuario interior y relájese. Observe cómo avanza su cordón energético hacia abajo, atraviesa los cimientos del edificio en el que se encuentra, se adentra en las capas del suelo y continúa hasta alcanzar el centro del planeta, sea cual sea la forma en la que se lo imagine.

¿Está aún dentro de su mente o ha descendido también hasta el centro de la Tierra? No es necesario que siga a su cordón. Quédese en su habitación interior y diríjalo a través de la visualización. Él le obedecerá.

Cuando su cordón alcance el centro del planeta, ánclelo en él de forma que quede sujeto firmemente. Puede visualizarlo como una larga cadena con un ancla real, como un árbol cuyas raíces envuelven el núcleo de la Tierra, como una cascada que proyecta un flujo uniforme y constante de agua hacia abajo, como un cable eléctrico que puede conectar al centro del planeta o como cualquier otra imagen que le sea útil.

Sienta la fuerte conexión que hay entre su centro de gravedad (la pelvis) y el centro de gravedad del planeta, así como las sólidas uniones en ambos extremos del cordón. Pronuncie tres veces su nombre completo dirigiéndose hacia el cordón o contémplelo escrito a lo largo del haz de energía que gira en el interior de éste. ¡Éste es su primer cordón de anclaje!

Cuando se sienta cómodo en el interior de su cabeza y con la nueva conexión que ha establecido, destruya el cordón. Déjelo caer, arrójelo lejos, quémelo o haga que se desvanezca. Utilice el método que desee, pero deshágase de él. Deje que se aleje por completo: usted lo creó y puede hacer que desaparezca. Hágalo ahora.

¿Por qué? Porque el mundo de la comunicación y la información espiritual se ha deificado o devaluado durante mucho tiempo. Cuando la gente empieza a trabajar con la energía tiende a desequilibrarse. Muchos creen que se aparecerán sus familiares ya fallecidos o que oirán el clamor de Dios... ¡Tonterías! Sólo se trata de su trabajo con su propia energía y su propio cuerpo, eso es todo. En nuestra cultura, carecemos de lenguaje y contexto para explorar el espíritu. La palabra *chakra* procede de la India oriental; en Occidente ni siquiera tenemos ese concepto. Por consiguiente, cuando la mentalidad occidental trabaja sobre el espíritu, suele estallar una caja de Pandora repleta de tonterías y miedos.

Apártese de todo ese temor ignorante acerca del espíritu. Recuérdese a sí mismo que usted está al mando de su energía y de las creaciones de ésta. Las herramientas de su energía le pertenecen; si no son perfectas, o no poseen el color apropiado o el tamaño apropiado puede destruirlas y empezar de nuevo. Aquí manda usted. Puede destruir cualquier cosa que cree con total impunidad y comenzar de nuevo. Usted manda.

Ahora, vuelva a establecer la conexión de la forma que desee; si quiere hacerlo de pie y sin colocar las manos sobre el primer chakra, hágalo. Elija un color brillante para su cordón, que no tiene por qué ser rojo aunque su primer chakra lo sea. Deje que su cordón tenga movimiento y vivacidad y hágale saber que el mando lo tiene usted. Pronuncie su nombre a lo largo de su nuevo cordón.

Sólo existen algunas reglas para crear un cordón de conexión energética con la Tierra: debe estar firmemente sujeto en ambos extremos; debe fluir constantemente hacia abajo, de manera que pueda usarse como herramienta de limpieza; los extremos exteriores del tubo o cordón deben ser redondeados, sin agujeros, desgarros o brechas que permitan que se pierda energía. Aparte de eso, el tamaño, color o sistema de anclaje es cosa de su imaginación.

Levántese y muévase. Salte, corra, tiéndase. ¿Le acompaña su cordón y se mueve con facilidad? Si no es así, deje que se desprenda de su cuerpo. A mí me gusta cortar los cordones que no son del todo perfectos con una tijeras imaginarias y dejarlos desplomarse hasta el centro de la Tierra. Cree un nuevo cordón, o póngale ruedas al que ya tiene si no se quiere deshacer de él, pero recuerde decir su nombre cada vez que haga uno nuevo.

Si enraizarse le resulta un verdadero problema, no se preocupe, en este momento todo lo que necesita es mantener una mentalidad abierta. Su mente resulta sorprendente cuando mantiene una realidad conceptual hasta que su cuerpo la asimila y crea una realidad física. Relájese y lea. Será capaz de establecer esta conexión muy pronto. A mí me llevó meses, pero era muy testaruda y nadie supo cómo frenar la disociación centrada en la agresión que padecía. Usted es más afortunado de lo que yo fui, pues este libro contiene todo tipo de ayudas. Permanezca en su mente y continúe trabajando.

CÓMO DESPRENDERSE DE DETERMINADAS ACTITUDES

Cuando esté preparado, siéntese de nuevo y practique el siguiente ejercicio para enraizar su espíritu: entre en su santuario interior y tienda su cordón de anclaje. Relájese, permanezca sosegado e intente evocar algún hecho reciente que le haya irritado. Piense en él hasta que consiga una imagen viva de lo que sintió exactamente cuando tuvo lugar lo que tanto le molestó. Compruebe si es capaz de experimentar, de nuevo, ese sentimiento de irritación.

Ahora, acelere el flujo de energía que desciende por su cordón. Tome la experiencia de disgusto que vivió (simplemente haciéndola entrar en su cuerpo desde la nada), haga con ella una bola, láncela al centro de su cordón y observe cómo se va alejando.

Permanezca en el interior de su habitación imaginaria y deje que el cordón limpie toda la ira de su cuerpo. Sienta cómo desaparece la tensión de su estómago, cómo el barullo abandona su cabeza, cómo la ira sale de su cuerpo... Sienta el sonido de todas estas actitudes negativas al fluir cada vez más lejos de su cuerpo, dejando ante usted un millón de sentimientos nuevos que experimentar a partir de ese momento.

Observe cómo la energía de su enfado pierde su carácter negativo a medida que se dirige al centro del planeta y se transforma de nuevo en energía simple y limpia. Tenga en cuenta que la ira es algo que usted mismo unió a esta energía; podría haberla usado para reír, llorar, actuar, dormir..., pero usted eligió estar enfadado.

Vea cómo se aleja su irritación, no la pierda de vista hasta que compruebe que vuelve a ser energía neutra, útil para cualquier propósito. Cuando ésta alcance el final del cordón en el centro del planeta, permítale que salga de su cordón, siempre reluciente y limpio, y que vuelva al lugar del que procede. Vea qué grande es esta bola de energía; en otras palabras, advierta cuánta energía para vivir con plenitud ha malgastado en enfadarse. Si ha dejado que este hecho tan simple ocurra, piense que es porque dispone de múltiples opciones a la hora de emplear su energía. Sienta la diferencia en su interior ahora que se ha liberado de este episodio de irritación: puede que se sienta más ligero y más libre y puede que no. Depende del grado de ira que admita en su vida.

Si echa de menos su irritación y siente que aún no puede pasar sin ella, sepa que la energía volverá a usted limpia y preparada para ayudarle a crear de nuevo un «megaenfado descomunal» si así lo desea. Recuerde: usted está al mando y debe elegir en qué empleará su energía.

Mientras observa cómo sale del cordón la energía, una vez limpia, puede que advierta que ésta se aleja completamente de usted hasta que llega a desaparecer. ¡Enhorabuena!: acaba de expulsar la energía de otra persona.

¿Por qué «de otra persona»? Habitualmente, todos nosotros recogemos y nos nutrimos de mensajes, ideologías y actitudes que no nos pertenecen y que no favorecen en absoluto nuestro crecimiento. Como ejemplos de la energía de otros que albergamos en nuestro interior, podríamos citar ideas tan triviales como «con la boca llena no se habla» o tan profundas como «la gente no te querrá hasta que no seas perfecto». Se puede tratar de ideas y mensajes que ha aprendido en el seno de su familia (como entristecerse o enfadarse ante ciertas situaciones), algo que le han enseñado con respecto a su sexo («las niñas buenas no...», «los hombres de verdad nunca...») o algo que ha obtenido de las personas de su generación (incluyendo «el mejor amigo» o los medios de comunicación).

Una parte del proceso de enraizamiento espiritual y limpieza de la energía se ocupa de descubrir qué actitudes y posturas de las que presenta ante la vida son auténticas y cuáles son artificiales. Sea cual sea el mensaje, o la idea, si no es cómodo y saludable para su vida actual necesita ser enviado a través de su cordón y examinado desde un punto de vista más neutral y objetivo. Si la idea, actitud o mensaje es suyo, su energía retornará a usted una vez que se haya limpiado. Si el mensaje pertenece a otra persona, volverá a dicha persona limpio del compromiso que contrajo con usted.

Cuando lleva a cabo esta conexión, está eliminando las ataduras a antiguos comportamientos y liberando energía para destinarla a nuevas actitudes (si así lo desea). Además, está realizando un servicio para los demás al limpiar los mensajes y las posturas que tomó prestados de ellos. Antes de devolver la energía a su correspondiente dueño, se ha responsabilizado de las consecuencias que pudieran derivarse de su acuerdo con el punto de vista de éste. Ésta es una manera espiritualmente formal de separarse de los pensamientos, necesidades e ideas de otras personas.

Cada día, a cada momento, necesita disponer de respuestas nuevas, actuales y revisadas para el mundo que le rodea. Cuando pone en funcionamiento su cordón de energía, tanto su cuerpo como sus emociones dispondrán de un medio para limpiarse en cada momento. Puede comenzar por considerarse un ser ilimitado, libre de comportamientos o aciones del pasado o de viejos mensajes que le mantienen tan atrapado como a una mosca en ámbar. Cuando está enraizado, la fortaleza silente y el poder que experimenta le recordarán que, en su ajetreada vida, usted es la causa, y no el efecto.

En la actualidad, los estudiantes de artes marciales reconocen el cordón de anclaje como una forma de energía *Chi*. En la mayoría de las artes marciales, lo primero que se les enseña a los alumnos es a permanecer en pie de forma correcta y equilibrarse hasta que se les permita saltar o golpear al contrincante. A fin de encontrar el equilibrio, estos alumnos aprenden a dirigir el *Chi* desde el interior de su faja pélvica hacia abajo, y a concentrarse en sus cuerpos y en sus respectivos centros de gravedad. Al controlar el *Chi*, conforman la postura del guerrero, con las piernas firmemente plantadas, el cuerpo relajado y la consciencia afinada. La postura del guerrero, en la mayoría de las artes marciales, no es agresiva ni desafiante, sino expectante, consciente de sus fortalezas y debilidades. El guerrero de artes marciales se mantiene firme, con las armas enfundadas, preparado para cualquier cosa que le pueda sobrevenir, pero no pidiendo pelea.

El enraizamiento proporciona ese mismo estado de vigilancia en buscadores del espíritu como usted. Su conexión le ayudará a permanecer firme dentro de los límites de su propia vida y de su psique, al mantenerle concentrado y conectado con la tierra y con el momento presente. A partir de ahora puede sentirse firme y usar su cordón de anclaje de modo constante para deshacerse de los pensamientos y actitudes que le desequilibren o le distraigan de su poder y su vida.

CÓMO DESPRENDERSE DE MENSAJES

Entre en la habitación de su mente y compruebe su enraizamiento espiritual. Si su cordón presenta algún tipo de debilidad, deshágase de él y elabore uno nuevo de un color fluorescente. Pronuncie su nombre dirigiéndose al cordón y practique otro ejercicio de conexión. Esta vez, vamos a deshacernos de algo mayor que una reacción de ira: vamos a desprendernos de un mensaje completo a través de nuestro cordón.

Al principio, elija un mensaje fácil, como puede ser una norma paterna estereotipada o una idea televisiva sobre cómo se debe comportar según su sexo. Este mensaje se puede expresar en forma de sentimiento, sensación o imagen. Sea cual sea la forma en la que experimente dicho mensaje, debe tener una completa percepción del mismo antes de dejarlo marchar. Cuando lo introduzca en el cordón, compruebe si le apetece recuperarlo; si experimenta un sentimiento de pérdida, puede que aún no haya terminado con este mensaje. Deje que se marche de todas formas. Cuando se limpie y salga por el final de su cordón intente ver hacia dónde se dirige. Si no puede verlo, no se preocupe, yo tampoco soy vidente. Lo único que postulo y sé es que, cuando soy plenamente consciente de cómo se siente mi cuerpo, estoy trabajando con la energía. Cuando dejo que ésta fluya, siento que me zumban los oídos, la respiración se vuelve más profunda y mi cuerpo se relaja. Puede usar su imaginación o las sensaciones de su cuerpo para guiarse. El cuerpo nunca miente.

Visualice o sienta hacia dónde se ha dirigido la energía del mensaje que ha liberado. Si éste se desvanece con facilidad, puede prescindir de él. Si, por el contrario, vuelve hacia usted, es porque se trata de un mensaje que aún necesita o en el que aún cree. Si es así, estúdielo. Ahora que se ha despojado de la identidad que le dieron otras personas u otros tiempos, puede considerarlo desde el momento presente, bajo sus propias circunstancias. Quizá cobre sentido para usted a un nivel más profundo. En ese caso, es libre de reintegrarlo (ahora que está limpio) en su vida presente.

Si, en los próximos momentos o días, este mensaje no le resulta apropiado, despréndase de él de nuevo. No olvide que, si tomó este mensaje de algún lugar en uno de sus desplazamientos, tiene todo el derecho y todo el poder para enviarlo de nuevo de vuelta. Usted manda. Cuando los mensajes le toquen alguna fibra, siéntase libre para conservarlos, pero asegúrese de limpiarlos de la energía de otras personas u otro tiempo antes de volver a recuperarlos.

A continuación le pongo un ejemplo: su padre es un gran cocinero. No es simplemente bueno, sino excepcional. A usted le gusta cocinar, pero le resulta muy difícil hacerlo sin pensar en su manera específica de afilar los cuchillos, limpiar las superficies o medir las especies. Encuentra que no puede experimentar con nuevos sabores porque su padre, que ni siquiera está en la casa, desaprobaría sus ideas. Así que se dice a sí mismo que, en realidad, no tenía demasiada hambre o termina por elaborar una comida tan picante que es imposible de comer, tan sólo para probarse que es capaz de hacerla.

Si entra en la habitación de su mente y envía a través del cordón las normas y actitudes de su padre con respecto a la cocina, verá que no tiene necesidad alguna de cumplirlas. No necesita ser como él para quererle. Puede conservar determinados aspectos de su forma de cocinar, pero también puede enviarle una enorme y reluciente bola de la intensa energía que ejerce sobre usted. Puede aprender la esencia de la gastronomía sin necesidad de vivir la vida de su padre... o puede continuar luchando contra su memoria, depende de usted.

Sepa que los mensajes no son sino ruido e ideas que hemos añadido a la energía. No son leyes que envía Dios. Sólo si centramos nuestra atención en ellos, cobrarán vida en nuestros corazones y nuestras mentes, y sólo si los liberamos conscientemente, podremos devolverlos a la nada de la que forman parte. Envíe los mensajes con los que convive a través de su cordón. Si son bazofia, no permita que vuelvan. Recuerde que usted tiene derecho a individualizar y elegir su propia forma de responder al mundo, sin importar lo que otros digan o hagan.

La individualización es un proceso que dura toda la vida y que tiene por objeto descubrir el sentido de la propia existencia, independientemente de las necesidades, deseos o exigencias de cualquier otra persona. El primer objetivo de la individualización no consiste en descubrir quién soy, sino en saber quién no soy.

El primer paso para crear un espacio tranquilo donde se desarrolle su yo auténtico y espiritual consiste en desprenderse de mensajes y actitudes extrañas. Al liberarle de pensamientos, sentimientos y comportamientos que le incomodan, el enraizamiento hace posible su individualización. Con la certeza de que usted puede, y de hecho controla su manera de responder al mundo, tanto interior como exterior, se adaptará con mucha más facilidad al mundo como en realidad es. No tendrá necesidad de gastar energía en controlar el mundo que le rodea, porque empleará su energía en ser claro y auténtico en cada momento.

El enraizamiento le conecta con la Tierra y le proporciona un sistema constante de apoyo; le ofrece continuamente oportunidades de descargar viejos mensajes, viejas ideas y viejas formas de vivir. Facilita la tarea de la individualización, porque se centra en su interior, en usted y sólo usted, aquí y ahora. Ayuda a que su espíritu descanse en el interior de su cuerpo de manera segura y agradable y, cuando esto ocurre, siempre «estará aquí y ahora».

CÓMO DESPRENDERSE DEL DOLOR

Como pronto descubrirá, la técnica del enraizamiento es útil en numerosas situaciones. Practique el siguiente ejercicio la próxima vez que tenga algún dolor o malestar. Entre en su santuario interior y asegúrese de que su cordón habitual de anclaje está en su posición. Cuando se encuentre cómodo con su cordón principal, cree un segundo cordón que parta directamente del centro de su molestia. Permita que éste crezca a partir de la energía de su dolor y que descienda hasta el centro de la Tierra.

En lugar de anclarlo dentro de su cuerpo, deje que drene y expulse toda la energía que emite el dolor, como si fuese una cuerda enmarañada que tiene en su extremo atada una tabla y que se va desenredando al caer hasta que, al final, cae también la tabla. Mientras ésta abandona su cuerpo, note lo unido que está a su dolor, cuánta energía ha invertido en él y cómo se sentirá al vivir sin él.

Recuerde que el dolor, tanto físico como emocional, es sólo una señal. No es una entidad en sí mismo a la que haya que temer, de la que se tenga que escapar o a la que haya que someter. El dolor es una señal de que algo no funciona. Si no sintiese dolor, no podría ser consciente del peligro en su entorno o de la enfermedad en su cuerpo. Sin dolor, iría de acá para allá ciego a las cosas que le podrían causar un daño real. El dolor le alerta, de repente, sin delicadeza ni subterfugios, del peligro y la enfermedad. El dolor no juega; usted tampoco debería hacerlo.

No se supone que tenga que magnificar el dolor, ni pactar con él, ni imaginar cuando se siente bien que éste ha desaparecido por arte de magia; ése no es el cambio de actitud que se le pide. Lo único que necesita es escuchar con respeto a su cuerpo, revisar su unión emocional con determinadas ideas o sufrimientos y dirigir su atención curativa (o la de su médico o su sanador) hacia la zona dolorosa.

El enraizamiento espiritual es una forma excelente de controlar el dolor, porque hace que su cuerpo sepa que usted está «en casa» y alerta, que está escuchando y que está actuando sobre los mensajes que éste emite. A medida que continúe trabajando con la energía, se sorprenderá de la cantidad de dolores y molestias que su cuerpo manifiesta tan sólo para hacer que su atención vuelva a centrarse en su interior y en el presente. Puede identificar fácilmente este tipo de dolor: desaparece como por arte de magia cuando lo proyecta a través de su cordón de energía.

Mantenga el cordón principal bien anclado y en funcionamiento durante todo el tiempo. Al principio, es bueno que entre en su habitación mental y compruebe su cordón al menos dos veces al día. No es necesario que busque una habitación tranquila para hacerlo; tan sólo tiene que sentarse o permanecer inmóvil durante un instante, entrar en la habitación de su mente y conectarse a la Tierra. Sólo tardará unos segundos. Si su cordón le parece extremadamente delgado o irreal, deje que se desprenda y cree uno nuevo. Cambie el cordón cada día, si quiere. No cuesta nada y puede resultar divertido coordinarlo con su actitud o su vestimenta.

Manténgase enraizado mientras conduce, come, duerme o hace ejercicio. Compruebe la conexión cuando está en el trabajo, en el cine o en medio de una pelea. Trabaje con su cordón cuando esté enfermo, cuando esté haciendo balance de su talonario de cheques, cuando esté cocinando, bailando o haciendo el amor. Si necesita ayuda, puede extender esta conexión en la ducha, aprovechando el flujo de agua que desciende por su espalda o su pelvis y siguiendo el movimiento hacia abajo en su imaginación. Si esto no le ayuda y no consigue de ninguna manera establecer dicha conexión, pásese a la pagina 199, al apartado dedicado al primer chakra. Si comprende las funciones y disfunciones de éste le resultará más fácil llevar a cabo la conexión.

En la sección llamada *Técnicas Avanzadas* (página 101) encontrará más ejercicios, reglas e ideas sobre este tema. Por favor, pase con total libertad hacia estas secciones, pero tenga cuidado de no confundirse con el exceso de información. Es totalmente normal, e incluso deseable, que se tenga cierta dificultad al principio. Si las cosas se vuelven muy complicadas, entre en su santuario interior y lance su cordón de anclaje de inmediato. Mientras más lo practique, más fácil le resultará, porque su cuerpo se aclara y limpia cada vez que lo hace. Pronto estará suficientemente despejado para permanecer enraizado sin prestar una atención constante.

Si descubre que le supone demasiado esfuerzo y agotamiento tender su cordón y permanecer en el interior de su mente, ¡no lo ha entendido en absoluto! El trabajo con la energía exige dedicación, no esfuerzo; éste se crea a partir de hilos sutiles, un poco de magia y voluntad, pero no requiere sangre y sudores. Si siente que le está costando un esfuerzo excesivo, deténgase, relájese y despéjese. Vuelva a leer los ejercicios para enraizar su espíritu y diviértase con su energía.

LA NORMA BÁSICA PARA EL ENRAIZAMIENTO

Una observación antes de continuar: resulta realmente fantástico que el enraizamiento obre milagros en usted y estoy segura de que pensará que podría igualmente hacerlos en las vidas de otras personas que le rodean y, ciertamente podría, pero sólo si ellos mismos establecen su propia conexión con la energía de la Tierra. Enraizar a otras personas a través de uno mismo es totalmente incorrecto.

No olvide que esta conexión es una forma de sanación y el fallo que encabeza la lista de una espiritualidad errónea es curar a otras personas sin preguntar. Además, su cordón personal no será operativo para nadie más, sólo estaría poniendo su propia energía sanadora y sus propias conclusiones en las vidas de los demás, lo cual no es admisible. Nadie, excepto usted, necesita aprender *sus* lecciones ni experimentar *su* enraizamiento.

Si conoce a alguien que necesite urgentemente establecer dicha conexión espiritual, préstele su libro durante unos días, enséñele lo que ya sabe, pero ¡no lo conecte usted! No se haga responsable del crecimiento espiritual de otra persona... No funcionaría. Cuídese, por favor.

Defina
su Aura

La mayor premisa en todos los métodos de trabajo psicológico consiste en establecer los límites apropiados; éste es también el punto principal de discrepancia y discusión en todas las relaciones. Con todo, el procedimiento para establecer dichos límites es incierto, poco científico y habitualmente ineficaz.

Cuando las personas carecen de fronteras razonables, sus vidas no fluyen correctamente. Con frecuencia, sus vidas interiores no son más que un amasijo de necesidades insatisfechas y sueños no realizados, mientras que sus vidas exteriores están repletas de trabajo en exceso o causas sociales desesperadamente relevantes. Debido a que no saben exactamente dónde comienzan y dónde terminan, estas personas se responsabilizarán de casi todo, desde los estados emocionales de sus amigos, hasta el estado del medio ambiente. Encuentran su definición en cuánto pueden afectar a los demás y no en lo efectivos que son en las vidas de los otros.

Las personas que no tienen sus límites establecidos utilizarán a menudo su autoridad para crearlos: si tienen mucha autoridad pueden ocupar un espacio más relevante y de esa forma protegerse a sí mismos, o bien, si tienen poca autoridad pueden probar su autocontrol y pasar desapercibidos. Este tipo de personas puede que utilicen, por otra parte, su seguridad física o elegancia para ejercer su control sobre los demás y crear sus fronteras, aunque ninguna de estas fronteras falsas funciona.

Generalmente, las personas que carecen de límites son extremadamente activas y se interesan por temas de sanidad, medio ambiente, política, negocios o finanzas, lo cual no es una actividad perjudicial en sí ni para ellos. No obstante, el hecho de centrar su atención en exceso en estos asuntos externos, contribuye a definir personas hiperactivas cuyos límites personales están debilitados. Yo los llamo *curadores fuera de control*.

Los curadores fuera de control se diferencian en gran medida de los curadores ordinarios. A menudo resultan excepcionalmente buenos en lo que hacen, sin embargo, una mirada más detenida a su vida interior nos revelará el vacío y el caos reinante en ella. Desprenden energía a raudales, que inunda las cosas y las personas a las que curan. Por otra parte, nunca se dedican tiempo a sí mismos.

Una prueba válida para identificar a los curadores fuera de control es preguntarles qué hacen por ellos mismos, cómo descansan o nutren su cuerpo. Los curadores ordinarios, tras una leve vacilación, enumerarán rápidamente una lista, mientras que los otros se quedarán mudos o comenzarán a hablar de forma interminable sobre su *desinteresada misión*.

Y así es en sentido estricto: desinteresada, pues intentan hacer frente a sus males precisamente «des–interesándose» por ellos mismos, volviéndose notas sin importancia al pie de las páginas de sus vidas. Estas personas pretenden apartarse de su caos interno curando constantemente a otros e ignorando sus propias necesidades, incluso aunque caigan enfermas o mueran en el proceso. Cuando curan a los demás o combaten la injusticia social, están tratando de, al menos, mantener su energía curativa fluyendo, pero, como no tienen o no comprenden sus propios límites (y probablemente están dirigidos hacia enfermedades físicas o mentales), su atención curativa puede resultar perjudicial para los otros.

Los curadores fuera de control no pueden permitir que las otras personas asuman su dolor; si lo hicieran, ellos tendrían que asumir el suyo propio –¡Dios no lo permita!–. A menudo eliminarán de un plumazo los obstáculos y las dificultades, antes de que las personas a las que ayudan aprendan las lecciones relacionadas con su propio malestar. Estos curadores tienen buenas intenciones, pero generalmente crean dependencias intolerables porque necesitan curar a toda costa, tienen que curar y no pueden permitir que los demás, o el mundo, simplemente sean como son. Siempre están buscando nuevas misiones e injusticias, generalmente partiendo de la vida de otras personas y sus dificultades.

La fuerza que se esconde tras estos curadores parece ser la obligación de liberar al mundo del sufrimiento, pero se traduce en una verdadera coacción al liberarse a sí mismos del recuerdo de su propio malestar. Por esta razón, la curación que ejercen tiende a provenir de un lugar muy forzado y estresante, en el que la propia imagen del curador está inextricablemente asociada a su facultad curativa. Llegan a olvidar sus necesidades, su salud, su hogar, sus finanzas... ¡Están llevando a cabo una misión! Esta misión es patética, porque siempre terminan quemándose, mental o físicamente, y tarde o temprano tendrán que dejar de curar. Cuando ese inevitable momento llega, los curadores evasivos se sienten desconsolados: sin su misión, ¿qué tienen?, ¿qué pueden hacer?, ¿cómo pueden sobrevivir?

Si estos curadores son capaces de detenerse antes de su inevitable fracaso y dirigir sus increíbles energías hacia sus propias vidas, pueden cambiar rápidamente el decaimiento que les rodea. Cuando descubren sus límites y comienzan a trabajar sobre su propio malestar, pueden, generalmente, aceptar el malestar de los demás y dejar, entonces, de interferir (quiero decir, de curar). El primer paso consiste en detener las curaciones que procuran a los demás, detenerlas definitivamente, porque ellos son, con toda seguridad, incapaces de decir que no, incapaces de descansar e incapaces de aceptar cuidados por parte de otras personas.

La paz llegará a su mente, no cuando el mundo rebose de justicia y esté desprovisto de sufrimiento, sino cuando adquieran la facultad de afrontar los asuntos internos que les empujan a gastar toda su energía vital en cualquier cosa, excepto en ellos mismos. En primer lugar, tienen que ser capaces de crear una justicia interior y una liberación personal del malestar. Deben curarse a sí mismos y conseguir una conexión real y habitual con su propio equilibrio y bienestar antes de ser capaces de contribuir a que la paz y la justicia se manifiesten en el mundo en general.

Los individuos que poseen un sentido acusado de su territorio personal no buscan su propia valía en la facultad de curar a otras personas o de procurar la justicia externa, primero se aseguran que son lo suficientemente buenos para ofrecer una ayuda eficaz. Las personas que saben dónde empiezan y dónde terminan no utilizan la autoridad o la falta de ella para su seguridad física, sus límites físicos y emocionales nunca comprometen su salud. No son compulsivos o excesivamente descuidados con sus pertenencias y no creen que su mundo interior deba cerrarse a cal y canto para evitar intrusos.

Las personas que tienen sus fronteras definidas no curan a otras sin preguntar, porque están demasiado ocupadas en vivir sus propias vidas, así que no necesitan inmiscuirse ni crear dependencias con las de los demás. Estas personas curan a otras de manera natural, por ejemplo. Están físicamente seguros porque cuidan de sí mismos, porque se desprenden de su propia aflicción y porque se sitúan en ambientes fortalecedores. Además, poseen un espacio cómodo, amplio y espiritualmente defendible al que llaman hogar.

Usted ya dispone de un sistema de fronteras natural: el aura. Aunque se le han asociado algunas connotaciones metafísicas absurdas y desafortunadas, se trata simplemente de la frontera energética de su territorio personal.

Si alguna vez ha sentido, sin verlo directamente, que alguien le está observando o que se aproxima a usted por detrás, ha tenido la experiencia física de los límites energéticos de su aura. En su forma más simple, los componentes energéticos de su aura pueden alertarle cuando alguien invade su territorio físico, tanto si lo ha percibido visualmente como si no. Si le dedica un poco más de práctica y atención, su aura puede ayudarle, además, a ser consciente de su territorio emocional y espiritual. Al alcanzar dicha consciencia, el establecimiento de las fronteras apropiadas ya no será un misterio. De hecho, será capaz de ver y sentir su frontera como una entidad real, útil y práctica.

El conocimiento de su aura y de su sistema personal de límites tiende a crecer con usted a medida que pasa de la infancia a la adolescencia para salir finalmente de la protección de su familia. Generalmente, cuando experimenta la pérdida de sus límites en las relaciones, el trabajo, la universidad o el contacto sexual saludable, para recuperarlos más tarde, obtiene un conocimiento más profundo.

A medida que maduramos, nos encontramos continuamente con nuevas experiencias que nos incitan a bajar (e incluso a prescindir de) nuestros límites. Juzgamos si esta nueva persona, idea o experiencia merece que cambiemos nuestros puntos de vista. Con la ayuda apropiada, la mayoría de nosotros llega a superar esos momentos desafiantes a la vez que estimulantes, adquiriendo un sentido más firme de quiénes somos y un conocimiento más profundo de cómo encajarán en el mundo que nos rodea las fronteras que acabamos de examinar y reorganizar.

Sin embargo, la mayoría de nosotros tiende a perder el contacto con sus límites personales, probablemente porque no son un tema habitual en nuestras vidas o nuestras conversaciones («qué, ¿cómo va esa aura?»). Muchas de las técnicas sobre el cuidado de los niños y su educación escolar, se esfuerzan por ejercer algún tipo de control externo sobre los niños y dejan que su sistema de fronteras personales sea incierto. Los conceptos de autocontrol, individualización y necesidades privadas están devaluados en una sociedad tan influida por los medios de comunicación y tan dirigida a la masa como es la nuestra. Y, se exprese o no, el imperativo de encajar en ella es demasiado intenso. Esto hace que las personas que conforman dicha sociedad sepan exactamente lo que deben poseer, la ropa que deben vestir, las cosas que deben decir, la información a la que deben acceder, etcétera, y no favorece que las personas tengan una conexión real consigo mismas.

Al conocer su aura volverá a situarse dentro de su propia vida, que es el lugar en el que habitan la facultad de la curación, la verdad, la espiritualidad y su conexión con Dios.

CÓMO DEFINIR SU AURA

A continuación veremos cómo debe proceder para definir y limpiar su aura. Asiente su espíritu y entre en su santuario interior. Permanezca de pie y visualice una burbuja grande y oblonga que le rodea completamente. Ilumine los bordes de dicha burbuja con un color de neón intenso, incluso estridente. Observe la burbuja por encima de su cabeza, por debajo de sus pies, por detrás de usted, por delante y a ambos costados (véase la ilustración 3, página 47). La distancia desde su cuerpo hasta los bordes iluminados de la burbuja debe ser de entre 60 y 75 centímetros (aproximadamente la medida de su brazo extendido).

Permanezca en su centro y visualice su cordón de anclaje. Note que éste nace de su primer chakra y fluye progresiva y lentamente hacia abajo. Con el aura iluminada de este modo, puede observar cómo interactúan su cordón y el límite inferior de su aura; la intersección entre ambos se sitúa a una distancia similar a la medida de su brazo, por debajo de sus pies. Cambie el color del cordón de manera que haga juego con la burbuja de su aura y contemple el resultado. Puede que sienta un escalofrío o que experimente una sensación de liberación, lo que significa que su aura está utilizando el cordón de anclaje para liberar energía no deseada; ¡eso es fantástico!

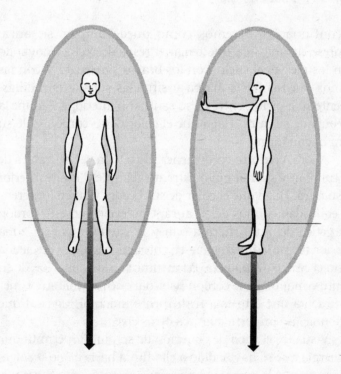

Figura 3. Cómo definir su aura.

Permanezca en su mente y estudie su aura. Lo que ha hecho es definir el área de ésta y dotarla de un color intenso, pero ¿se vuelve abultada o cambia de color?, ¿se aproxima a usted o se disuelve hasta desaparecer?, ¿observa agujeros o desgarros en ella?, ¿se sienten incómodas algunas partes de su cuerpo? Si es así, alégrese: ¡está recibiendo mensajes de su aura! Si no percibe cambios, alégrese también, porque su aura quiere vivir el momento presente con usted. En cualquier caso, no se preocupe por lo que vea, más adelante la estudiaremos con más detalle. Por ahora, estamos preparados para realizar algunos ejercicios de limpieza del aura.

CÓMO LIMPIAR SU AURA

A continuación veremos cómo puede limpiar su aura. Siéntese en una silla que tenga el respaldo recto, apoyando bien los pies en el suelo, con los brazos sin cruzar y con las manos vueltas hacia arriba y situadas sobre sus rodillas. Asiente su espíritu, entre en su santuario interior e ilumine la burbuja de su aura. Haga que el color de su cordón y de su aura hagan juego.

Ahora, cree otro cordón energético, esta vez se tratará de un tubo muy grande cuyo extremo abarque el límite inferior de su aura. Haga que el color de sus bordes y su circunferencia coincidan con los de su aura. Observe cómo este cordón energético del aura rodea a ésta y la envuelve por su zona inferior (véase la ilustración 4); entonces haga que descienda hasta el centro del planeta. Permanezca en la habitación de su mente y mantenga el cordón habitual que parte de su primer chakra, ya que éste está firmemente unido al lugar al que pertenece, no importa cuantos otros cree.

Visualice el tubo de conexión de su aura y permita que la energía que se ha añadido a ella fluya hacia abajo y salga, al tiempo que la energía almacenada en su cuerpo fluye por el cordón del primer chakra y sale de él. Deje que la energía

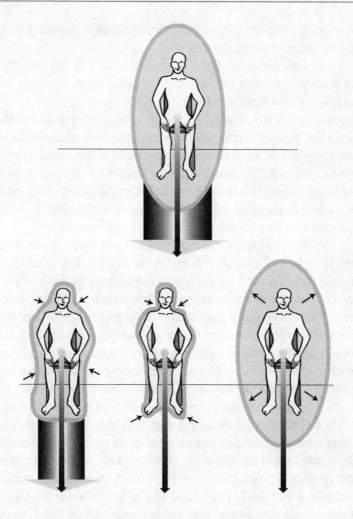

Figura 4. Cómo limpiar su aura.

estancada abandone su aura; puede que sienta grumos de estrés que salen de su cabeza, hombros o estómago; puede que los oídos le estallen o le zumben; puede que se estremezca o sienta calor y frío en determinadas áreas tanto internas como externas de su cuerpo; de hecho, puede que vea cómo algunas personas o hechos abandonan su aura. Pase lo que pase, permanezca en el interior de su mente y mantenga los dos cordones en funcionamiento.

Lea este siguiente paso antes de continuar. No es difícil de realizar, pero es complicado de explicar, por lo que he incluido algunas ilustraciones.

Deje que los bordes de su aura se cierren lentamente alrededor de su cuerpo. Cuando lo haga, note cómo toda la energía vieja de su interior es expulsada y desciende por el tubo de su aura. A medida que los bordes de su aura se cierran, la circunferencia del tubo de conexión de ésta encogerá con ellos. El resultado final debe darle la impresión de estar completamente envuelto por su propio campo áurico.

Imagine la sensación que le produce el tacto de su aura por toda la piel. Sienta el borde de su aura sobre la cabeza, tras la espalda, bajo los pies, a lo largo de su pecho y abdomen, alrededor de sus brazos, por detrás de sus rodillas, etcétera. Permanezca en la habitación de su mente y sienta cómo el intenso color toca y envuelve su cuerpo. Sepa que ya no hay espacio ni entrada para la vieja energía o información porque usted se ha desprendido de toda ella. Deténgase un momento a reconocer su aura, resplandeciente y limpia.

Cuando sea capaz de sentir el aura sobre su piel durante unos treinta segundos, dé las gracias al tubo de conexión de su aura y déjelo que caiga y se aleje de usted. Permanezca en su habitación imaginaria y mantenga el cordón de su primer chakra bien sujeto. ¿Tiene éste aún el mismo color que la burbuja de su aura? Si no es así, cámbielo hasta que sus colores sean iguales. Puede que haya cambiado de color para hacer algo mientras usted conectaba su aura con el centro de la Tierra a través del tubo. Eso es estupendo, pero necesitará que el cordón de su chakra esté atento a nuevas instrucciones dentro de unos minutos.

Cuando haya conseguido la sensación de estar completamente envuelto en su aura, expándala de nuevo hasta que alcance su dimensión habitual. Puede agrandarla de repente, inflarla como si se tratase de un globo, ayudarse de las manos para separarla de usted o, simplemente, imaginar que tiene su tamaño normal. A medida que expande su aura, rellénela de un tono pastel suave, correspondiente al color que eligió para sus bordes. Por ejemplo: si eligió un tono amarillo neón para los bordes de la burbuja, cree un amarillo pálido para el interior de su aura. Éste rozará su piel y se irradiará por encima de usted, por debajo, por detrás, por delante y por ambos costados. Aunque el borde de su aura, ya limpia y restituida a su tamaño habitual, no tocará su piel, este residuo luminoso de su energía sí lo hará. Gracias a esta conexión, le resultará más fácil ser consciente de las numerosas formas que tiene su aura para envolverle y protegerle. Al entrar en contacto, de esta forma, con los límites de su aura, será más consciente de sus funciones, reacciones y fluctuaciones.

Cuando su aura esté limpia por completo y haya vuelto a su tamaño normal, levántese y muévase. Su aura debe acompañar con facilidad su movimiento, tanto si permanece de pie, se inclina, se sienta o salta. Si su aura no le acompaña o no se mueve con facilidad, siéntese, conecte su cordón de anclaje y entre en la habitación de su mente. Cambie o intensifique el color del contorno de su aura y observe si eso la hace más móvil. Si no es así, realice otra limpieza de aura y ésta se deberá volver más fluida y flexible. Dedique algunos minutos a moverse con ella, sentarse y sentir cómo su energía le rodea por completo y le protege. Conozca su aura. Si no puede sentir nada por ella aún, no se preocupe, ya lo hará. Si le sirve de ayuda, avance hasta la sección *La Curación del Sol* (página 89).

Limpiar su aura y mantener una conexión consciente y presente con ella es tan importante como limpiar su cuerpo a través del enraizamiento. La energía que almacena en su cuerpo está relacionada con sus sentimientos e ideas sobre usted mismo. Si es capaz de enraizar su espíritu, examinar y renovar esta energía interior, redefinirá su propia percepción. De hecho, al anclarse a la Tierra, puede expulsar antiguas actitudes y viejas creencias de su vida interior de manera que no puedan atormentarle.

La energía que almacena en el interior de su aura, por otra parte, esta relacionada con sus sentimientos acerca del lugar que ocupa en el mundo exterior y con la imagen que los demás tienen de usted. Si se comunica con su aura, puede comenzar a identificar mensajes del exterior. Puede comprobar cómo ha aprendido a actuar y reaccionar en el mundo que le rodea. Tanto su cuerpo energético interior como exterior se benefician en gran medida de estos simples actos de limpieza consciente de la energía. Cuando su cuerpo y su aura se liberan de mensajes, actitudes, ideas y recuerdos que no les son útiles, comienzan a curarse.

Si no se siente cómodo con los límites que acaba de definir para la burbuja de su aura, déjela marchar y cree una mejor. Siéntese en el interior de su nuevo aura y, si se siente a gusto, pronuncie su nombre en voz alta o visualícelo escrito por todo el tejido de su aura.

Compruebe su aura periódicamente a lo largo del día: el contorno de ésta deberá ser brillante y uniformemente oblongo, sin protuberancias, agujeros o desgarros. Su límite deberá guardar con cualquier punto de su cuerpo la longitud aproximada del largo de su brazo. Con ayuda de toda esta información que le proporciona, su aura puede cuidar perfectamente de sí misma. Si, en este momento, está recibiendo algún tipo de mensaje de su aura (es decir, si ésta le muestra colores, formas o una distancia de separación diferentes a los que usted ha creado), relájese, dentro de poco podrá interpretar estas señales que le envía. En esencia, lo que usted está haciendo en este momento es informar a su aura de cómo debe ser su aspecto, pero no le está preguntando cómo se siente. Al comunicarle esta información sobre su apariencia, con toda probabilidad se calmará y dejará que usted esté al mando. Si, por el contrario, continúa bombardeándole con imágenes, incluso tras dejar claro que aún es inexperto en la interpretación del aura, puede pasar a la sección *Cómo Interpretar su Aura* (página 159).

Trabajar con la energía del aura no es igual que crear un cordón de anclaje o una habitación en la mente a partir de la nada. Su aura siempre ha estado presente, incluso aunque la haya ignorado por completo. Lo que está haciendo ahora es reencontrarse con ella, al mismo tiempo que le recuerda cómo debe ser su apariencia y cómo debe sentirse. Si comienza a mantener un contacto con su aura y a curarla, ésta se volverá más real para usted y, de este modo, podrá empezar a interpretarla. Si es muy grande, puede significar que usted está invirtiendo demasiado esfuerzo en asumir proyectos externos o responsabilidades excesivas o que no está manteniendo una distancia apropiada con los demás. Si su aura le rodea muy de cerca, puede significar que usted se siente amenazado o fuera de lugar. Si su aura tiene agujeros o ha perdido algunas partes, puede significar que, en su vida, está perdiendo sus límites o los está cediendo a otros.

Si advierte cambios en su aura, puede, simplemente, iluminarla y contemplarla como un todo vital que le ayuda a reforzar su territorio. Este breve acto de iluminarla, que no dura más de un segundo, despertará a su aura que, generalmente, fija su atención en otro lugar.

Cuando esté en contacto con su aura, puede que se dé cuenta de cuánto tiempo pasa fuera de su cuerpo y sin estar enraizado en él. Eso es bueno; felicítese por haber caído en la cuenta y continúe con sus ejercicios de limpieza. A cada momento que pase, se sentirá más tranquilo y despejado, aunque esté algo confuso en este momento. Siéntase a gusto consigo mismo, ríase un poco y continúe trabajando.

Cualquiera de las herramientas energéticas que hemos visto ayuda a las otras. Por ejemplo, le resultará más fácil enraizar su espíritu si está dentro de la habitación de su mente; será más fácil entrar en esta habitación imaginaria si su aura está bien definida; será más fácil definir su aura si ha establecido el cordón de anclaje, etcétera. Puede que uno o más de estos instrumentos le resulten inaccesibles en este momento, pero continúe trabajando con tranquilidad, relajación y sencillez. No sueñe con alcanzar una perfección sin sentido; la perfección es para los tristes y monótonos que carecen de imaginación. Este trabajo, por su parte, está siempre relacionado con la imaginación, que es la que hace posible el cambio y el crecimiento. Pero el cambio y el crecimiento no parecen perfectos; algunas veces, este trabajo le parecerá terrible y, otras veces, se sentirá el ser más hábil y agraciado de todo el planeta. Siga respirando, riendo y buscando la armonía: todo lo demás vendrá después.

Un inciso: si ya ha leído algo acerca del aura, puede que esté esperando que entre en largas descripciones sobre los colores y las diferentes capas de ésta. Lo siento, pero nunca he sido partidaria de eso: las auras son entes vivientes que se encuentran en un estado constante de cambio, flujo y redefinición, no sólo en lo que respecta a su color, sino también a su forma, tamaño, perfección y vibración.

He aprendido a confiar en mi aura. Como cariñosa propietaria, la limpio, redefino su contorno y la curo cuando no está en buen estado. No me obsesiono con sus innumerables fluctuaciones, ni la escudriño ni hurgo en todas sus capas. Creo en ella y confío en que funciona. Un aura abandonada necesita más dedicación al principio, pero se irá rectificando a sí misma rápidamente. Este libro, como puede verse, trata de la interpretación del aura, aunque es mucho más simple que otras obras que he visto sobre este tema. Yo he descubierto que el simple acto de escuchar intuitivamente lo que me dice mi aura puede ser la mejor manera de interpretarla y curarla de todas, independientemente de lo que sus capas o colores estén haciendo en ese momento.

Llegados a este punto, para meditar debe proceder de la siguiente forma: siéntese, establezca su cordón de anclaje y pronuncie su nombre a lo largo de él. Entre en la habitación de su mente y asegúrese de que su santuario de meditación está aún allí. Si no puede localizar su habitación, cree una nueva en el estilo que más le guste.

Una vez hecho todo esto, alumbre su aura con un color brillante y observe la intersección que forma con su cordón de energía. En este momento, puede visualizar el contorno de su aura y el haz de energía de su cordón de diferentes colores si lo desea, pero, si su aura se aparece de forma confusa o tiene oscilaciones, póngale un color mucho más brillante y haga que coincida con el de su cordón. Al hacer esto, su cordón ayudará de forma natural a su aura a centrarse y a descargar el exceso de energía. Además, mientras más brillantes sean los colores, más nítidos aparecerán los contornos.

No piense que va a agotar la energía de su cordón con tanto trabajo; la energía que irradia el primer chakra es ilimitada y es capaz de llevar a cabo mil tareas a la vez. Su cordón puede hacer cualquier cosa que le pida.

Una vez que se hayan desarrollado sus habilidades, la comprobación diaria de sus facultades curativas durará menos de treinta segundos. Siéntese, conecte su cordón, entre en su centro espiritual, ilumine su aura y preste atención a cualquier dificultad o imperfección. ¡Eso es todo!

Cómo proteger
su Aura

Si ha realizado con anterioridad algún trabajo en el campo de la metafísica, puede que conozca algunas cosas sobre los sistemas de protección psíquica llamados el Muro, el Espejo o la Luz Blanca. Se trata de instrumentos de barrera que usan algunas personas para protegerse de otras y de cualquier energía espiritual «maligna» que pueda cruzarse en su camino. Yo he descubierto que este tipo de barreras tienden a crear más problemas de los que resuelven.

El Muro es una barrera energética que, de hecho, tiene el aspecto y la consistencia de un muro de ladrillos. Las personas que utilizan el Muro son, con frecuencia, rígidas e inflexibles en sus relaciones con el mundo. El Muro se erige como una defensa impenetrable. Por desgracia, hay muchos seres a los que les gustan los desafíos y se sentirán atraídos por las «personas Muro» como las polillas por las llamas. Aunque lo que verdaderamente quieran es que se las deje solas, las «personas Muro» se encuentran, con frecuencia, rodeadas de gente descentrada y manipuladora. Los que utilizan esta barrera no se dan cuenta de que su sistema de defensa resulta fascinante y/o insultante para los demás, que tratarán de penetrarlo simplemente para demostrarse a sí mismos que pueden hacerlo.

Las «personas Muro» rara vez consiguen el aislamiento que ansían y a menudo se les oye decir: «¿por qué vienen a mí estos locos/este trabajo/estos amigos? ¿Es que tengo un letrero en la frente o algo por el estilo?». De hecho, dado que todo el mundo tiene la intuición necesaria para percibir las barreras energéticas ofensivas, a las «personas Muro» se les podría colgar un letrero que dijera: «Por favor, ¡moléstenme!».

El Espejo representa lo que su propio nombre indica y es una barrera algo menos insultante que se erige para devolver a su usuario la energía o atención que envía. Es una forma de decir: «cualquier cosa que me envíes te pertenece a ti, así que no me implicaré de ningún modo en tus comunicaciones». El Espejo es efectivo sólo de forma parcial: mientras que la mayoría de las personas se cansan de obtener por respuesta sus propios mensajes, otras prefieren merodear y, por así decirlo, molestar espiritualmente. Vivir tras el Espejo puede llegar a resultar solitario, porque muy pocas cosas lo atraviesan. De igual modo, puede ser molesto si atrae a narcisistas espirituales que lo único que quieren es zanganear alrededor de la «persona espejo» y contemplarse a sí mismos.

Al igual que el Muro, el Espejo es algo muerto y quebradizo; ninguno de ellos posee ningún tipo de flujo o movimiento y es bastante difícil revestirlos de optimismo o de humor. A causa de su rigidez, ambos interfieren de manera negativa en la salud y fluidez del aura.

La de la Luz Blanca es una historia totalmente diferente. La Luz Blanca es una burbuja de aura blanca y brillante que se usa como sistema de protección general. Esta idea procede del mundo de los guías espirituales y los ángeles guardianes, cuya energía aparece, generalmente, en el aura o en un chakra de color blanco o plateado. Aunque estos seres son lo suficientemente fascinantes como para dedicarles todo un libro, en éste tan sólo los trataremos de forma concisa, debido a la complejidad del asunto (que requiere un conocimiento previo de temas como la vida después de la muerte, la reencarnación, el supraconsciente, las almas gemelas, el karma y los registros askásicos entre otros).

En esencia, los guías y ángeles son seres que han accedido a cuidarnos durante nuestra vida terrestre. A menudo actúan como mediadores entre nosotros y la información que deseamos, entre nosotros y Dios y entre nuestro espíritu y nuestro trauma inmediato. En épocas de transición o conmoción, los guías espirituales nos proporcionan, con frecuencia, una pantalla protectora de energía blanca o plateada. Este manto blanco de seguridad es una cura maravillosa, pero desaparece pronto para que nuestros colores y energías naturales puedan reafirmarse a sí mismos.

Cuando las personas establecen una barrera de Luz Blanca para sí mismos (o, lo que es peor, se la envían a otros), pensando que si cualquier tipo de luz blanca es buena, mucha es mejor, introducen una especie de *rigor mortis* para el aura. El aura se vuelve rígida y pierde la salud debido a la tensión que le supone tener que mantener siempre el mismo color. Muy pronto, las personas que usan esta barrera se encuentran aisladas de la energía terrestre, de su propia energía y de la de las otras personas también. Sus guías espirituales sólo consiguen contactar con ellas tras muchos esfuerzos, porque la tarea de la Luz Blanca es, precisamente, mantener todo fuera. Por lo general, al cesar la entrada de información y estímulos, cesa también el crecimiento.

No me malinterprete: la Luz Blanca es muy importante. Es maravillosa en caso de emergencia o enfermedad, pero nunca fue concebida como instrumento para todos los propósitos. En mis propias meditaciones nunca he vuelto a utilizar la Luz Blanca, dejo su aplicación bajo el criterio de mis guías espirituales.

Cuando las personas acuden a mí para que les dé clases de curación con este tipo de barreras, les informo inmediatamente del temor subyacente que implican. Generalmente, las personas que sienten necesidad de ellas creen totalmente en el mal y el peligro espiritual y, con toda probabilidad, han tenido oportunidad de experimentar ambos. Yo lo hice, hasta que comencé a enraizar mi espíritu y a definir mi aura. Con los conceptos que estamos aprendiendo, fui capaz de entrar en contacto con las proyecciones que yo quería, proyecciones que me ayudaron a vivir en un mundo espiritual repleto de males y peligros.

A lo largo de mi infancia, varias personas abusaron de mí, desde que tenía dos o tres años. Crecí muy interesada en el horror y el mal. Cuando me introduje en el mundo de la espiritualidad, a los diez años de edad, soñaba que encontraba el mal bajo muchas apariencias. Aunque mis maestros espirituales pertenecían todos a la Hermandad Blanca, yo intuía que, por lo tanto, debía existir también una Hermandad Negra contra la que lucharía en una gran batalla apocalíptica.

En mis viajes interiores, usaba todos los sistemas que he mencionado con anterioridad y algún otro que pudiera encontrar, para mantener a todos «los malos» a raya. A veces, la magia funcionaba, pero en la mayoría de los casos no lo hacía. Me impliqué a mí misma en un gran número de emergencias psíquicas que, por fortuna, me llevaron a las puertas de un centro de estudios psíquicos. Allí pude, finalmente, comprobar que mi creencia en el mal tenía mucho más que ver con las creencias que tenía acerca de mi propia vida que con la realidad.

Comencé a convencerme de que, como no creía que Dios pudiese proteger a todo el mundo (¿dónde estaba cuando me agredían?), vivía en un mundo en el que reinaba el más absoluto peligro. Al viajar sola, sin conocimientos ni conexiones y armada con barreras basadas en el temor, vagaba por el mundo interior (y exterior) como un accidente esperando a producirse. Vivía en un temor inconsciente y constante que hacía que atrajese terribles experiencias hacia mí como si fuese un imán. Ni siquiera podía reconocer a las personas o los mensajes positivos, seguros y revitalizadores que encontraba cada día. No tenía tiempo para alegrías: ¡estaba demasiado ocupada en descubrir y destruir el mal! Yo iba a curar todo el planeta, aunque para ello perdiese la cabeza o pereciese en el intento. ¡Tenía una misión!

Por suerte, mi misión se vio interrumpida por las facultades que le estoy enseñando en estos momentos. A medida que aprendía a conectar mi energía con la de la Tierra y a definirla y limpiarla, mis posturas defensivas fueron desapareciendo. Ya no me asaltaban tan a menudo personas o experiencias malévolas. Creo que, como ya no estaba interesada en ese drama febril, resultaría menos divertido molestarme.

Al principio, me sentía perdida sin toda esa emoción y el terror a ver espíritus maléficos y estar en constante peligro. ¡Llegaba incluso a aburrirme! Sin embargo, perseveré porque parecía que las técnicas que estaba aprendiendo me situaban en una categoría espiritual diferente, una que me daba un poco más de respiro. Desde el interior de mi mente y tras mi aura, veía el caos sin sentirme obligada a participar en él.

Pronto adquirí una gran destreza para curar a personas perturbadas. Me resultaba muy fácil, incluso cómodo, conectar con los casos de esquizofrenia, visiones, voces y paranoias. Al igual que los sanadores experimentados, podía usar mis nuevas habilidades protectoras para mantenerme, a mí y a las personas que trataba de curar, seguras lejos del alcance de la locura.

Trabajando conmigo misma y curando a otras personas de sus terrores, aprendí una lección muy importante: comprobé que los seres a los que había llamado pavorosos, locos y malignos eran más miserables que cualquier otra cosa. Justo como yo, guardaban dentro de sí un profundo pozo de tristeza y un inimaginable sentimiento de pérdida tras la imagen de horror que inspiraban. Dejé de reaccionar ante las numerosas formas que tenían de asustarme y controlarme (creando apariciones espantosas, repitiendo palabras una y otra vez y amenazándome) y descubrí que teníamos muchas cosas en común. Fui capaz de ver seres espeluznantes como niños perdidos y asustados que necesitaban volver a casa y sentirse seguros. Los dirigía desde un lugar similar en mi interior. Cuando comencé a comprender a los individuos atrapados en sus confines, el mal se transformó en un concepto curioso y simplista.

Durante un tiempo, practiqué exorcismos y curé esquizofrenias. A cada espíritu atormentado que ayudaba a liberarse, era más capaz de liberar mi propio miedo hacia el mundo de los espíritus. Hoy en día, no tengo mucho interés en esas curaciones psíquicas tan carnavalescas, pero en aquel momento me ayudaron en gran medida. En la actualidad, dedico toda mi energía liberadora y curadora a ayudarme a mí misma y a ayudar a otras personas a que aprendan a comunicarse con su propio interior.

Ahora sé que cada uno de nosotros elige pertenecer al bien o al mal; depende de mí aprender a identificar a los seres oscuros e intentar mantenerme fuera de su camino. He aprendido que, si me presto atención a mí misma y a mi curación, me acercaré de forma natural a Dios y me alejaré de los seres que se encuentran sumergidos en el horror. De hecho, cuando finalmente profundicé en mi vida interior, descubrí que Dios y la seguridad habían estado esperándome allí durante todo el tiempo.

Los sistemas de protección que utilizo ahora no provienen del temor hacia otras personas o espíritus, sino del conocimiento de sus necesidades. Cuando necesito distanciarme de los demás, no los imagino como seres odiosos, los veo como personas que han perdido su camino o su contacto con su Dios, como me ocurrió a mí. Cuando levanto enormes, complicadas y fascinantes barreras, en realidad no protejo a ninguno de nosotros, lo que hago es interrumpir nuestros viajes, llamar la atención sobre mis barreras e impedir nuestra curación. En vez de eso, he aprendido a alejarme de la gente quedándome en mi propio cuerpo y tras mi aura.

Cuando siento la presencia de un intruso (de la que me alerta mi aura cambiando repentinamente de forma o color), o cuando las personas o las situaciones empiezan a perturbarme, no me asusto ni me enojo, como hacía antes: utilizo un símbolo de protección y curación que aparta a esas personas de mí de manera prodigiosa, sin miedos ni insultos por cualquiera de las partes. Les envío regalos vivos y afectuosos: les envío flores.

Durante mucho tiempo, regalar flores o plantas ha sido un símbolo de amor, respeto, bienvenida y reconocimiento. Aunque otro tipo de regalos tengan también su significado, no hay ninguno que exprese interés o atención de manera más universal que las flores frescas o las plantas. Éstas se pueden usar para dar la bienvenida al mundo a un ser que nace o despedir con aflicción al que muere, para felicitar o consolar así como para expresar afecto, fervor o amistad. Pueden, incluso, ser signo del final de una relación. Debido al simbolismo universal de las flores, éstas son símbolos perfectamente útiles para la autoprotección y la comunicación con los demás.

En la vida cotidiana, este tipo de regalos se aceptan, generalmente, como símbolo de interés y devoción. Esto mismo ocurre en el mundo energético o espiritual. Como las plantas y las flores no suponen en ningún modo obstrucción ni amenaza, su uso no requiere que su estado de ánimo sea de temor, por lo que tampoco atraerán experiencias de temor hacia usted. Por el contrario, la protección que ejercen las flores y las plantas hace que la reacción de temor de los demás desaparezca y el reino espiritual permanezca tranquilo y guardado.

Los sistemas de protección que se crean con flores frescas y multicolores son muy simples, tanto que es difícil creer que funcionen de verdad. Al principio me costó mucho trabajo reemplazar mis formidables Muros, Espejos y Luces Blancas por pequeñas florecillas, helechos y árboles. Sin embargo, en poco tiempo aprendí a preferir las herramientas basadas en un simple pero efectivo jardín en vez de las viejas y absurdas barreras que utilizaba. Mis símbolos de protección, vivos y en crecimiento, eran la clave para apartarme del terror.

El primero de ellos que usted va a crear se llama el Centinela. Su función consiste en permanecer delante de usted, saludar a cualquiera con el que se encuentre y despedir la energía que le llegue. Estará con usted en todo momento, guardando los límites externos de su aura. Al principio, sin embargo, haremos un poco de práctica intuitiva y realizaremos una «mini-interpretación» con la que será nuestra primera creación: una rosa imaginaria.

PRIMERA INTERPRETACIÓN DE LA ROSA

A continuación le expongo cómo crear su primera rosa: siéntese, asiente su espíritu y entre en la habitación de su mente. Ilumine su aura y asegúrese de que su forma es oblonga y uniforme. Si no es así, conéctela al centro de la Tierra y realice la curación del aura antes de continuar. Compruebe la intersección entre el límite inferior de su aura y el cordón energético de su primer chakra: ¿deben ser hoy del mismo color o pueden variar? Usted decide.

Observe desde detrás de sus ojos el contorno de su aura. La separación entre ésta y su cara debe ser, aproximadamente, de la misma longitud que su brazo extendido. Vea con claridad el contorno en su mente y visualice una rosa de tallo largo justo en el límite exterior de su aura. Observe sus pétalos imaginarios, sus hojas y sus espinas. Contemple el color y la abertura de su capullo y advierta hacia dónde está orientado el centro de la flor. Lo que acaba de crear es una representación del estado de su espíritu en este momento.

Estudie la rosa por espacio de un instante. Necesitará reconstruirla con unos atributos protectores específicos, ya que usará una como ésta como símbolo de protección. Por ahora, no obstante, es útil saber lo que significa cada parte de esta particular rosa y qué le dice acerca de usted en el momento actual. Veamos algunas generalidades sobre la interpretación de las rosas.

El tamaño y la longitud

Le pedí que creara una rosa de tallo largo, pero no le especifiqué las dimensiones ni otro tipo de aclaraciones porque no quería influir en esta parte de la interpretación. Quería que usase la primera rosa que se le viniese a la mente, pues es el mejor indicador del estado actual de su espíritu.

El tamaño de su rosa está relacionado con el espacio que usted está dispuesto a ocupar en el mundo. Si su rosa encaja con comodidad en el espacio que hay entre su nariz y su ombligo, significa que usted se ha adaptado correctamente a su mundo. Si su rosa es mucho más larga que dicha medida, puede que deba revisar la forma en que su energía o personalidad dominan las situaciones que le rodean. Una rosa muy grande puede significar que es hora de ascender en el ambiente en el que se mueve para que sus talentos y habilidades no se estanquen por falta de estímulo. Si su rosa es más pequeña de lo normal, es probable que se encuentre inmerso en un mundo que inhibe su crecimiento espiritual. Su labor es exactamente la misma que para las personas cuya rosa es muy grande: es hora de desarrollarse hacia arriba y hacia fuera; ha llegado el momento de conocer a personas y encontrar intereses que tengan un significado especial para usted y le creen seguridad. Lo que le rodea le está estorbando.

El tamaño y la abertura de su rosa: simbolizan su habilidad y disposición para escuchar sus propios mensajes espirituales en este momento. El tamaño del capullo se refiere a su capacidad espiritual en la actualidad, mientras que su abertura hace referencia al uso que hace en realidad de su propia información.

Si el capullo es grande pero está muy cerrado, es señal de una tremenda capacidad espiritual pero resistencia para abrirse a ella. Si el capullo es pequeño pero está completamente abierto, significará que su vida no le ha proporcionado el apoyo espiritual que necesita y que permanece atento a su información espiritual en la medida que puede.

Si su rosa es aún un capullo, usted está empezando de nuevo y, probablemente, despojándose de gran cantidad de basura de su vida anterior antes de abrirse. Si, por el contrario, su rosa está completamente abierta, usted confía en su información espiritual, quizá para excluir la información que recibe en la vida física. ¿Por qué? Si no encuentra demasiado apoyo en su vida física, quizá sea el momento de realizar algunos cambios en su dieta, ejercicio físico, profesión, relaciones o en los lugares en los que vive y trabaja.

La longitud del tallo: Indica el grado de conexión que posee con la Tierra y con su vida física. También está relacionado con su habilidad actual para enraizar su espíritu. Un tallo muy largo significa que su conexión es muy fuerte, pero el tallo largo unido a un capullo pequeño o muy cerrado puede indicar que su conexión espíritu–cuerpo se encuentra desviada en gran medida hacia su cuerpo, lo cual puede implicar desconfianza o miedo hacia el reino espiritual o falta de fe en Dios.

Un tallo muy corto señala poca disposición para enraizar su espíritu en su cuerpo en este momento. También puede significar falta de ejercicio físico, nutrición inapropiada o salud deteriorada, pues los cuerpos saludables tienden a esta armonía de forma natural.

Al contrario de lo que ocurría en el caso anterior, un tallo muy pequeño unido a una rosa muy grande o muy abierta puede significar que la unión espíritu-cuerpo se encuentra en estos momentos extremadamente desviada hacia su espíritu, lo cual es indicio, con frecuencia, de una existencia física infructuosa, caótica o peligrosa en la que no desea participar. Si su rosa presenta este aspecto, ¡practique el enraizamiento espiritual! No podrá ayudar a su cuerpo si no es de este modo y tampoco realizará cambios útiles en su vida si no la vive con plenitud, así que ¡use su cordón de anclaje y comience a hacer progresos!

El color

He incluido un breve resumen de los posibles significados del color en la sección *Cómo Interpretar su Aura* (véase la página 159), aunque lo he hecho sin estar demasiado de acuerdo. La experiencia del color es tan tremendamente subjetiva que considero absurdas las aseveraciones del tipo: «el rojo es ira». El color rojo posee muchos significados para gran número de personas diferentes; dependiendo de la cultura, el rojo puede significar casi cualquier cosa.

Veamos un sencillo ejemplo: en nuestra cultura, el color negro o los colores oscuros expresan luto; en otras culturas, sin embargo, se utiliza el blanco u otros colores vibrantes para expresar la misma aflicción. En dichas culturas, nuestro respetuoso traje de funeral de color negro resultaría totalmente insultante. Por tanto, es absolutamente imposible esclarecer todos los significados del color.

No ocurre igual en el caso del tono o la intensidad, pues éstos sí son capaces de indicar el nivel de intensidad emocional o participación. Si su rosa es de un tono muy pálido o pastel puede significar inexperiencia o leve incertidumbre en el estado de su espíritu en el momento actual. Los colores más intensos pueden ser expresión de una certeza apasionada y los más oscuros pueden indicar un nivel de testarudez que llega, más allá de la certeza, hasta una severa actitud casi dictatorial.

Los torbellinos de color pueden significar gran cantidad de acción o de información que procede de diferentes niveles y los colores brillantes pueden expresar que está recibiendo mucha información espiritual (o que discurre por usted, si su información espiritual se está reevaluando o renovando justo en estos momentos). Más allá de estas breves indicaciones, el significado del color de su rosa depende de la interpretación particular que quiera darle.

Dirección y tiempo

¿Hacia dónde está orientada su rosa? Si sus pétalos no le miran puede significar que usted está buscando sus respuestas en la vida de otra persona. En este momento, está leyendo un libro sobre crecimiento espiritual, así que su rosa podría estar vuelta hacia este libro, o podría mirar hacia arriba, esperando obtener información de sus aspectos espirituales. Si su espíritu necesita estar más armonizado con su cuerpo, su rosa podría estar inclinada hacia el tallo, o podría mirarle directamente en espera de sus próximas instrucciones.

¿Cuánto tiempo tiene su rosa? ¿Está recién cortada? Si es así, gran parte de su espíritu ha experimentado recientemente cambios y crecimiento. ¿Su rosa está vieja y marchita? Esto puede significar que ha sobrepasado su antigua forma de vivir o ser pero no puede despojarse de ellas, aunque éstas ya no funcionen. Si lo desea, puede reemplazar fácilmente su vieja rosa por una nueva y fresca, pero espere hasta que hayamos terminado de estudiarla, pues le está mostrando su estado, como ser espiritual, en este preciso momento.

Hojas y espinas

Las hojas y las espinas simbolizan, respectivamente, su capacidad actual para crecer y su disposición para protegerse a sí mismo. No se sorprenda si el tallo de la rosa está totalmente desnudo en este momento, porque la capacidad de crecimiento y la protección espiritual son aspectos de los que pocas personas son conscientes. Respire profundamente, concentre su espíritu en su cuerpo y pídale al tallo de su rosa que le muestre sus hojas y espinas y lo hará.

La abundancia de hojas puede denotar una gran capacidad de crecimiento a la vez que gran necesidad de él. Si tiene muchas hojas puede significar que se encuentra, o está a punto de adentrarse, en un período de mayor crecimiento o de transición. Sin embargo, si tiene muy pocas no quiere decir necesariamente que no esté creciendo o no pueda cambiar; sólo significará que está esforzándose tanto que ha agotado las hojas que había. La ausencia de hojas significa que no cree en su propia capacidad para crecer, no que no posea dicha capacidad.

Por lo general, el tallo desnudo se presenta unido a una rosa frágil de color claro o a una de color oscuro e intenso. Con las de colores claros, la ausencia de hojas denota una falta de confianza en la propia persona. Con las de colores oscuros indica que «no se le pueden enseñar a un perro viejo trucos nuevos». Desprenderse de las creencias que provocan esta falta de hojas en el tallo de su rosa es muy fácil.

La presencia de espinas representa su habilidad para protegerse a sí mismo. Las propias rosas han desarrollado espinas para evitar que las personas o los animales despojen al arbusto de sus flores. No obstante, cuando los horticultores cultivan rosas procuran que sus ejemplares tengan el menor número de espinas posible. Si ha visto alguna vez rosas silvestres, habrá observado que la mayoría de ellas están tan cubiertas de espinas que resulta imposible tocarlas si no es con guantes. ¿Es la suya una rosa silvestre o cultivada?

Si tiene muchas espinas de diferentes tamaños significa que usted posee una variada gama de mecanismos de protección. Si las espinas, aunque abundantes, son todas del mismo tamaño, usted tiene una sola defensa básica, pero respaldada por una gran cantidad de energía. Si las espinas son escasas, su energía ha menguado y, si carece de ellas significa que, en estos momentos, se siente desorientado en cuanto a la manera de protegerse.

Si su rosa posee pocas espinas pero de gran tamaño, puede significar que se ha quedado sin energía para protegerse y, quizás haya comenzado a enojarse o arremeter contra personas o situaciones que, de todas formas, no desaparecerán. Si las espinas son vagas o aparecen y desaparecen, significa que su principal protección en este momento es, probablemente, la disociación. No se alarme si sus sistemas de autoprotección no son muy efectivos, los afianzaremos próximamente.

Ahora que ha tenido oportunidad de observar la rosa que simboliza su estado actual, agradézcale el haberle mostrado la situación de las cosas en este momento. Asegúrese de que continúa enraizado mediante su cordón de anclaje, dentro de la habitación de su mente y tras el halo protector de su aura. Cuando le haya expresado su agradecimiento a la rosa, deje que se marche; puede hacerlo imaginando que se desvanece, que desaparece por un desagüe imaginario, que se quema o, por el método más rápido, que estalla. Sepa que en cualquier momento puede llamar a una rosa para echarle un rápido vistazo a su estado en ese momento. Debe, no obstante, asegurarse de que sus rosas permanecen fuera de su aura, que no establece vínculos energéticos con ellas y que las hace desaparecer por completo después de interpretar la información que le proporcionan.

Cada vez que cree una rosa, debe seguir las pautas que hemos expuesto anteriormente para comenzar con la interpretación, pero después, siga su propia intuición. Las directrices que le he enseñado son demasiado generales, pronto tendrá muchas cosas que añadirles.

Después de haber hecho que su rosa desaparezca, creará otra que no funcionará como herramienta de interpretación, sino como herramienta de protección. Esta nueva rosa, a la que yo llamo el Centinela, deberá ser la más saludable y vital que pueda imaginar. Durante su creación, dótela conscientemente de todas las cualidades de las que carecía la rosa que ha interpretado, lo cual favorece su curación por y para ella.

CÓMO CREAR SU CENTINELA

Para crear su primer Centinela asegúrese, en primer lugar, de que aún está en el interior de su habitación imaginaria, que su cordón de anclaje está en conexión con la energía terrestre y su aura todavía está iluminada. Puede permanecer de pie o sentarse, lo que prefiera. Desde el interior de la habitación, cree una rosa grande, de tallo largo y color cálido e intenso. Sitúela fuera del contorno de su aura, frente a usted (véase la ilustración 5). El capullo debe estar medianamente abierto y mirando hacia usted. La flor debe estar a la altura de su rostro y el tallo, que deberá llegar hasta su primer chakra, tendrá un gran número de hojas vigorosas y espinas. Visualice una gran flor (mayor que su rostro) y, hasta cierto punto, trate de sentirse escondido tras ella.

Dé la bienvenida a su Centinela y únalo a un cordón energético que parta de su centro (lo que sería sus ovarios o sus caderas). Observe cómo desciende el cordón a lo largo del tallo, llega hasta el suelo y viaja hasta el centro del planeta. Mientras tanto, permanezca en la habitación imaginaria.

Considere que el cordón de energía de su Centinela es estable y está bien anclado y pronuncie su nombre a lo largo de él tres veces. Ahora, gire su rosa de manera que quede orientada hacia el frente, como un buen centinela. Levántese y camine con ella; sienta que le precede a donde quiera que vaya. Ésta actuará como el guardaespaldas de su energía.

Su Centinela permanecerá en el borde frontal de su aura en todo momento y actuará como símbolo primario de su protección. Esta rosa está destinada a reemplazar el Muro y los otros tipos de protección y su función consiste en actuar

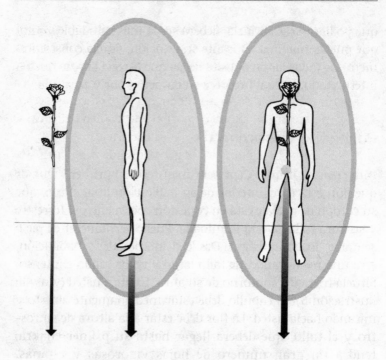

Figura 5. Cómo crear su Centinela personal.

como intermediaria entre usted y las personas con las que se encuentra.

Aunque en sus meditaciones pueda encontrar especies vegetales más apropiadas para realizar la labor de centinela, yo he elegido la rosa porque tiene algo que pocas plantas poseen: un sistema propio de protección. Las espinas de la rosa le ayudarán, espero, a tener presente que existe un centinela simbólico para protegerles a usted y a su aura. Puede haber otras plantas u otras flores más decorativas o que, personalmente, le agraden más (puede utilizarlas en los ejercicios de la próxima sección), pero la rosa, con sus espinas, le ayudará a mantener mejor las distancias.

Su Centinela trabaja de muchas maneras y a muchos niveles diferentes. En su forma más simple, esta rosa es símbolo de su espiritualidad. Como tal, transmitirá un saludo pacífico y no amenazador a cualquiera con el que se encuentre. Además, gracias a su conexión energética, su Centinela posee habilidades y funciones más complejas. Esta rosa simbólica guardará el exterior de su aura e interceptará a otras personas, como anfitriona o como «gorila», dependiendo del caso, aceptando o rechazando la energía que le envían.

Su Centinela le puede ayudar a conseguir una atmósfera de paz e intimidad porque su sola presencia contribuye a que las personas se sientan, en cierto modo, en comunicación. Con más frecuencia de lo que se piensa, la gente intenta comunicarse con el único fin de hacerse notar. Incluso las personas que son muy agresivas o molestas buscan un simple y cordial «hola, ¿qué tal?» que, por supuesto, no conseguirán si van irradiando agresión a su paso. Su rosa simbólica comunica dicho saludo de manera eficaz. A menudo, las personas llevarán a cabo intercambios con su rosa ¡sin necesidad de molestarle! Aunque haya creado a su Centinela para protegerle, el mensaje que emite este símbolo vital es de amor y aceptación, los cuales pueden volver innecesaria la protección.

Las personas piensan que quieren hablar con usted por alguna razón específica, pero lo que de verdad necesitan es un poco de amor y comunicación. Cuando entran en contacto con el amor y la belleza que irradia su Centinela y éste acepta e interioriza las tentativas de comunicación, obtienen, a menudo, toda la comunicación que necesitan.

Mantenga su Centinela frente a usted, en la zona exterior de su aura y revíselo periódicamente junto con el cordón de anclaje que creó para él. Si la rosa aparece marchita o ajada, exprésele su agradecimiento por haber realizado un buen trabajo, pues si ha cambiado, es porque ha interceptado la energía o las comunicaciones procedentes de otras personas, lo que significa que ha cumplido con su función. Deje que se marche esa rosa deteriorada o cansada y cree una nueva, más vigorosa y con un cordón de energía de color brillante. Asegúrese de que su nuevo Centinela no es demasiado delicado para esta función. Si le gustan las florecillas de colores pasteles, llene su santuario interior y su aura de ellas, pero como Centinela, utilice una rosa consistente, con espinas y de color intenso. Por supuesto, ¡esta flor necesita tener cierta presencia! Yo visualizo mi Centinela como un ser de hombros anchos, listo, cauteloso y enérgico con un sentido del humor un tanto bobo. No hay nada que lo perturbe de verdad, así que no tengo que reemplazarlo o repararlo constantemente.

Durante la revisión que realice a diario, arregle su Centinela cuantas veces sea necesario. Puede probar con otros tipos de flores o plantas para comprobar cómo funcionan; mezcle y asocie sus colores para que combinen o desentonen con el del contorno de su aura, el del cordón de anclaje, el de las paredes de su habitación, el de su actitud en ese día o el de sus zapatos.

Dedique un momento a lo largo del día a comprobar el enraizamiento de su Centinela. Échele un vistazo después de encontrarse con personas a las que quiere así como con personas a las que desearía aplastar. Observe su aspecto después de cada uno de los encuentros que tenga en los próximos días y tome nota de las personas que tienden a dañarlo. Estas personas probablemente necesiten que les envíe una docena de regalos para que su separación con respecto a usted resulte más fácil. Asegúrese de que los regalos que les envía no tienen ningún cordón de energía. Si lo tuvieran, las personas que los recibieran entenderían que la armonía que proporciona el enraizamiento, la seguridad y la capacidad psíquica residen en usted y en sus símbolos y no en sus propias vidas, lo cual minaría sus capacidades y las convertirían en plagas de energía que le atormentarían eternamente, con lo que desaparecerían todos los beneficios derivados de los regalos que les hizo en primer lugar. Por tanto, los regalos deben ser gratuitos y libres de cualquier tipo de tarjeta de visita o motivo explícito.

Si sus símbolos poseen conexiones energéticas, se vuelven menos efímeros y le resultará más difícil deshacerse de ellos. Además, llegarán a su receptor con una especie de tarjeta de visita y éste tendrá la incomodidad de decidir si acepta algo que no quería o que le insulta a usted mismo. Esto no es comunicación espiritual responsable, esto es basura. El objetivo de este libro no es controlar e intimidar a los demás y forzarlos a que se comporten de una forma más agradable con usted. Es, por el contrario, tomar las riendas de la propia vida y procurarse seguridad a uno mismo, tarea imposible de realizar si para ello se necesita que otras personas cumplan nuestros mandatos a cualquier nivel. Éstas nunca progresarán si reciben el mensaje psíquico de que la belleza y la paz residen en usted y provienen sólo de usted. Creo que esto es suficiente para comprenderlo.

Un apunte sobre las personas destructivas: existen personas que han recibido una atención tan deficiente a lo largo de sus vidas que lo único que consiguen es comportarse de forma tal que atraen hacia sí más tratamientos negativos. Usted es libre de enfadarse con las personas de este tipo, pero con ello hará que se conviertan en buenos enemigos. Su actitud negativa les atraerá, hará que se sientan en casa. El hecho de utilizar rosas como Centinela con personas así puede resultar frustrante porque tienden a destruir las cosas hermosas y es muy desagradable no ocuparse uno mismo de la destrucción de su rosa. Pero piense que, si esas personas pueden marchitar, fundir o destruir su Centinela, ¡en realidad le están haciendo un favor! porque le están demostrando los límites que éste es capaz de alcanzar.

Su trabajo, en este caso, consiste en crear un Centinela nuevo, vibrante y resistente al que le gusten los desafíos. Visualice a su Centinela con apetito de energía destructiva y haciéndose más fuerte a medida que come y expulsa la energía de esas personas. Y recuerde que sólo se trata de energía.

Las plantas y las flores reales crecen más bonitas si se les suministra fertilizante. Considere que la energía de las personas destructivas hace las veces de fertilizante para su Centinela, teniendo siempre presente que cualquier cosa que le envíen es sólo energía. Usted puede trabajar con la energía. Su Centinela fue creado precisamente para trabajar con energía y ésta no tiene por qué ahuyentarlo o dañarlo, por muy intensa que sea. Utilice el desafío que le plantean las personas con energías perjudiciales para crear un Centinela fuerte e implacable.

No olvide enviar regalos a estos «exterminadores de centinelas». Ya sé que está fuera de toda lógica: si hay personas que le tratan mal, ¿por qué tendría que hacer algo agradable por ellos?, ¿por qué no ignorarlos o lanzarles una mirada feroz?, ¿por qué regalarles algo bonito? Para sorprenderlos. Si se acercan a mí personas con energía volátil y destruyen mi Centinela, yo les envío, automáticamente, una docena de flores como regalo, no para recompensarlos, sino para desviar por un momento su atención. Momento que aprovecho para recrear y revitalizar mi Centinela. Necesito neutralizar a la persona destructiva durante un instante mientras trabajo.

Cuando estoy lista, con un nuevo centinela más fuerte que el anterior, observo lo que hacen estos invasores de mi espacio. Puede que hayan destruido todos los regalos que les envié y expulsado, con ello, su energía destructiva, o puede que se encuentren totalmente perplejos porque alguien les haya enviado algo agradable. Casi nunca están en el mismo lugar en el que empezaron, por lo que, en ese momento, estoy preparada para alejarme de su camino o comenzar de nuevo. El siguiente «asalto» es, por lo general, mucho menos intenso y puede derivar, incluso, en una comunicación razonable.

Recuerde que todas las personas son intuitivas y echan de menos la comunicación espiritual que nuestra cultura les niega. Cualquier tipo de comunicación espiritual que les brinde será, incluso para las almas más ariscas y menos cariñosas, como un soplo de aire fresco. Su comunicación espiritual responsable creará una atmósfera de cariño a su alrededor. Las personas comenzarán a responderle de manera positiva, incluso si son desagradables con cualquier otra persona. Si necesita más ayuda con respecto a las personas desorientadas e inseguras, le será muy útil el siguiente capítulo llamado *La Destrucción de Imágenes* (véase la página 79).

Su meditación diaria, llegado este punto, debe transcurrir del siguiente modo: tienda su cordón de anclaje y pronuncie su nombre a lo largo de él, entre en la habitación de su mente, ilumine su aura y cree un cordón de energía para limpiarla si es necesario y coloque a su Centinela en su puesto. Compruebe el estado de su Centinela cada mañana: si su aspecto es saludable, pronuncie su nombre a lo largo del cordón energético de éste y continúe con sus deberes cotidianos. Pero si su Centinela ha recibido una paliza, agradézcale el trabajo que ha realizado, déjelo marchar y cree un símbolo más fuerte y duro. Recuerde que debe crear un cordón de anclaje para su Centinela y pronunciar su nombre a lo largo de él cada mañana o cada vez que cree uno nuevo.

Tan sólo necesita conocer un par de técnicas más para dominar las facultades básicas; está a punto de terminar con las nociones fundamentales. Si se siente abrumado o estancado con respecto a alguna técnica en concreto, consulte la *Guía de Dificultades* (página 341), que le proporcionará técnicas alternativas para crear sus herramientas si no ha logrado manipular los procedimientos más elementales que ya hemos tratado.

No considere que ha fracasado si no consigue dominar estas técnicas de inmediato. Yo tampoco pude porque, durante la mayor parte de mi vida, había sufrido una seria división cuerpo/espíritu. Ahora he vuelto a considerarme una unidad, aunque me costó mucho trabajo llegar a ello. Pero, como suelo decir, merece la pena si se consigue.

La Destrucción
de Imágenes

A medida que se adentre en esta técnica, podría advertir que los contactos que las personas establecen con usted son cada vez más frecuentes. Tanto sus padres como los demás miembros de su familia querrán comprobar la situación, podrían aparecer antiguas amistades inesperadamente e incluso podrían aflorar viejos rencores. Estas personas podrían perturbar sus meditaciones diarias llamándole o visitándole cuando se siente para enraizar su espíritu o apareciendo constantemente en sus pensamientos. Todo esto es bastante normal.

Por lo general, nuestra cultura invalida la comunicación y el crecimiento espiritual, así que cualquier indicio de éstos provoca emoción, fascinación, miedo y confusión. Cuando emprende la aventura del crecimiento espiritual, el tejido psíquico de su vida emana ondas. Muchas personas son lo suficientemente intuitivas como para saber dónde se originan dichas ondas, aun cuando su conocimiento sea completamente inconsciente. Puede que no sepan por qué le llaman o qué es lo que le quieren decir, pero necesitan comprobar la situación. Necesitan descubrir qué está ocurriendo y mantener el statu quo y su concepto de estatismo.

Algunas personas de las que aparecen tan sólo querrán saludarle y averiguar qué está haciendo. Éstas son las personas que, con toda probabilidad, pronto le ayudarán a mantener sus recién descubiertas facultades. Mi consejo, no obstante, es que, por ahora, mantenga su energía trabajando para usted mismo. No hay nada que paralice más el proceso de crecimiento interior que tener que pedir permiso a otras personas: permiso para avanzar en la vida, permiso para utilizar técnicas de curación espiritual, permiso para crecer más allá de su entorno social...

Si las personas que le rodean han notado que el statu quo está cambiando, que está traspasando los límites de comodidad que han establecido, necesitará una forma responsable, apacible y fiable para dispersar las atenciones que le prodigan en busca del statu quo. Necesitará eliminarlos de su psique, junto con sus necesidades, esperanzas y deseos. Una vez más, los regalos simbólicos serán su salvación.

Ya hemos trabajado con los regalos que enviamos a personas que parecen ser destructivas. Nuestro siguiente tipo de separación y curación se llama *la destrucción de imágenes*. Su función es más específica que el hecho de regalar un símbolo afectuoso. La destrucción de imágenes nos permitirá desalojar a las personas que ocupan el interior de nuestra aura. Aunque, al principio, esta técnica pueda parecer sorprendente, por lo general proporciona muy buenos resultados.

Cómo destruir imágenes

Para destruir una imagen, asiente su espíritu y entre en la habitación de su mente, en el interior de un aura limpia y llena de color y detrás de un Centinela fuerte y enérgico. Siéntese en una postura cómoda, porque tendrá que permanecer así durante algunos minutos. Ahora, piense en alguien de su familia, la primera persona que aparezca en su mente, e imagine una planta o una flor del color favorito de esa persona. Coloque este regalo simbólico en el interior de su aura, al lado derecho o al izquierdo, el que desee.

Sitúe la imagen del miembro de su familia, rápidamente, dentro del regalo que creó para él, sobre la planta o la flor. Saque el regalo al exterior de su aura, lejos de usted, y destrúyalo tan rápido como sea capaz. Yo suelo hacer explotar mis imágenes con dinamita, pero usted puede también quemarlas, hacer que se desvanezcan hasta desaparecer o ver cómo se desintegran en un millón de pequeños trocitos de nada.

Compruebe su estado meditativo: ¿su espíritu está aún enraizado y en el interior de su santuario interior? ¿Qué están haciendo su aura y su Centinela? ¿Ha sido capaz de mantener sus herramientas energéticas y sus habilidades mientras pensaba en esa persona o mientras destruía su imagen? Si ha notado algún trastorno en sus herramientas de energía deténgase un instante para arreglarlas. Estos cambios se deben al efecto normal que esa persona tiene en su vida (por ejemplo, si ha perdido su enraizamiento espiritual, la definición de su aura o su Centinela, probablemente le ocurra también cuando se encuentra con esta persona cara a cara), o a los castigos que usted mismo se impone cuando intenta desplazarse hacia nuevos niveles de consciencia y romper las ataduras que le unen a antiguas relaciones o comportamientos. Si ha experimentado que su energía o sus herramientas se han debilitado, vuelva a tender su cordón de anclaje y a definirse con herramientas más fuertes y contundentes. Exprese a sus herramientas su agradecimiento por haberle mostrado, en ese lugar seguro, alguno de los aspectos en los que esa relación le impide avanzar.

Si, por el contrario, ha notado cambios positivos, como un color más brillante en su aura o en su cordón de energía, o una reducción de la confusión mental, es porque ha experimentado el efecto curativo que le produce expulsar a las personas de su vida interior. Este acto le hará sentirse muy bien y le situará en un momento muy importante dentro del camino de la curación: el momento en el que se da cuenta de que puede que no haya lugar para otras personas, con sus correspondientes necesidades, dentro de su aura o su espacio interior.

En esto consiste la individualización: en encontrar su yo auténtico independientemente de los mensajes de las personas que le rodean. Su primer paso para descubrir su lugar dentro de su propia vida fue reexaminar los mensajes y deshacerse de algunos de ellos. Cuando, más adelante, definió su aura y la habitación imaginaria de su mente, estableció un área personal finita en donde habitar y de la que cuidar, cuyos límites precisó su Centinela. Y ahora conoce el procedimiento para expulsar las imágenes de otras personas de su vida interior.

Dentro de su aura sólo debe haber una persona: ¡usted! Su aura no debe convertirse en una zona de reunión familiar llena de parloteos, esperanzas, amonestaciones y normas sociales. La salud de su aura será inmejorable cuando usted habite conscientemente en ella y ésta pueda hablarle sin tener que «asomarse» por encima de las cabezas de sus padres o por entre los hombros de sus hermanos y amigos. Sin importar el número de personas a las que pueda querer, debe saber que la energía de éstas no pertenece ni a su aura ni a su mente, sino a sus propias auras. Este hecho se hace aún más patente cuando se destruyen imágenes.

Si le ha ocupado mucho tiempo destruir los regalos con las imágenes, no está solo. La idea de usar técnicas violentas parece ir en contra de cualquier concepto de espiritualidad de los que conozco; no obstante, debe saber que cuando crea un regalo del color preferido de la persona a la que lo dirige, le está ofreciendo un símbolo de aceptación y belleza. Cuando coloca la imagen de la persona dentro de él, es como si envolviera en belleza a dicha persona y la rodease de amor.

Cuando expulsa con rapidez a alguien de su territorio personal y destruye la imagen de esa persona, se produce una ruptura certera, limpia y fulminante. Entonces, se acabó: ha terminado con esa imagen sin necesidad de pedir, rogar, negociar o causar dolor. Simplemente la deja ir, con absoluta claridad. Deja que se aleje de su lado de la relación, que es el único lugar en el que podrá efectuar algún cambio. En una décima de segundo, se desprende de la imagen y nadie resulta perjudicado.

¿Cómo se sentiría si destruyesen su propia imagen del mismo modo? De hecho, se sentiría maravillosamente bien, especialmente si posee algún tipo de conflicto con la persona que está poniendo dinamita debajo de su imagen. Tras la liberación, es libre de volver a establecer contacto con esa persona, relacionarse de manera diferente y hacerlo bien la próxima vez. Se sentirá liberado de sus viejas actitudes o del concepto que la persona que ha destruido su imagen tiene de usted. Ésta es una de las cosas más bonitas de destruir imágenes: puede hacer que avancen las relaciones.

Dado que todas las personas poseemos intuición, todas usamos la comunicación intuitiva. Si sabemos quién está al otro lado del teléfono o dónde aparecerá un lugar para aparcar el coche, si somos capaces de sentir el mal humor que disimula otra persona o sabemos que ciertas personas son dignas de confianza, estamos empleando nuestras interpretaciones intuitivas y nuestra capacidad de comunicación. También intuimos cómo nos ven otras personas y reaccionamos de acuerdo con ello. La destrucción de imágenes se beneficia de este hecho.

Por ejemplo, mi mejor amiga y yo tenemos, por lo general, una buena relación, pero últimamente se ha vuelto unilateral. Ella ha adoptado, inconscientemente, el papel de protectora y yo me he transformado en la persona en apuros. Cuando hablamos, siempre lo hacemos de mis dificultades y problemas y ella se pasa casi todo el tiempo aconsejándome. Yo la quiero y tengo muy buen concepto de ella, pero estoy empezando a sentirme como «la hermanita indefensa». Ella también se siente incómoda porque su vida tiene sinsabores que le gustaría compartir, pero no quiere interferir en mis angustiados soliloquios, así que nuestra relación está bloqueada.

Una mañana, mi amiga decide poner la imagen que tiene de mí dentro de un ramo confeccionado con mis flores favoritas. Creó un número de lirios de mi color preferido y puso en su interior una foto de cómo me veía en ese momento (indefensa, desorientada y exigiéndole mucho tiempo de dedicación). Inmediatamente, sacó las flores de su aura y voló mi imagen con una carga extra de dinamita porque nuestra relación la frustraba sobremanera.

De repente, me sentí libre desde mi lado de la relación. Esa imagen débil y tristona que sabía que ella tenía de mí había desaparecido. Yo no sabía que me había volado por los aires y no sentí en modo alguno los trozos de metralla floral golpearme. Simplemente, me sentí libre de la debilidad en mi interior y en nuestra relación. La llamé aquella mañana y, por primera vez en muchos días, le pregunté por su matrimonio y sus asuntos familiares antes de dar una rápida pasada a mis problemas. De nuevo estábamos en una posición de más igualdad porque ella accedió a liberarme. Ahora podemos intentar algo nuevo.

Habitualmente, la gente sabe lo que usted opina de ellos. Es como si llevase una foto de ellos y casi pudiesen verla. Si su foto es satisfactoria, tendrá un amigo; si no lo es, tendrá o un enemigo o una plaga que no le dejará en paz hasta que su foto refleje lo que ellos quieren ver. En cualquier caso, la gente sabe, aunque sea en la zona más profunda de su mente, la imagen que usted tiene de ellos. Hasta cierto punto, sus relaciones están mediatizadas por la imagen que tiene de los demás. La destrucción responsable de dichas imágenes favorece la evolución de las relaciones. Al limpiar su interior de imágenes antiguas y restrictivas, puede percibir mejor el momento presente, y ya no sólo a través de su enraizamiento espiritual, sino también por la respuesta que ofrece a las personas y relaciones en su vida. Esto hace que su relación con el mundo exterior sea tan clara como su relación con el interior.

La destrucción de imágenes no sólo sirve para limpiar su universo interno, sino también para contribuir a la evolución de las personas que le rodean, porque las libera. Cuando destruya la imagen que posee de otra persona, ésta conseguirá una curación de inestimable valor. Podrá avanzar conscientemente porque usted quiso liberar el viejo y cansado concepto que tenía de ella. Asimismo, podrá vivir plenamente el presente y tomar nuevas decisiones acerca del comportamiento que quiere tener en su relación con usted.

Su deseo de curar y cambiar las relaciones que mantiene con los demás les dejará el campo libre para llevar a cabo los mismos cambios en otras áreas de sus vidas personales. Cuando libere las imágenes que posee de otras personas, éstas podrán avanzar con usted, si así lo desean, o proseguir su propio camino.

Ni que decir tiene que también pueden decidir comportarse con terquedad y mantener el statu quo y las viejas imágenes, pero usted puede volver a destruirlas. Apenas necesitará energía para liberar los conceptos restrictivos que tiene de los demás, pero éstos sí que necesitarán toneladas para oponerse al cambio: habrán agotado innumerables eones antes de que usted tenga que hacerlo. Y aunque no fuese así, tendrá más libertad en su relación, porque la habrá cambiado desde su lado.

La destrucción de viejas imágenes es la mejor manera de tratar con personas que perciben sus ondas psíquicas y se entrometen en su crecimiento espiritual. Es una manera agradable, responsable y fácil de mostrarles lo que está haciendo en un nivel espiritual, sin necesidad de detenerse y explicarlo todo de manera lógica y lineal.

Cuando destruya las imágenes de las personas que forman parte de su vida, éstas obtendrán una percepción algo menos intuitiva de lo que se siente al despejarse y avanzar en consciencia. Además, usted conseguirá la paz espiritual y la intimidad que necesita para su curación sin tener que interrumpir el proceso. La destrucción de imágenes sosegará a las personas que le rodean, calmará el bullicio de su mente, su corazón y su aura y le proporcionará la oportunidad de curar y dar sin perjuicio para usted.

Las flores y los regalos simbólicos proceden, todos ellos, de su inagotable espíritu. Como tal, su uso no afectará a sus niveles de energía: puede pasarse el día destruyendo imágenes y nunca se agotará ni necesitará reponer fuerzas, porque sus regalos proceden de un plantel interior constantemente repleto.

Intente destruir algunas imágenes más, pero esta vez, diviértase con la destrucción si le resultó penoso al principio. Recuerde que su resolución de deshacerse de las viejas y sesgadas imágenes de los demás está directamente relacionada con la cualidad de la curación que éstos recibirán, y con el grado de separación que obtendrá usted. Si sus regalos se quedan por ahí revoloteando alegremente o hacen un pequeño y delicado estallido, en realidad no le estará permitiendo a las personas que hay dentro de ellos que continúen con su camino.

Si la destrucción de los regalos no es certera y rápida, las personas que están representadas en su interior percibirán un atisbo algo confuso de comunicación que les desorientará. No sentirán, en modo alguno, la liberación que produce la destrucción seria y real de sus imágenes, ni podrán avanzar realmente. Si llega a sentirse suficientemente bien volando toda la energía que contienen sus viejas imágenes y de verdad lo intenta, estará realizando un servicio irreemplazable tanto para usted como para las personas con las que se relaciona. Tómese la libertad de deshacerse de viejas imágenes, relaciones y expectativas. Cree bonitos regalos, acomode en ellos las imágenes de otras personas y ¡arráselos por completo!

Llegados a este punto, su meditación diaria debe ser como sigue: asiente su espíritu, entre en la habitación de su mente, ilumine el contorno de su aura y límpiela si es necesario, compruebe el estado de su Centinela y de su cordón de anclaje y cree y destruya un regalo simbólico por cada persona que aparezca en su consciente. Puede hacerlos estallar por los aires uno a uno o los puede destruir por parejas, tríos o grupos del tamaño que desee. Recuerde poner siempre su imagen de estas personas sobre los símbolos *dentro* de su aura y después sacarlos fuera para destruirlos. Estos pasos son importantes porque le ayudarán a recordar que las imágenes que tiene de esas personas le pertenecen a usted.

Estas imágenes las ha creado usted mismo, a partir de las experiencias que tiene de los demás, pero se trata de visiones imperfectas e incompletas que provienen de su nivel actual de comprensión y compasión. Dichas imágenes no representan la realidad completa acerca del espíritu de esa persona, tan sólo las partes que usted puede identificar.

Por ejemplo, durante la meditación, puede aparecer la vigorosa atención de su madre, pero su reacción hacia su presencia y las imágenes que ha creado en su interior le pertenecerán a usted, serán *sus* creaciones. Estarán configuradas a partir de las respuestas que dé a su madre. Su madre posee tantas facetas diferentes como usted, no sólo los aspectos que usted percibe. Ella es un millón de cosas, y como espíritu, es diferente a todos los demás. La imagen que usted tiene de ella limita su espíritu, y dependiendo de la importancia de sus expectativas, ésta puede limitar también su crecimiento cuando ella trata de estar a la altura (o resistir) dichas expectativas.

Cuando crea un regalo para su madre dentro de su aura, se está responsabilizando del concepto que tiene de ella. Le está confesando cómo la ve protegiéndola simbólicamente y envolviendo dicha protección en un símbolo de su amor y su espiritualidad. Cuando saca la imagen de su madre fuera de su territorio personal, la está llevando a la luz, donde una vez más, se podrá liberar del tejido psíquico. Al destruir el regalo que contiene la imagen de su madre, está examinando su respuesta hacia ella, devolviéndole su energía y procurando la liberación de ambos.

En ese momento puede comenzar de nuevo y elegir ver a su madre en toda su complejidad y plenitud y no en relación con sus necesidades, reacciones y limitaciones pasadas.

Al crear su imagen dentro de su aura y destruirla luego con resolución, sin gentilezas seudoespirituales, les ayudará a ambos a avanzar en el mundo real.

Puede destruir imágenes en cualquier lugar y en cualquier momento. Si, durante el día, las personas se vuelven cada vez más molestas y los regalos simbólicos no son capaces de calmarlas, vuélelas cuantas veces haga falta. Resulta divertido hablar con alguien, asentir con la cabeza y decir «sí, es verdad», mientras contemplas cómo su imagen se hace añicos. Pero es incluso más divertido observar cómo en ese momento pierden el hilo de lo que estaban diciendo y comienzan a tratarle de manera más agradable sin motivo aparente.

Ya casi ha terminado con estas primeras técnicas. La próxima, la Curación del Sol, le proporcionará una manera de recuperar y redirigir toda la energía que ha estado proyectando hacia el centro de la Tierra, limpiando, liberando y destruyendo. Si desea, no obstante, continuar destruyendo imágenes durante unos días, ¡hágalo!

Nuestra cultura nos proporciona muy poco apoyo a la hora de evolucionar de forma saludable y crecer fuera de la consciencia de grupo. Para muchas personas, este ejercicio representa la primera vez que tienen permiso para «hacer de su capa un sayo» y vivir sus propias vidas. Muchos estudiantes se detienen en este proceso algunas semanas, e incluso más, lo cual es perfectamente apropiado.

Diviértase dinamitando el relleno de las personas, especialmente si las ama. Destruya todas esas imágenes absurdas que las atrapan. Se sorprenderá de la cantidad de libertad que le reportará y de cuánto más amor sentirá cuando se pueda relacionar con las personas tal como su auténtico ser es.

La Curación
del Sol

Su trabajo, hasta este momento, ha consistido en crear un espacio de interpretación apacible, limpiando su energía y buscando su auténtico ser. Ahora necesita encontrar una forma de consolidar los cambios que está experimentando de manera que los antiguos comportamientos y expectativas no le hagan retroceder a viejas formas de relacionarse con los demás.

El hecho de entrar en el santuario de su mente y permanecer tras el manto protector de su aura ha contribuido a la definición de su territorio, mientras que la destrucción de imágenes le ha ayudado a distanciarse de los mensajes extraños y de la energía que le rodea. El siguiente paso consiste en recuperar la energía que ha evacuado a través del cordón de anclaje y de los fragmentos de imágenes que ha destruido que le pertenecen y hacer que ésta se reincorpore a su vida según su propio criterio.

La Curación del Sol Radiante es una forma de alimentarse a sí mismo, cada día, con su propia energía una vez que está limpia y le ha asignado una nueva finalidad. Esta curación le recuerda constantemente que la energía existe tal cual, que no es ni buena ni mala, ni curativa ni dañina, ni correcta ni incorrecta... simplemente es. Es la moneda con la que puede comprarlo todo: amor, felicidad, aflicción, odio, preocupación, risa, locura... cualquier cosa. La energía se puede devolver, renovar, emplear para otros fines y volver a utilizar. La energía en sí ni se crea ni se destruye, pero los vínculos que usted crea en torno a ella sí.

Usted ya sabe cómo devolver energía y aplicarla a otros objetivos. Ya la ha cogido y transformado en cordones energéticos, imágenes simbólicas e incluso en una habitación construida en el interior de su mente. Ha alterado el contorno de su aura, ha liberado la energía que contenía la visión que tiene de los demás y ha evacuado la energía de los viejos mensajes. Ya ha podido comprobar lo maleable que es la energía y cuánto le gusta moverse, fluir y transformarse.

Su trabajo se basa, precisamente, en la flexibilidad de sus propiedades. Si permanece en conexión con su propia fuente de energía y mantiene en todo momento su fluidez, será posible cualquier tipo de movimiento, de transformación o de curación. Si tiene acceso a esa energía, constantemente adaptada a sus necesidades, nada podrá detenerle en la vida ni en la consciencia.

El Sol es un símbolo que se usa en representación del suministro infinito de energía que posee, con el cual puede crear el tipo de vida que desee. El motivo por el que, a menudo, su vida no *fluye* es que, tanto su familia como la sociedad, necesitan, por lo general, comprenderle y controlarle. La mayoría de nosotros nos quedamos, prácticamente desde el momento en el que nacemos, atrapados en alguno de los estereotipos a los que induce la sociedad y que suponen un

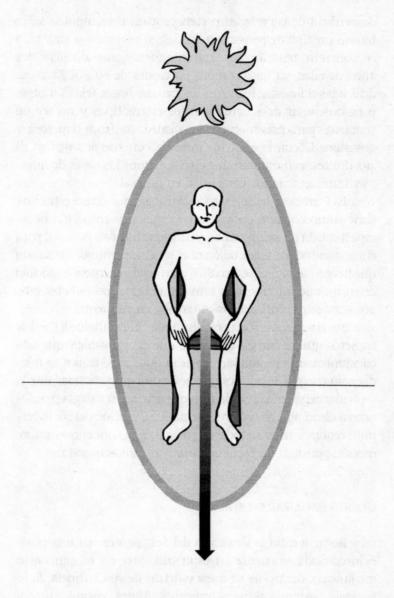

Figura 6. *Cómo visualizar su Sol.*

desperdicio de energía: si pertenece a un determinado sexo, tendrá un tipo de responsabilidades; si pertenece a una raza en concreto, tendrá otras. Habitualmente, cuando tiene dos años de edad ya hay grandes porciones de su Sol Radiante dedicadas a llevarse bien con los demás, hacer felices a otras personas, vivir de acuerdo con los estereotipos y no ser un problema para nadie. Nuestra sociedad, confusa, temerosa y obsesionada con el control, trata de contenernos dentro de sus límites, evitando así que cuestionemos las bases de nuestras familias, barrios y sociedad en general.

La Curación del Sol, y todo el trabajo que ofrece este libro, tiene como objetivo curar esa contención y reducción de su espíritu. Esta curación también funciona a través de usted para curar a la sociedad. Sea cual sea el procedimiento de liberación que lleve a cabo, éste repercutirá en el tejido energético, no sólo de su mundo interior, sino también del exterior. No obstante, por ahora nos centraremos en usted y en su mente.

Su energía personal es ilimitada. El símbolo del Sol le recuerda que su energía está viva, que es renovable y que está constantemente disponible. Haga lo que haga, nunca se quedará sin energía. Puede deshacerse de una gran cantidad de ella y olvidar reponerla, pero la mayor parte de su energía permanecerá disponible en todo momento. La Curación del Sol le permite reunir y utilizar toda su energía, que contiene su información personal, su facultad curativa y sus respuestas.

CÓMO VISUALIZAR SU SOL

Para llevar a cabo la Curación del Sol, siéntese en una posición cómoda y asiente su espíritu. Entre en su santuario meditativo, dentro de su aura y detrás de su Centinela. Si lo necesita, destruya algunas imágenes. Ahora, visualice un sol grande y dorado por encima de su aura, justo encima de su cabeza (véase la ilustración 6, página 91). Sienta el calor de su Sol, que simboliza la energía infinita que tiene disponible en esta vida. Su Sol contiene su información principal, sus poderes curativos y su humor. Es, además, su octavo chakra, y como tal, contiene un suministro inagotable de energía que puede utilizar en cualquier momento.

Si el término *energía* le produce confusión, sustitúyalo por *atención*. Ambos significan lo mismo: si tiene la atención puesta en alguna cosa, parte de su energía estará allí también. La atención requiere energía mental y emocional; la primera parte de la Curación del Sol le ayudará a recordarlo. Cuando no le presta plena atención al presente, no dispone de la energía precisa para funcionar al máximo de rendimiento.

Durante la primera parte de esta curación, su Sol actuará como un faro de guía para la energía que ha perdido o ha invertido en determinadas relaciones o circunstancias de su vida. Cuando se lo pida, su Sol reunirá toda esa energía y la limpiará para que usted pueda volver a usarla. Pídale a su Sol que reúna la energía, permanezca en la habitación de su mente y observe cómo ésta vuelve.

No se sorprenda si tiene la atención concentrada en cualquier lugar excepto en su aura, y si se origina un embotellamiento virtual de energía perdida en torno a su Sol. Mantenga la concentración y permita que su energía vuelva a recomponer su Sol. Puede ver la energía de las discusiones o conflictos que ha tenido con otras personas, la energía de desear desesperadamente alguna posesión material o la energía de ignorar tareas importantes. Puede que reciba, también, retazos inconexos de relaciones, conversaciones o estados emocionales. Permanezca concentrado, abierto y limítese a contemplar lo que ocurre.

A medida que vuelve su energía, haga que al golpear ésta el contorno de su Sol, se consuman y caigan los lazos de unión que estableció con dicha energía. Observe cómo cada haz se transforma, de nuevo, en energía limpia y se introduce en su Sol. Por ejemplo, su energía puede volver en forma de pelea con un viejo amor. A medida que se aproxima a su Sol, puede ver o sentir la naturaleza del conflicto. Pero una vez que la energía toque a su Sol, las imágenes del conflicto se consumirán y caerán y la energía recién limpia entrará a formar parte de su Sol. En esos momentos, poseerá más energía a punto para su utilización. Puede elegir volver a visitar el conflicto por el procedimiento que desee o dejarlo atrás por completo.

El propósito de la Curación del Sol es ayudarle a recopilar y recuperar toda su energía y atención desde donde quiera que esté escondida. Lo que decida hacer con esa energía, de nuevo limpia, es cosa suya.

No se preocupe si aún no es capaz de ver ni sentir cómo vuelve la energía. Su Sol la reunirá y la limpiará tanto si puede sentirlo como si no. El chakra del Sol es un faro de guía tan poderoso como su enraizamiento espiritual, su concentración, su capacidad para liberarse de viejas imágenes y su facultad para separarse de los demás estableciendo unos límites saludables. Todo lo que está haciendo es una forma de recuperar energía. El Sol tan sólo le ayuda a dirigir la atención y tomar el control consciente de este proceso actuando como una especie de organizador de energía, sea ésta del tipo que sea. Su energía y atención van a volver de todas formas. La Curación del Sol es una herramienta con la que recoger, limpiar y volver a orientar la energía que ya está disponible y a la espera de ser reconocida, aceptada, curada y reutilizada.

Cada vez que ponga en funcionamiento su Sol, volverán a usted energías de diferentes naturalezas. Puede observar cómo su atención se desvía de su consciencia del momento, o puede confiar a su Sol todo este trabajo y disfrutar de la curación.

Cuando se sienta inseguro, disperso o profundamente emotivo sin saber por qué, puede poner en marcha su Sol y controlar de cerca la energía que recibe. Una vez que compruebe dónde ha estado su energía, podrá deshacerse de las actitudes que le habían atrapado. También puede destruir imágenes o reforzar su Centinela para mantener concentrada su energía. O puede dejar que su Sol realice todo el trabajo a su manera con la certeza de que la energía quedará limpia y disponible sin importar a qué se haya dedicado con anterioridad.

CÓMO REALIZAR LA CURACIÓN DEL SOL

Para proceder con la segunda parte de la Curación del Sol, compruebe, en primer lugar, su enraizamiento espiritual y su estado meditativo en general y, si el anterior trabajo con su Sol le ha traído a la consciencia a otras personas, libere sus imágenes. Si lo necesita, descargue determinadas actitudes a través de su cordón de anclaje, cambie el color de su aura o su Centinela o desplácese hasta un rincón más cómodo dentro de la habitación de su mente. Sean cuales sean los cambios que haya experimentado en la primera parte de esta curación, es necesario que los dirija. Agradezca a su Sol esta oportunidad de autocuración que le ofrece. Si no ha experimentado ningún cambio en su estado meditativo, exprese igualmente su gratitud a su Sol, porque es señal de que está realizando su trabajo sin necesidad de contactar con usted ni molestarle.

Cuando su estado meditativo llegue a ser como usted quiere que sea, abra un pequeño orificio en la parte superior de su aura, y deje que la energía dorada de su Sol reluzca dentro de ésta (véase la ilustración 7, página 96). Observe o sienta cómo su calor, que le produce tranquilidad a la vez que un pequeño hormigueo, llena por completo el interior de su aura y le cubre la piel. Sienta el calor en la cara, en las manos, los pies, por la espalda, bajo las piernas y brazos, y por todo el espacio que hay contenido en su aura. Deje que ésta y su contorno se vuelvan dorados.

Respire la energía de su Sol y sienta cómo su calor penetra en sus pulmones. Cada vez que respire, observe y sienta la energía de su Sol viajando a través de su torrente sanguíneo junto con el oxígeno que toma a cada inspiración. Sienta esta energía, limpia y curativa, a medida que ilumina su sangre, músculos, órganos y huesos. Sienta cómo discurre por todo el abdomen, las caderas, las piernas, cómo recorre los brazos, las manos, las capas internas de la piel y penetra en su pecho, cuello, cara y cabeza. Respire.

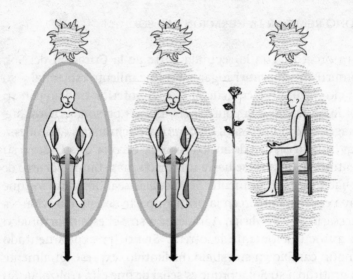

Figura 7. La Curación del Sol.

Ahora, haga que su cordón de energía se vuelva dorado y sienta cómo la energía del interior de su cuerpo fluye a través de él, limpiando éste y a su cuerpo y llenándolo de energía limpia. Permanezca en la habitación de su mente y haga que todo en ella se vuelva de oro: las paredes, los muebles, la escena que se contempla a través de sus ojos... absolutamente todo. Quédese en esta habitación dorada y haga que su Sol brille también sobre su Centinela. Haga que tanto éste como su cordón se vuelvan dorados, lo cual le proporcionará también curación.

Siéntese durante unos minutos y experimente su propia energía. Esta energía cálida, calmante, hormigueante y maravillosa le pertenece. Está constantemente a su disposición, de forma totalmente gratuita y bajo su control. Sienta cómo viaja a través de su cuerpo, cómo se desplaza con suavidad iluminando cada célula. Observe cómo se mueve por su aura y sus herramientas energéticas, limpiándolas y haciendo que cada una de ellas sea más real para usted. Recréese en el sentimiento de seguridad que vive en el momento actual al estar rodeado por su propia energía.

Compruebe su enraizamiento espiritual y asegúrese de que su cordón es aún dorado. Hacer que la energía dorada del Sol recorra su cuerpo y descienda por su cordón es una de las formas más maravillosas de curación: como cada porción de su cuerpo se ilumina desde dentro, los viejos mensajes y aflicciones y las emociones almacenadas en él se desalojan y caen. Cuando hace que su cordón se vuelva dorado, posibilita el drenaje de toda esa energía vieja y estancada, de manera que su cuerpo pueda comenzar a fluir en el presente. Este procedimiento también hace que su enraizamiento espiritual sea mucho más efectivo.

Cuando esté preparado, cierre el orificio que abrió en su aura y deje que la energía dorada se asiente en ésta y en su cuerpo. Permanezca en conexión con la Tierra, inclínese hacia adelante, toque el suelo con las manos y deje que su cabeza cuelgue hacia abajo. Permita que la energía salga a través de sus manos, sus pies o por la parte superior de su cabeza si lo prefiere. Permanezca en esta posición hasta que se sienta limpio; entonces, incorpórese de nuevo, lentamente. Compruebe que continúa en conexión a través de su cordón y que sigue en el interior de su mente. Eso es todo. ¡Buen trabajo!

Después de añadir energía a su cuerpo, debe darle siempre la oportunidad de evacuarla. Éste trabaja muy bien por sí mismo y puede perturbarse seriamente cuando usted le añade luces, colores y energía sin ton ni son. Su cuerpo es muy diferente de su aura, su cordón y las imágenes que viven en el mundo etéreo, porque él existe en el mundo físico. Soporta una enorme responsabilidad, información de supervivencia e información en general y puede que su información etérea no coincida con ésta. Por otra parte, su cuerpo existe en el tiempo real, lo que significa que funciona de acuerdo con su propio ritmo, el cual puede ser muy diferente del que su espíritu es capaz de soportar. Aunque usted casi siempre lo haga con buena intención, es peligroso añadir energía curativa a su cuerpo de manera incorrecta o en un momento que no es apropiado de acuerdo con su planificación temporal individual. Su cuerpo necesita tener el control de lo que acepta.

La energía dorada de su Sol no debe tener ningún efecto negativo sobre su cuerpo, pero tiene que dejar que éste decida cuánta quiere liberar, cuánta prefiere retener y dónde quiere almacenarla. Los cuerpos trabajan con una serie de desafíos diferentes a los de los espíritus, pero saben perfectamente lo que hacen en cada momento y cuándo se tiene que hacer cada cosa. Si su cuerpo necesita la energía espiritual que usted le proporciona, la guardará; si no es así, debe darle la oportunidad de que la libere.

No sature su cuerpo de energía, lo más probable es que haya estado funcionando sin su atención durante mucho tiempo; si es así, seguro que tiene su propia manera de hacer las cosas. Permítale poder elegir lo que quiere y necesita. Si no lo hace, puede que su cuerpo no confíe en usted. Trabaje con él, no sobre él. Su cuerpo sabe lo que está haciendo.

Cada vez que realice una curación con el Sol, habrá introducido todas sus herramientas dentro de su consciencia. Ahora, su cordón y su aura sabrán que ha reclamado su propia energía de esa persona o aquella situación y se volverán más fuertes por ello. Su Centinela sabrá dónde está usted y le podrá transmitir energía de manera más clara y contundente. La habitación de su mente habrá recibido una gran «limpieza general». Cada parte de su ser se volverá consciente y en sintonía con su grado actual de consciencia espiritual.

La Curación del Sol conecta su ser espiritual con su cuerpo de manera segura, cálida y real. Gracias a esta conexión, tendrá acceso, de repente, a un gran número de respuestas seguras y sanas para el mundo que le rodea. Ya no tendrá que confiar en curadores evasivos, borracheras emocionales, disociaciones o fronteras levantadas desde el temor. Tendrá, no sólo las herramientas que ha aprendido con este libro, sino todo su conocimiento como espíritu ilimitado.

Realice la Curación del Sol cada día, al final de la comprobación que realiza regularmente de su estado de meditación o en cualquier momento que sienta que ha perdido sus límites. Como cualquiera de las otras técnicas que hemos aprendido, esta curación puede durar tanto como lo desee. En realidad, tan pronto como la corriente dorada fluye por su cuerpo, la curación ha terminado. Sin embargo, puede permanecer sintiendo su luz y su calor todo el tiempo que quiera, igual que cuando vacía su cordón energético, limpia su aura o destruye imágenes. La elección corre de su cuenta.

Ya ha aprendido todas las técnicas básicas y está preparado para un trabajo más profundo. Su meditación diaria, en este momento, debe ser así: siéntese y asiente su espíritu, entre en la habitación de su mente, defina su aura y límpiela si lo cree necesario, compruebe y renueve, si hace falta, su Centinela y libere el número de imágenes que crea oportuno. Cuando haya terminado, llame a su Sol y aliméntese con su propia energía. Termine inclinándose y dejando que su cuerpo drene la energía que no le es necesaria, y ¡listo!

Si durante el día se siente un poco confuso, puede llenar rápidamente su aura de energía dorada sin tener que llenar su cuerpo también. Ésta es, además, una forma rápida de definir el aura. Se puede hacer en el trabajo, en el coche o en cualquier otro lugar. Este procedimiento simplificado es fácil de hacer en presencia de otras personas porque es menos comprometido que la Curación del Sol completa. Dado que durante esta «minicuración» no introduce la energía del Sol en su cuerpo, no tendrá que inclinarse para liberarla, lo cual puede resultar bastante embarazoso en una reunión de la APA o en la cola para sacar los billetes en el aeropuerto. De hecho, con un poco de discreción, puede realizar la mayor parte de su meditación en público, llegado el caso. Ninguna de estas técnicas requiere intimidad, quietud o paz exterior, lo que las hace muy útiles para personas ocupadas como nosotros.

Felicítese por haber llegado hasta aquí. No se desanime si no ha logrado dominar alguna de las herramientas. Algunas técnicas le resultarán fáciles, mientras que otras necesitarán mucha práctica por su parte, depende del lugar en el que su energía esté estancada. Consulte la *Guía de Dificultades* (página 341) y busque el área específica que le resulta difícil o los síntomas. En ella encontrará las respuestas que necesita. Tómese su tiempo para practicar de nuevo técnicas que no domina, porque el trabajo que vamos a emprender en el siguiente capítulo depende en gran medida de las técnicas que ha aprendido en éste.

Segunda parte

HACIA UN CONOCIMIENTO MÁS PROFUNDO

Cómo Quemar Contratos

Ya ha aprendido a enraizar su espíritu y a concentrarse en un santuario meditativo seguro que creó dentro de su cuerpo. Ha adquirido las destrezas necesarias para limpiar y definir su aura. Ha aprendido a crear y destruir imágenes para liberar de su vida interior los mensajes que proceden de otras personas. Ha realizado una Curación con su Sol para encauzar la energía y conducirla hasta el interior de su aura y de su cuerpo. Con todas estas bases bien enraizadas, estamos en disposición de profundizar aún más.

Puede que haya percibido que hay algunas relaciones, actitudes o ideas de las que no puede desprenderse a través del cordón de anclaje ni puede destruir por completo. En sus meditaciones diarias pueden aparecer algunas energías o relaciones, a pesar de los procedimientos de liberación que haya llevado a cabo con ellas. En estos casos, es muy probable que haya establecido un *contrato* psíquico con esta relación, contrato que es necesario que examine, renegocie o destruya.

Cuando personas incompatibles, o que no son conscientes, interactúan entre sí, establecen a menudo, en un intento de crear intimidad y conexión, unos modelos de expectativas, comportamientos o reacciones, así como unas zonas de bienestar. Dichas posturas y expectativas definen, por lo general, la naturaleza y la envergadura de la relación y actúan como cláusulas contractuales o unificadoras para ambos participantes. A través de un acuerdo consciente o inconsciente, muchas relaciones evolucionan (o perecen) a través de modelos contractuales perfilados con precisión. Cuando las personas son compatibles de verdad y viven en el momento presente, sus relaciones no necesitan este tipo de contratos. Las relaciones compatibles tienen tendencia a crecer, fluctuar, moverse y cambiar, en respuesta al crecimiento y el conocimiento de cada uno de los miembros. Si usted tiene un amigo con el que puede hablar absolutamente de todo, aunque sus caminos se separen en alguna ocasión durante meses e incluso años, comprenderá la tranquilidad, libertad y seguridad que proporcionan las relaciones compatibles. Cuando las personas se pueden comunicar libremente, no son necesarios los contratos que especifican comportamientos o expectativas rígidas y que, además, pueden perjudicar a la relación.

No obstante, cuando las personas no son compatibles, suelen confiar en los contratos de relación para crear una ilusión de cercanía o, al menos, un sentimiento fiable de continuidad con la otra persona. En esos casos, el contrato le puede recordar a las personas cómo deben comportarse cuando sus principios o necesidades no son importantes (o bien acogidos) en la relación.

Las relaciones laborales o sociales representan ejemplos perfectos de los casos en los que los contratos pueden proporcionar un soporte que la relación en sí es incapaz de ofrecer. Este tipo de contratos resultan útiles, también, para las personas que prefieren no mantener una actitud consciente en cada momento. Los contratos le pueden recordar que debe ser serio con esta persona, sociable pero manteniendo las distancias con esa otra, divertido pero cauteloso con aquélla, y así sucesivamente. Los problemas surgen cuando los contratos anulan nuestra propia capacidad de relación y nos fuerzan a acatar sus principios y reglamentos.

En estas situaciones gobernadas por los contratos, a medida que éstos proliferan y se vuelven más rígidos, van desapareciendo la comunicación y la conexión auténticas. De hecho, en muchas relaciones, las personas implicadas dedican más tiempo a atender sus obligaciones contractuales que a relacionarse con su compañero de contrato. Por ejemplo, todos conocemos parejas casadas que permanecen unidas por razones que no alcanzamos a comprender. Cada uno de ellos se siente desgraciado, no son capaces de comunicarse entre sí, se sienten solos y terminan teniendo aventuras extramatrimoniales o requiriendo un apoyo interminable por parte de sus amigos. Pero no se separan para continuar con sus vidas. Por lo general, su relación gira en torno al dinero, las obligaciones, los hijos... pero su amor mutuo o la esperanza de que vuelva a funcionar ya no tienen cabida en ella.

En estos casos, las personas se encuentran abrumadas bajo el peso de un monstruo inflexible de seis metros de altura llamado contrato. Y no pueden llegar hasta su pareja, ni siquiera verla, a través de ese coloso llamado Su Relación, que hace imposible su comunicación mutua. A pesar de eso, continúan alimentando y respetando el contrato, aunque éste pueda llegar a destruirlos, porque les han enseñado que respetar los contratos y cumplir con las expectativas y exigencias de los demás, sin importar las consecuencias que se puedan derivar para ellos o para su relación, es lo decente.

Su conflictivo contrato matrimonial está redactado, con frecuencia, a partir de las normas sociales o familiares sobre cómo debe ser un matrimonio. A menudo, ambos miembros imitan, inconscientemente, los contratos matrimoniales de sus propios padres en el triste juego de «las casitas» sin llegar a disfrutar de la emoción (y el esfuerzo) de construir su propio amor y tipo de relación. Su contrato puede estar, además, repleto de información trivial y obsoleta sobre los gustos, aversiones y opiniones de su pareja; tanto es así, que la mayoría de sus conversaciones se centrará en recordarle a la otra persona como *se supone* que debe sentirse y comportarse de acuerdo con esa antigua información («Tú *odias* la comida mejicana... Acordamos que tendríamos los niños *después* de la graduación... Eso *antes* nunca te molestaba...»).

Lo que no contienen ni éstos ni otros contratos de relación es espacio para la frescura, la sorpresa, el cambio, la aceptación y el crecimiento. Los contratos de relaciones requieren respuestas convencionales, fiables y estereotipadas, ya que existen para garantizar el estatismo.

El estatismo es algo tan natural y maravilloso como lo es el propio cambio. Sin embargo, los contratos no dejan lugar para la maravilla natural del cambio, sólo contemplan el estatismo. Son unilaterales y poco saludables y, en una vida activa, plena y sana, se deben evitar. Imagínese lo desasosegado y exhausto que estaría si hubiese un acuerdo en su vida que le obligase constantemente a cambiar, sin importar el qué. Su vida se volvería insufrible. Tan insufrible como cuando se permite que los contratos de relaciones, que evitan totalmente el cambio, prevalezcan sobre la comunicación humana natural.

Puede que, al principio, parezca que estos contratos proporcionan un soporte útil en el intrincado mundo de las relaciones humanas, como ocurre con los numerosos apoyos que existen para hacer innecesarias la honestidad y el coraje; sin embargo, pronto incapacitan a las personas que los siguen. Los contratos de relación se suelen establecer para hacer que la honestidad en las relaciones incompatibles no sea esencial, de manera que las personas que no tienen un compromiso real entre sí, puedan llevar a cabo una relación a un nivel más superficial. Todo esto parece lógico, y de hecho podría ser aceptable si las relaciones humanas se basasen en principios lógicos y formales. Pero, como no es así, estos contratos en el marco de las relaciones humanas fracasan rotundamente.

Cuando se establece un contrato con el fin de ayudar a las personas implicadas a que *eviten* la intimidad dentro de una relación, éstas se vuelven ya totalmente incapaces de vivir la intimidad y la honestidad. El, aparentemente lógico, contrato resulta ilógico en el mundo real en el momento en que las personas quedan atrapadas en una red de incomprensión, frustración y aislamiento, de la cual podrán liberarse, tan sólo, asumiendo su cuota de responsabilidad con respecto al acuerdo y *quemando el contrato de la relación.*

CÓMO QUEMAR CONTRATOS

Utilicemos como ejemplo al matrimonio infeliz que hemos mencionado con anterioridad. Cuando el marido asienta su espíritu y emprende un proceso de meditación, la esposa puede aparecer en sus pensamientos, incluso después de haberla liberado destruyendo su imagen. Ésta es la señal que le indica que está soportando algo más que una vieja imagen de ella: tiene también un contrato con su esposa.

Desde el interior del santuario que ha creado en su mente, el esposo comprueba su cordón de anclaje, su aura y su Centinela y arregla los problemas que pueda encontrar en ellos. A continuación, imagina un gran trozo de papel o de pergamino dentro de su aura, sobre el que escribe las características de su contrato matrimonial. También escribe el nombre de su esposa, o una descripción del contenido emocional de su matrimonio, o puede que proyecte una película sobre su relación sobre el pergamino. Refleja, con franqueza, todo lo que se le ocurra sobre su esposa.

Al tiempo que coloca su acuerdo matrimonial en el pergamino, añade también sus propias posturas, reacciones y requerimientos al lado de los de su esposa. Al hacer esto, puede que el primer pergamino se llene al instante de imágenes y sentimientos. Si eso ocurre, lo desplaza hacia un lado y crea un segundo pergamino para continuar con su proceso de liberación.

Cuando experimenta paz y relajación en su cuerpo, enrolla todos los pergaminos que ha utilizado, de manera que nadie los pueda leer, y se imagina que ata cada rollo de papel con una cuerda dorada. Entonces, los lanza fuera de su aura, donde caen en un fuego que los consume. Mientras observa cómo sus contratos se transforman en energía neutral, ilegible y libre de ataduras, vuelve a comprobar su enraizamiento y su estado meditativo y emprende una Curación del Sol para que esa energía limpia vuelva a estar disponible dentro de su vida.

Al quemar el contrato de su matrimonio desgraciado, el marido examina, se hace responsable y libera enormes cantidades de energía enmarañada y confusa. Sólo este paso ayudará a sanar su matrimonio, porque requiere que se responsabilice de las características y condiciones que él, por su parte, ha aportado a ese matrimonio. Por otra parte, dado que este proceso implica una rescisión de un acuerdo contractual con su esposa (con el que ella, hasta cierto punto, estaba de acuerdo), la destrucción del contrato hará que ella también experimente la liberación.

Si su esposa está dispuesta a avanzar con él, esta curación los liberará a ambos. Ella ya no estará atrapada en las expectativas y reacciones estereotipadas de su marido. Podrá ser capaz de responderle de con autenticidad por primera vez en muchos años. Pero si su esposa no está dispuesta a salir adelante y prefiere permanecer en los viejos argumentos del tipo de «¡has arruinado mi vida!», su trabajo tendrá, igualmente, un efecto liberador en ambos. No importa si su esposa se niega a quemar su parte del contrato: si el esposo ha quemado la suya, el contrato se hará más pequeño y, de esta forma, la postura de la esposa será menos soportable y menos divertida. Le será imposible mantener un conflicto con su marido si éste no quiere volver a luchar. Ni será posible que vuelvan a adoptar un contrato perjudicial para ambos si él no accede a firmarlo.

Independientemente de los deseos de la esposa, el marido ha experimentado un avance, al que tiene derecho por su ser individual. El contrato matrimonial con el que estaba de acuerdo anulaba su derecho a progresar, pero él ha anulado el contrato. Ahora puede tomar decisiones basándose en sus necesidades, deseos y circunstancias presentes. Puede que el matrimonio se salve y se renueve, o puede que termine, permitiendo que ambos, marido y mujer, reanuden una nueva vida. El resultado, así como los siguientes pasos, son tan particulares como las partes implicadas. Lo que sí está claro es que al quemar su viejo contrato, ambos se han liberado como individuos en vez de permanecer bajo la esclavitud de un documento psíquico.

Los contratos están por todas partes. No es inusual que, en nuestra vida, establezcamos contratos individuales con cada persona, así como con diversos estados emocionales como la desesperación o la ira, con las obligaciones según nuestro sexo, con la posición social, con las finanzas y la seguridad, e incluso, contratos sobre icómo debemos cumplir los contratos!

No se castigue por confiar en los contratos que le guían a través del tempestuoso mar de las relaciones humanas. El contrato puede ser una herramienta de conexión importante para los casos en los que la conexión sería, de otro modo, imposible. Si la mayoría de las relaciones que establece requieren que enmiende su personalidad y si su aura se llena de contratos, felicítese por haber tratado de establecer esas relaciones antes que desesperarse por la cantidad de contratos que tendrá que quemar.

CÓMO QUEMAR SUS PROPIOS CONTRATOS

Para quemar el contrato de una relación, entre en su cuerpo una vez que su espíritu esté enraizado en él, siéntese en la habitación de su mente, ilumine y limpie su aura y revise su Centinela. Destruya algunas de las imágenes de los demás que tiene confinadas y observe cuáles de ellas vuelven a su consciencia; éstas corresponderán, casi con toda seguridad, a sus compañeros contractuales. Si duda de la existencia de un contrato con alguien, cree de nuevo un regalo del color favorito de esa persona, ponga su imagen dentro de él, sáquela fuera de su aura y libérela otra vez. Si la imagen vuelve a aparecer después de esta segunda liberación, no hay duda, entre ustedes existe un contrato.

Ahora, cree un amplio trozo de papel de pergamino frente a usted, dentro de su aura. El hecho de originar este pergamino dentro de su aura servirá para recordarle que tanto la opinión que tenga de otras personas, como su parte en cualquiera de los contratos le pertenecen a usted, no a las otras personas. Elija un color cálido y suave para el pergamino; los colores brillantes o fuertes pueden resultar algo reflectantes y lo que usted persigue es que el papel absorba toda su energía y sus proyecciones sin que le devuelva nada reflejado.

Con el papel frente a usted, piense en su compañero de contrato. Deje que sus pensamientos se transmitan al pergamino. Puede escribir en él el nombre de la otra persona o el de la relación que mantienen. Puede proyectar la imagen de su compañero sobre el papel o transmitirle un vídeo de sus movimientos, acciones y comportamientos. Si su primer pergamino se llena con estas imágenes, desplácelo con cuidado hacia un lado y cree un papel nuevo que le permita seguir liberando su relación. Para expresar algunas relaciones se necesitan muchos pliegos de papel.

Mientras continúa trabajando, aparecerá su propia imagen al lado de la de su compañero. Entonces, podrá ver sus propios conflictos, sus posturas personales, sus actitudes y las respuestas que ofrece a la otra persona. Coloque también todas estas imágenes y actitudes en el pergamino. Éstas representan su implicación en el contrato, las consecuencias que le supone y las razones que le llevaron en un primer momento a acceder a dicho compromiso.

No pierda el tiempo recriminándose si las razones y justificaciones por las que contrajo este acuerdo son cualquier cosa excepto maravillosas. Permanezca en el interior de su mente, obsérvese y continúe trabajando. Permita que la energía de esta relación contractual fluya fuera de su cuerpo. Utilice todos los pliegos de pergamino que necesite. Su cuerpo y su aura le indicarán el final de la sesión mediante un cambio de cualquier tipo. Puede ser que, de repente, sienta una gran relajación o impaciencia por levantarse y moverse. Cuando experimente este cambio, enrolle cada uno de los contratos de forma que sólo se vea la parte posterior, sin escribir, de las páginas.

A medida que enrolla cada contrato, átelo bien con un trozo de cuerda dorada. El hecho de anudar esta energía dorada alrededor de sus contratos le recordará al contrato que ese momento pertenece al presente, donde ya no tiene sentido aplicar sus leyes y estatutos. Cuando todos los pliegos estén enrollados y atados, lánzelos a uno o dos metros de distancia fuera de su aura. Vaya reuniéndolos o apilándolos y quémelos. Dependiendo de los sentimientos que tenga en ese momento, puede encender una cerilla por debajo de la pila de contratos, pude abrasarlos de forma fulminante con un relámpago o con un chorro de energía intensa, o puede prenderles fuego con un militarista lanzallamas.

Mientras arden en llamas, permanezca concentrado y observe cómo la energía alimenta el fuego y cómo los contratos pierden sus ataduras para transformarse, una vez más, en energía neutral. A medida que los contratos, que en su día fueron importantes, se vuelven cenizas, tenga la seguridad de que nunca más van a volver a ser legibles, viables ni vinculantes.

Revise su estado meditativo y arregle cualquier tipo de desorden en alguna de sus herramientas si lo hubiese. Cuando esté concentrado, realice la Curación del Sol completa, pues al quemar contratos se libera y limpia una gran cantidad de energía. Su Sol le ayudará a reunirla y a volver a integrarla en su sistema para que pueda utilizarla con otros fines. Una vez que ésta esté de vuelta, la puede utilizar para curarse a sí mismo, para perdonarse y para comunicarse realmente con el que fuera su compañero de contrato. No olvide inclinarse y tocar el suelo al final de la Curación del Sol para que su cuerpo pueda expulsar la energía que no necesite.

No se sorprenda si los contratos que ya ha quemado intentan reanimarse. Al igual que ocurre con los malos hábitos, los contratos suelen merodear en las sombras de su ser hasta el día en el que usted se descuida o deja de estar consciente, y de repente, ¡BANG!, vuelven.

Si es capaz de tratarlos como los animales indómitos e inmaduros que son, y recordarles amablemente, pero con firmeza, que deben volver al papel (o pergamino), con el tiempo acabarán captando el mensaje. Si les otorga cierta consideración por haberlos creado y liberado y tiene presente el valioso servicio que le proporcionaron cuando usted *quería* permanecer inconsciente, le abandonarán con algo más de dignidad y resolución.

A medida que pierda su confianza en los contratos, descubrirá que sus relaciones, incluso cuando sean puramente sociales o laborales, le concederán la libertad de ser usted mismo. Por supuesto, esta libertad vendrá después de que esté suficientemente centrado y en armonía con su propia vida. El proceso de quemar contratos siempre favorece esta liberación.

Cuando se encuentre libre de contratos, las dificultades de las relaciones perderán relevancia. Pronto encontrará extraño el hecho de sentirse atrapado e incapaz de relacionarse con los demás o de necesitar un apoyo o una guía en sus relaciones. En vez de considerarse una persona incapaz de establecer relaciones o pensar que no se puede confiar en la raza humana y usar contratos para protegerse de la intimidad, comenzará a fluir dentro y fuera de relaciones que le alimentarán, instruirán o desafiarán. Su pensamiento consciente estará de su parte a la hora de expresar lo que siente, pedir lo que desea y confiar en la experiencia humana.

El mundo no se transformará instantáneamente en un lugar seguro o lógico por el hecho de haber quemado nuestros contratos. Lo que ocurrirá es que se liberará su energía de tal forma que su mundo interior se volverá seguro y lógico para usted. Cuando esto ocurra, las necesidades y requisitos que tenía con respecto a sus relaciones pasarán de estar basadas en un egoísmo intolerable y premisas del tipo «dame todo lo que tienes o pensaré que no me quieres» a adoptar una disposición a experimentar la plenitud de la otra persona realista y basada en el amor, sin tener que controlar, corregir o destruir a los demás.

Cuando disponga de energía para satisfacer sus propias necesidades, no necesitará que ninguna relación se dedique de forma perfecta y constante a sus demandas. Cuando quema sus relaciones contractuales, libera energía para satisfacer sus necesidades. También liberará a las personas que forman parte de su vida, de manera que éstas también pueden empezar a satisfacer sus necesidades, lo cual hará que dependan menos de usted y que puedan relacionarse con autenticidad, por encima de todo contrato.

Al tiempo que quema sus contratos con las otras personas, deténgase unos momentos en cada sesión para quemar también sus contratos con ideas, estados emocionales y actitudes que le impiden progresar. Por ejemplo, puede crear y quemar el contrato que mantiene con su sexo colocando en un pergamino todas las imágenes e ideas de cómo se debe comportar según éste, cómo se debe vestir, comer o ganarse la vida. También puede quemar los contratos relativos a su ética laboral, su actitud acerca del dinero, su miedo al éxito o al fracaso y sus reacciones ante ciertas religiones, ideologías o estrategias de salud. A través de esta técnica se puede liberar de cualquier tipo de relación esclavizante y estereotipada con alguna persona o cosa.

Con anterioridad ha trabajado el procedimiento para desprenderse de ideas y actitudes a través del cordón de anclaje. Sin embargo, es muy probable que algunas de ellas hayan vuelto a usted. Puede que haya intentado deshacerse de emociones o asuntos relacionados con su sexo y que haya conseguido resultados poco duraderos. Esta reacción a la liberación indica que existe una relación contractual con la idea o la actitud en cuestión, un contrato que se ha establecido para mantenerle controlado como miembro del *grupo*, sea éste de la índole que sea. Por favor, queme su tarjeta de socio.

Cuando se libera de sus ataduras y quema sus contratos con determinadas ideas o actitudes, ciertamente, experimenta una liberación, pero también comienza a desmantelar las ideas y actitudes que su cultura le ha impuesto. Se ha demostrado, mediante investigaciones históricas, que muchas de las creencias y prácticas que en otro tiempo se consideraban «sagradas», simplemente desaparecieron cuando un número suficiente de personas las examinó y las rechazó.

Algunas creencias, como la teoría de que la Tierra era plana y la práctica médica de sangrías, fueron rechazadas mediante investigaciones científicas, pero muchas ideas de las que prevalecieron terminaron por perder su fuerza cuando la gente les volvió la espalda. Una gran cantidad de ideas e invenciones que en otra época fueron realidades incuestionables para nuestros abuelos, carecen de sentido en nuestros días, porque hemos retirado de ellas nuestra energía y atención. Podemos hacer lo mismo con las verdades indiscutibles de nuestros días y vivir así en nuestra propia realidad.

Los estados emocionales pueden, también, atarle mediante un contrato. Puede volverse adicto a cierta emoción, pero ignorar los elementos o circunstancias que la causaron en un primer momento. Las tres adicciones emotivas más comunes son la ira, la desesperación y las tendencias suicidas, y todas ellas absorben grandes cantidades de energía.

Al quemar los contratos que le vinculan a emociones recurrentes, usted libera por completo su cuerpo emocional de forma que éste se puede curar a sí mismo. Cuando quema contratos con ideas o actitudes, les arrebata la energía para que no tengan una presencia tan fuerte en su consciencia o en su entorno. Cuando quema los contratos relacionados con su sexo, la profesión o las finanzas, libera energía de esos sistemas de manera que se reduce su intensidad y se vuelven menos vinculantes para otras personas. Cuando se libera usted mismo de sus contratos, también libera y cura a las personas y la energía que le rodean.

Aunque resulte extraño, al quemar sus contratos está mas conectado a su mundo y se vuelve más capaz de conectar con los humanos que lo comparten con usted, porque se aparta de las expectativas y normas que le limitan y se sumerge en la corriente de la vida.

Dentro de su aura manda usted, y no sólo en sus asuntos internos, sino también en su capacidad para relacionarse y en sus responsabilidades. Desde la habitación de su mente, puede recuperar el control de sus reacciones ante cualquier cosa que le llegue desde el mundo interior o exterior. Puede que no controle lo que le pueda venir (¡no es todopoderoso!), pero sí la forma de afrontar lo que le llega.

En su vida armoniosa puede elegir abandonar ambientes perjudiciales o permanecer en ellos; puede elegir finalizar o emprender relaciones insatisfactorias; no siempre podrá controlar el dinero que recibirá, pero sí puede elegir cómo lo gastará; no podrá controlar a sus amigos o su familia, pero sí sus reacciones hacia ellos y la perspectiva desde la que los considera.

Su trabajo de crecimiento espiritual no cambiará determinadas cosas de su vida exterior como por arte de magia. En estos momentos, nuestra experiencia en el planeta no es de paz y plenitud, ni debe serlo. Nosotros estamos aquí para crecer, aprender, experimentar la vida y hacernos más fuertes en nuestra expresión individual. Cuando se tiene una vida interior limpia y viva, la expresión individual se desarrolla por sí sola. Y cuando esto ocurra, su vida exterior no tendrá por qué ser perfecta. En vez de colocar lastres irreales en otras personas y en el estado del mundo antes de dignarse a buscar la plenitud, será capaz de cultivarse a sí mismo. Y al hacerlo se transformará en un ser realmente valioso para el mundo, y no en un amasijo de deseos y necesidades.

Al quemar los contratos mentales que ha establecido con otras personas las libera de la tarea imposible de proporcionarle todo lo que necesita. Libera al mundo exterior de la pesada carga de tener que ser perfecto para que usted se sienta seguro, cómodo o feliz. Igualmente, se libera a usted mismo de las trabas y ataduras que mantienen aprisionada su individualidad. Queme sus contratos y deje que se alejen de usted, de esa forma liberará su corazón y su espíritu.

La mejor forma de ayuda de la que dispone en este proceso de liberación no es ni más ni menos que su enraizamiento espiritual. Esta técnica hará posible que su cuerpo y su espíritu entren en comunicación, lo cual hará que su centro de meditación sea más agradable. Desde el interior de dicho santuario, puede curar y redefinir su aura, revisar su centinela, desprenderse de aflicciones y dificultades, destruir imágenes y quemar contratos. El enraizamiento espiritual hace posible cualquier cosa.

Es también de vital importancia que realice durante este tiempo tantas curaciones con su Sol como le sea posible, pues éste contiene energía curativa individual específicamente para usted, así como información sobre su salud, directrices sobre su comportamiento, ayuda personal e información sobre su camino espiritual y curativo en el momento actual.

A medida que se desprenda de su vieja energía, tenga la seguridad de que la reemplazará con la información y energía limpia y curativa que le proporciona su octavo chakra.

Cuando integre esta nueva técnica en su conjunto de herramientas espirituales, será capaz de obrar maravillas en su propia vida. Y cuando se deshaga de las viejas ideas, actitudes, expectativas y otros tipos de energías no deseadas, y pueda limpiar y recuperar la energía que desprenden, ya neutral y curativa, dominará los secretos de la autocuración psíquica.

No obstante, debe saber que el hecho de que se aleje de los viejos e intolerables patrones relacionales o creencias puede suscitar determinadas emociones. Algunas veces, dichas emociones serán comprensibles, pero otras veces no. En la cultura en la que vivimos, este proceso importante y emocionalmente volátil resulta casi tan incomprensible como las propias emociones, lo cual es una pena.

En el siguiente capítulo, y en el resto del libro, se intenta sacar esos sentimientos fuera de las sombras y ponerlos en sus manos. Ya sé que pensaba que este libro trataba sobre el emocionante mundo del conocimiento psíquico; de hecho, trata sobre el realmente emocionante conocimiento de uno mismo. Nuestros sentimientos contienen mucho más conocimiento y poder de curación que el que jamás tendrá cualquier místico o sanador. Ya lo verá.

Cómo Canalizar
los Sentimientos

No sé qué ha pasado con los sentimientos en esta sociedad. Son los aspectos menos comprendidos, más injustamente tratados y más ridículamente analizados de todos los que conforman la vida humana. Los sentimientos se clasifican, se celebran, se vilipendian, se reprimen, se manipulan, se humillan, se ensalzan y se ignoran. Y en algunos casos, aunque raros, se respetan.

Existe un gran número de terapias psicoracionales, religiones y doctrinas de la Nueva Era que dividen los sentimientos en categorías como buenos y malos, y dedican mucho tiempo y energía a enseñar a sus respectivos discípulos a estar de acuerdo con sus teorías. Para encajar fielmente en estas corrientes, los seguidores deben buscar y experimentar los sentimientos que los maestros consideran aceptables y evitar o ignorar los prohibidos. El único problema es que parece ser que las diferentes terapias y doctrinas no llegan a un consenso con respecto a qué sentimientos son los correctos y cuáles no. Algunas religiones o escuelas evitan todo tipo de emociones, mientras que otras sólo rechazan la ira y el miedo. La mayoría de las corrientes de la Nueva Era logran pasar con sólo una (la alegría) y se esfuerzan por sublimar el resto. Como ocurre en cualquier régimen del tipo «perfección en vez de totalidad», el daño causado por la negación de los verdaderos sentimientos humanos deriva en problemas realmente inhumanos.

En nuestra sociedad, el sentimiento «malo» por excelencia es el sufrimiento. Tras algunos centenares de años de represión, nos hemos convertido en personas insensibles, hipnotizadas por la muerte pero incapaces de aceptarla. La ira no aceptada o reprimida se transforma en rabia, tormento y tendencias suicidas, mientras que el miedo negado se torna en ataques de pánico, separación entre cuerpo y espíritu y una desconfianza subyacente hacia las personas y la vida en general. Ésta es la recompensa que obtenemos por reprimir nuestros sentimientos.

Es mejor expresar los sentimientos que reprimirlos, porque con ello se permite que la verdad fluya por nuestro cuerpo y espíritu. Sin embargo, si los sentimientos son muy fuertes, el hecho de expresarlos puede crear trastornos tanto interiores como exteriores. Los trastornos exteriores se producen cuando descargamos todas nuestras emociones sobre algún alma desafortunada a la que tratamos de responsabilizar de nuestro estado de ánimo. El trastorno interior tiene lugar cuando nos damos cuenta de que hemos asustado o herido a alguien con nuestra efusión de emociones, lo cual hace que nos sintamos consternados y que nos avergoncemos de nosotros mismos. Entonces volvemos a reprimir esos nuevos sentimientos o los expresamos, esta vez de manera más contundente, con lo cual nadie resulta finalmente beneficiado con ninguna de las opciones.

A menudo experimentamos sentimientos tan fuertes que arremetemos contra los demás o los culpamos de nuestro estado de ánimo; esto nos atrapa en la creencia de que son los demás los que tienen el control de nuestras emociones («¡Tú has hecho que me enfade! ¡Tú me has hecho llorar!»). Expresar nuestros sentimientos puede resultar perjudicial para nuestro ego. Entonces, ¿qué opción nos queda? Si no podemos reprimirlos sin crearnos problemas, ni tampoco podemos expresarlos, ¿qué podemos hacer? ¿Irnos a vivir a una cueva? No. Podemos encauzarlos de diferente manera.

Cuando expresamos nuestros sentimientos, se los estamos entregando al mundo exterior porque esperamos que en ese lugar serán tenidos en cuenta, se les respetará, se les curará y se transformarán en algo agradable. La expresión emocional parte de la base de que el mundo exterior y las otras personas son capaces de descifrar los mensajes emocionales y transmutarlos en acciones. Cuando reprimimos nuestros sentimientos, los confiamos al mundo interior, donde esperamos que se les cuide, se les cure y se les transforme en algo más aceptable para nosotros. La represión emocional confía en que el subconsciente y el mundo interior aceptarán los sentimientos y *harán algo con ellos*.

Pero ningún rechazo funciona durante mucho tiempo. La expresión emocional nos hace terriblemente dependientes de terapeutas, libros, amigos, familia, clero y de la acción externa en nuestra búsqueda de consuelo y liberación. Dado que esas personas o esos apoyos externos pueden desaparecer, puede que nos quedemos atrapados en una vida repleta de emociones y no hayamos desarrollado nuestras propias habilidades emotivas ni tengamos ningún lugar adonde ir con todos nuestros sentimientos y energías.

Por otra parte, la represión emocional nos hace depender de un cuerpo o un inconsciente que, para soportar tal cantidad de material reprimido, tiene que deshacerse de alguna otra cosa. Cuando cedemos responsabilidades emocionales a nuestro cuerpo, éste las almacena en algún lugar hasta que, al final, vuelven a aparecer en forma de dolor o enfermedad. Si se las cede a su inconsciente y le dices: «sin ira ni sufrimiento, ¿de acuerdo?», su inconsciente trabajará mucho para obedecer sus órdenes, pero tendrá que crear alguna otra cosa con la energía de su ira o su sufrimiento y, generalmente, las tendencias suicidas son la única vía.

Como puede observarse, tanto la expresión como la represión de los sentimientos comportan serios inconvenientes. El rechazo nunca funciona. Por otra parte, si escucha, respeta y canaliza sus emociones, no tendrá necesidad de confiárselas a nada o a nadie más. La canalización emocional permite que sea usted mismo el que maneje sus propios sentimientos. Si cuida de ellos, ellos cuidarán de usted de formas diversas que puede que en estos momentos ni siquiera llegase a creer.

Todos los sentimientos son mensajes de aspectos de nuestra parte consciente o inconsciente. Pueden provenir de nuestros cuerpos, de recuerdos enterrados en nuestra memoria o de aspectos de nuestra mente nuevos o que no hemos llegado a percibir. Los sentimientos fuertes o incontrolables traen consigo, no sólo verdad, sino cantidades enormes de energía, que suponen la esencia de este trabajo. La energía fuerte hace que este trabajo sea más consistente. Por lo tanto, los sentimientos fuertes poseen toda la energía curativa que necesitamos para tratar con las posibles consecuencias que ese sentimiento nos pudiera haber ocasionado en primera instancia. Las emociones fuertes nos aportan la energía que necesitamos para curarnos y progresar. Digamos que son el almacén energético del alma.

Tanto la expresión como la represión de los sentimientos son formas sutiles de distanciarnos de nuestro cuerpo y nuestra experiencia, así como de malgastar nuestra energía. Aunque permanezca en armonía consigo mismo dentro de la habitación de su mente mientras que vuelca sus emociones sobre alguien (o ignora un sentimiento inaceptable), ésas no son acciones equilibradas y conscientes. Puede que salga impune de ellas durante un tiempo, en el que su cuerpo se encontrará en equilibrio y concentración, pero al final, su negativa a aceptar y respetar sus propios sentimientos volverá a poner en marcha la vieja escisión entre su cuerpo y su espíritu. Para evitar una nueva disociación, vamos a aprender a respetar y encauzar nuestras emociones.

CÓMO CANALIZAR SENTIMIENTOS PASAJEROS O INMEDIATOS

Existen dos procedimientos para canalizar los sentimientos: uno de ellos se puede utilizar dentro de cualquier sesión de curación o meditación para canalizar los sentimientos pasajeros; el otro está relacionado con estados emocionales muy poderosos o reiterados que requieren una meditación especial. El método más simple de canalización es, en realidad, bastante divertido. Todo lo que se necesita es su disposición para estar atento a cualquier sentimiento que surja durante sus sesiones curativas regulares.

Al liberar las imágenes de su mente y quemar sus contratos con otras personas, a menudo afloran sentimientos. Si le han enseñado que los sentimientos son malos o que no son espirituales, puede que su presencia interrumpa su proceso (y termine con la sesión de curación) mientras que usted emplea toda su energía en reaccionar contra ellos o intentar contenerlos. Si aprende a verlos como algo bueno, curativo y que forma parte de usted, le enriquecerán y le ayudarán en su proceso. Los sentimientos no le estorbarán en su trabajo espiritual; por el contrario, le mostrarán el camino de la curación espiritual.

Es muy fácil liberar y destruir imágenes con la energía emocional. Al tiempo que crea las imágenes que más tarde destruirá, esté atento a los sentimientos que experimente en respuesta a las personas que tiene en su mente. Cuando saque a esas personas fuera de su aura, utilice la energía de las emociones que le han suscitado para destruir la imagen que tiene de ellas. Por ejemplo, si la presencia de alguien en mi consciencia hace que me sienta airado, destruiré su imagen mediante una bola ardiente y violenta de energía. Si la presencia de otra persona causa una reacción de temor en mí, la liberaré utilizando una energía verde y puntiaguda procedente de ese temor. Si otra persona me llena de aflicción y tristeza, la dejaré ir más despacio, con una energía fluida y oscura que represente esa aflicción.

Al liberar a las personas con la energía de los sentimientos que éstas suscitan en nosotros, hacemos honor a nuestra capacidad de reacción, al sentimiento que nos provocan, a nuestra condición de obra de arte en proceso y a la ausencia de barreras insalvables entre ellas y nosotros. Al respetar nuestros sentimientos aprendemos sobre nosotros mismos y nuestras facultades curativas se hacen más claras y efectivas.

Aprendemos a reforzar nuestra aura y nuestro Centinela, a permanecer enraizados, a crear un centro mejor en nuestra mente y a alimentarnos de la energía de nuestro Sol, al revertir la energía de nuestras reacciones hacia otras personas o ideas en nosotros mismos. Si pretendemos sentirnos poderosos y completos en todo momento e intentamos utilizar nuestras técnicas de separación espiritual para mentirnos a nosotros mismos sobre el poder que ejercemos en el mundo, en otras personas o en sentimientos supuestamente inaceptables, lo único que conseguiremos es una enorme separación de nuestro cuerpo y nuestro espíritu, y no habremos aprendido la lección.

Los espíritus son poderosos y no tienen miedo porque nunca mueren. Los cuerpos, por el contrario, deben invertir enormes cantidades de energía para asegurar su propia supervivencia. Los cuerpos mueren, caen enfermos o son heridos a diario. No son todopoderosos, ni carecen de temor o emociones.

Los sentimientos existen para ayudar a que el cuerpo se proteja a sí mismo. También sirven de nexo de unión entre el cuerpo, centrado en la realidad, y el espíritu, centrado en la energía. Los sentimientos son en sí energías fluidas, cambiantes y extremadamente versátiles que se mueven.

Si están encauzados y tratados de manera apropiada, crean un vínculo comunicativo, fluido y curativo entre las necesidades del cuerpo y el conocimiento del espíritu. Si somos capaces de escuchar, valorar y utilizar nuestros sentimientos en las sesiones de curación espiritual, nuestros cuerpos y nuestros espíritus entrarán en una estrecha armonía. Habrá entre ellos un medio fluido.

Aunque el cuerpo no es inferior al espíritu, su arraigo en el tiempo real, la comida, el dinero y la vida puede hacer que su comunicación con el mundo espiritual sea, en el mejor de los casos, confusa. Por su parte, la información del espíritu, carente de tiempo, forma y límites, puede sonarle a galimatías a un cuerpo angustiado.

El intelecto realiza la función de traducir y dirigir la información entre el cuerpo y el espíritu, pero sin el medio fluido de los sentimientos para transportar dicha información, se consiguen muy pocos resultados. Cuando el cuerpo y la mente no están en sintonía y se pasan por alto las habilidades comunicativas y los sentimientos, el intelecto tendrá que emplearse a fondo. Este tipo de situaciones dan como resultado personas que piensan demasiado, hasta el punto de atormentarse a sí mismos con toda esa sobrecarga de energía mental que emplean de forma errónea. A pesar de que no llegan a conseguir nada, emplean grandes cantidades de energía en elaborar planes, plantearse suposiciones y obsesionarse con sus ideas.

El intelecto no está concebido para realizar el trabajo que nosotros, tan modernos, le hemos impuesto. Su capacidad de traducción y explicación es absolutamente vital para el funcionamiento de la cuaternidad que forman el cuerpo, el espíritu, la mente y el sentimiento, pero la mente por sí sola no puede hacer que funcione la cuaternidad como por arte de magia. Sin la ayuda del medio fluido de los sentimientos, que transportan la información que ha traducido la mente al cuerpo y al espíritu, ésta tan sólo puede intensificar su proceso. Por sí misma no puede transferir al espíritu ninguna información física operativa, como tampoco puede ayudar al cuerpo a comprender las realidades espirituales, que carecen de forma sin ayuda emocional.

Lo único que la mente puede hacer por sí sola es pensar, pensar y pensar, crear fantasías y urdir planes, volver sobre los mismos asuntos cientos de veces y atormentar al cuerpo, al espíritu y a sí misma. Sin embargo, cuando se utilizan los sentimientos de forma apropiada dentro de la cuaternidad, cuando se usan para portar información desde una realidad hasta otra, la separación entre el cuerpo y el espíritu desaparece, así como el tormento mental. En una cuaternidad saludable, soportada por sentimientos a los que ella misma mantiene, la información del cuerpo alcanza el alma de una forma espiritualmente tangible («así que ¡así es como se siente uno al estar vivo!»). Por su parte, cuando se permite que los sentimientos transmitan al cuerpo la información espiritual, dicha información se recibe de forma físicamente comprensible. Cuando el cuerpo la recibe puede decir: «Oh, así que la aceptación supone *esto*, la ira tiene *esta energía*, y mis reacciones significan *esto*. Ya lo he comprendido».

Cuando se respetan los sentimientos y se canalizan, el intelecto puede tomar el lugar que le corresponde como supervisor del proceso de traducción, en lugar de esperar a llevar él mismo la información del cuerpo al espíritu y luego otra vez de vuelta. Dado que, dentro de la cuaternidad, se exige a la mente que realice la función que tiene encomendada, no es necesario que se atormente a sí misma ni a su propietario. Puede descansar, tumbarse y concentrarse en sus estudios y dejar que los sentimientos hagan los transportes.

Cuando usted incluye sus sentimientos en su trabajo de curación y en su vida, se vuelve capaz casi de pasar por alto cuestiones que en otro momento tenían a su mente, su cuerpo y su espíritu trastornados. Tendrá disponibles grandes reservas de energía, de esa energía que malgastaba cuando rechazaba sus emociones de un modo u otro. Los sentimientos hacen que el cuerpo sea más consciente, que la mente sea capaz de funcionar de manera más calmada y equilibrada y que el espíritu sea más armonioso y comprensible. El hecho de canalizar los sentimientos hace, también, que las técnicas de separación sean más rápidas y seguras. Si puede liberar energía real o quemar contratos desde sus verdaderos sentimientos, su proceso de separación será más certero y válido que la liberación que se realiza con una actuación de supuesta corrección espiritual.

A medida que libera sus imágenes y expulsa de su centro interior la confusión, deje que los sentimientos le echen una mano. Su función es la de transportar la energía de un lugar a otro. Ellos pueden facilitar su proceso de separación si usted permite que capten y transporten fuera de su vida la energía que no desea o que le confunde.

Cuando queme contratos, recuerde que los sentimientos que experimente con relación a sus compañeros contractuales son los sentimientos específicamente necesarios para transportar toda la información acerca del contrato entre su cuerpo, su mente y su espíritu. Sus sentimientos contienen también la cantidad determinada de energía que se requiere para ayudarle a liberarse de los contratos.

La ira puede ayudarle a quemarlos con su calor e incandescencia; el miedo y la ansiedad le ayudarán a fulminarlos en una décima de segundo; la tristeza le ayudará a crear una pira funeraria para que pueda lamentarse por sus pérdidas mientras se consumen sus contratos. Cada uno de sus sentimientos le ayudará a liberarse, tanto a usted como a las personas que le rodean, de las imágenes, los contratos y las expectativas que les limitan. Sus sentimientos, valorados y respetados, le ayudarán a fluir con suavidad a través de la vida. Úselos.

CÓMO CANALIZAR SENTIMIENTOS Y ESTADOS ANÍMICOS MÁS PROFUNDOS

No es difícil canalizar sentimientos profundos, reiterativos, intensos o inexorables. En este proceso, dedicamos nuestro ser y nuestro territorio espiritual al sentimiento en cuestión. A lo largo de una sesión de canalización profunda, elegimos un color, una cualidad y un movimiento para la energía de nuestro estado emocional, pero, en vez de liberar imágenes y contratos con dicha energía, la encauzamos hacia el interior de nuestro cuerpo, de nuestra aura, nuestro cordón de anclaje y todos nuestros instrumentos de curación.

La canalización emocional es muy parecida a la que se realiza con la energía de la Curación del Sol. La única diferencia es que la energía emocional no es neutra, como lo es la del Sol: tiene algo concreto que decir. Si usted desea escuchar los mensajes que sus sentimientos tienen para usted, espere a que le sumerjan en un estado de ánimo intenso y, entonces, escúchelos y aprenda de ellos.

Cuando experimenta un determinado estado de ánimo o un sentimiento profundo, su ser le está indicando la necesidad que tiene de un trabajo serio de liberación. Cuando pueda, siéntese y asiente su espíritu. Entre en su centro interior, defina su aura, cree un cordón energético para ella y revise su Centinela. Si ya ha puesto a punto todas sus herramientas energéticas, continúe. Su sentimiento le esperará. Cuando esté concentrado, haga que su mente y su cuerpo lleven ese sentimiento hasta su plenitud. Deje que su cuerpo sienta su intensidad y que su mente lo describa con palabras e imágenes.

Desde su centro interior, elija un color principal y un movimiento para la energía de su sentimiento. La ira podría ser una energía naranja incandescente que se mueve con rapidez; el miedo, quizás un remolino verde cargado de energía eléctrica; la tristeza, una energía azul que cae gota a gota; y el sufrimiento podría ser una nube sólida e inmóvil de color marrón. Su mente y su cuerpo le ayudarán a elegir estos colores y movimientos. Si tiene dificultades para visualizarlos, intente entrar en contacto con la forma o el sonido del sentimiento y úselos en lugar de los otros atributos.

Cuando haya visualizado la naturaleza energética de su estado emocional, deje que éste invada por completo su cuerpo, y luego, expúlselo en su aura a través de la respiración. Llene su aura con esta energía y cambie el color de su contorno para que sea igual que el de su sentimiento. Observe y sienta, desde su centro interior, el movimiento que realiza la energía de su sentimiento dentro de su cuerpo y de su aura. Cuando ambos estén repletos de dicha energía, rellene también a su Centinela. Deje que la energía de este sentimiento penetre en su santuario interior y que invada el suelo, las paredes, el techo, los muebles y las plantas. Durante unos momentos, siéntese en su centro interior y estudie esta energía. Escuche con atención.

Puede experimentar cambios repentinos en la temperatura o el flujo de la energía de su cuerpo o su aura. Esto puede ocurrir cuando su sentimiento quiera alertarle sobre la existencia de problemas en su entorno físico o espiritual. Puede que su sentimiento le impulse a hablar, a gritar, a llorar o a moverse por toda la habitación. Hágalo. Muéstrese dispuesto y manténgase a la escucha. Si la energía emocional tiende a reunirse en una zona específica de su aura o de su cuerpo, pregúntele por qué lo hace.

Puede que emerja otro sentimiento de la energía del que usted ha escogido. Elija un color y una cualidad para él tanto dentro como fuera de su aura. Si durante su vida ha confiado en la represión (y ¿quién no lo ha hecho?), sus sentimientos entrarán por parejas o grupos, para protegerse de la censura que ha mantenido sobre ellos. Perdónese, reciba cordialmente al nuevo sentimiento y continúe con la canalización. Este segundo sentimiento le traerá también mensajes instructivos y curativos.

Tras un período de unos cinco minutos, o de la duración que usted desee, haga un vacío en el cordón energético de su primer chakra. Cree un amplio tubo de conexión energética para su aura y haga también el vacío en él, así como en el cordón de su Centinela. Utilice estos vacíos para absorber la energía de su sentimiento hacia fuera de usted. Deje que la energía salga de su centro interior y observe cómo abandona su cuerpo. Deje que toda esta energía descienda por el cordón de anclaje de su aura y de su Centinela mientras usted observa desde su centro interior. Mientras el sentimiento se aleja de usted, recuerde que los vínculos que le unen a él se desvanecerán hasta que su cordón vuelva a llenarse de energía limpia y lista para usarse de nuevo.

En este momento, fíjese si hay alguna zona de su cuerpo en la que se haya quedado estancada la energía y se resista a la expulsión. Pregúntele a ese sentimiento por qué lo hace. Sepa que, en un momento, puede liberar todas esas zonas por separado, pero aguarde un instante y fíjese bien dónde se ha detenido la energía. Pregúntele por qué, agradézcale su información y déjela marchar. Puede que tenga que crear un cordón de anclaje específicamente para esa zona. Hágalo.

Cuando haya terminado de evacuar toda esa energía emocional, deje de hacer el vacío en los diferentes conductos de conexión energética y relájese... Respire profundamente.

Todo lo que le queda por hacer es la Curación del Sol, que invadirá todo su ser con energía limpia y neutral. Sin embargo, antes de poner en marcha esta técnica, *deje que se desprenda el tubo de anclaje de su aura*. Este tubo no es necesario a menos que se esté realizando una curación especial en la que se expulse energía fuera del aura. Para mantener el aura estable es suficiente con la intersección que ésta posee con el cordón de anclaje de su cuerpo, por debajo del suelo. En la mayoría de los casos, su aura no necesita otro modo de afianzarse que no sea éste, y en estos momentos usted no quiere que toda la energía dorada que está a punto de recibir salga automáticamente.

Al alzar su Sol, éste estará rodeado por una gran cantidad de energía emocional limpia y preparada para un nuevo uso. Salude a toda esa energía renovada y tenga presente, mientras la canaliza hacia su cuerpo y sus herramientas energéticas, que puede utilizarla de la forma que desee. Inclínese hacia adelante y toque el suelo con las manos para que su cuerpo se pueda deshacer de toda la energía que no va a usar inmediatamente. Vuelva a su posición inicial y ¡ya ha terminado!

Los sentimientos son herramientas que podemos utilizar si los aceptamos, los encauzamos de manera responsable y prestamos atención a los mensajes curativos que nos traen. No debe sorprendernos que los sentimientos «malos» nos puedan aportar percepciones insospechadas a causa de la enorme cantidad de energía que llevan consigo. La ira y la furia nos pueden señalar nuestra falta de límites personales, por lo que contribuyen con su energía a reconstruir dichas fronteras mediante su fuerza protectora. La tristeza y la desesperación pueden ser signos de aspereza en el propio ser o en su entorno, de manera que aportan la fluidez curativa que falta. La ansiedad, el miedo y el terror pueden evidenciar la presencia de personas, ideas o ambientes peligrosos y contribuir con su protección o energía a que nos apartemos de su perjudicial camino. La aflicción es señal de pérdida y nos aporta su energía para que amemos, honremos y liberemos a la entidad perdida. Las tendencias suicidas exigen libertad o muerte, y cuando se canalizan, aportan la energía necesaria para terminar con aspectos intolerables de nuestra vida y liberar nuestro espíritu de un sufrimiento insoportable (*sin* matar nuestro cuerpo; véase la *Guía de Dificultades*, página 341).

Aunque pueda parecer que la canalización de los sentimientos permite que los estados de ánimo dominen nuestras vidas, nada más lejos de la realidad. En el interior de nuestra mente, decidimos el color y las cualidades de los sentimientos, dirigimos su flujo, los interrogamos, y cuando hemos terminado, los expulsamos de nuestro cuerpo y nuestra aura. Es cierto que invadimos nuestro cuerpo y nuestra aura con un sentimiento, pero eso es completamente diferente a dejarnos dominar por él.

Las personas que no respetan, reprimen o expresan de manera irresponsable sus sentimientos, sí están dominadas por ellos. Por el contrario, las que los canalizan, son capaces de controlarlos y de usar su energía para la curación. La canalización de los sentimientos nos recuerda que una psique saludable debe estar completa. Esta plenitud incluye luz y oscuridad, bien y mal, amor y odio, perfección e imperfección, solemnidad y necedad, sabiduría y estupidez y muchas cosas más.

Si sólo le presta atención a las partes agradables de su ser, se desligará de la realidad, por muy enraizado en ella que pueda parecer. Si hace caso omiso a sus sentimientos más oscuros y trata de esconderlos o los arroja al cubo de la basura, volverán a aparecer para atacarle con una espada hecha de energía reprimida. Sin embargo, si acepta y canaliza los «malos» sentimientos, la espada se convertirá en una daga ceremonial con la que podrá cortar todas las ataduras, contratos, vínculos y grilletes intolerables que le aprisionan. Cuando acepte y respete el poder y la sabiduría de su lado oscuro, se transformará en un ser íntegro y multidimensional (véanse las referencias bibliográficas relativas a ese *lado oscuro* en las obras de Robert Bly, Robert Johnson y Connie Zweig).

La canalización emocional no está reñida con el hecho de expresarle a las personas que están a nuestro lado nuestras necesidades, inquietudes y estados de ánimo. Más bien ofrece un apoyo y una fortaleza personal mayores. Cuando trabajamos con el material energético de nuestras emociones, ya no necesitamos confiárselas a los demás para que ellos las evalúen o traten con ellas.

Si ha acudido alguna vez a un terapeuta competente, podrá recordar que en su consulta se aceptan todos los sentimientos, reacciones, sueños e ideas. Usted puede crear esta misma atmósfera de aceptación en cualquier momento para canalizar sus emociones. En la seguridad de su santuario meditativo, puede hacer que su cuerpo de sabiduría terrestre, sus sentimientos repletos de información y energía, su brillantez intelectual y su consciencia espiritual afronten cualquier dificultad, cuestión, estado anímico u oportunidad que se les presente, y se ahorrará miles de dólares de terapia.

Cuando sea capaz de hacer que sus sentimientos participen de su vida, se moverá a través de ellos con fluidez y gracia. Puede que esa fluidez requiera que, de vez en cuando, grite, llore, reaccione, patalee, pero estas reacciones momentáneas no le perturbarán. Tendrá la madurez necesaria para aceptar sus sentimientos tal y como son. Y cuando acepte, respete, canalice y rehúse sancionarlos, su vida fluirá apaciblemente.

Para permanecer íntegro y lleno de vida desde este momento en adelante, necesitará rodearse de un entorno que le permita llorar cuando esté triste, gritar y saltar cuando esté eufórico, moverse con rapidez cuando esté ansioso, protegerse cuando se sienta asustado, patalear y alterarse cuando esté enfadado, bailar cuando esté feliz y acongojarse cuando pierda a alguien o algo. Las personas íntegras aceptan y respetan todos los sentimientos humanos, cosa que es necesaria para vivir una vida en plenitud.

Puede que su vida en estos momentos no sea del todo plena, pero cuando se comprometa a canalizar sus sentimientos, comenzará a avanzar hacia la plenitud. Su vida interior será, al menos, el espacio en el que será libre para sentir y el lugar en el que podrá trabajar con sus sentimientos. ¿A qué está esperando? Vaya ahora mismo a destruir algunas imágenes y contratos con la energía emocional que posee o a canalizar los estados anímicos que le perturban. El resto del libro puede esperar, pero sus sentimientos ya lo han hecho demasiado.

Se habrá dado cuenta de que no he entrado en detalles acerca de lo que pueden expresarle sus emociones. Creo con toda franqueza que ellas pueden hacerlo mucho mejor que yo. No obstante, al final de este libro, la *Guía de Dificultades* (página 341) contiene las definiciones de más de una docena de sentimientos diferentes que puede hojear antes de comenzar a trabajar con los suyos propios. No es necesario que lo haga, pero de todas formas no estaría de más que le echase un vistazo.

No puedo dejar de recomendar los Remedios de las Flores de Bach como ayuda para su cuerpo emocional. Estas esencias florales inglesas se crearon para proporcionar el equilibrio emocional tanto al cuerpo como al espíritu, y sus facultades curativas no dejan de ser extraordinarias. Uno de los libros que tratan este tema es *Bach Flower Therapy*, de Mechthild Scheffer (véase la bibliografía en la página 373). Y olvídese de los fármacos psicotrópicos, ¡estos remedios funcionan de verdad!

Técnicas Avanzadas

S us facultades para armonizar su cuerpo y su espíritu y para crear imágenes pueden cambiar y evolucionar a medida que usted mismo lo hace. Es normal y saludable que se produzcan fluctuaciones en sus habilidades y facultades. Sin embargo, si llegado a este punto no consigue sentirse totalmente enraizado, le sugiero que se adentre en su sistema completo de chakras y no se centre sólo en el primero.

En muchos casos, las dificultades para encontrar el equilibrio energético pueden ser indicio de trastornos en los chakras de la comunicación, el cuarto y el quinto, en el tercero, que es el protector, y en los chakras de los pies, que se ocupan de nuestro intercambio energético con la Tierra. Cuando se bloquea el sistema de chakras o está perturbado, se puede bloquear también el flujo de energía entre el cuerpo y la mente.

Estudie con detenimiento este capítulo, y si continúa sin enraizar su espíritu, sepa que en los capítulos siguientes podrá encontrar más ayuda al respecto.

Cuando el cuerpo está enraizado es más fácil vivir en él. Así de simple. Lo mismo ocurre con la casa, el lugar de trabajo, el coche, nuestra habitación de la mente, nuestra aura o cualquier otro lugar en el que nos encontremos. Este enraizamiento crea un vínculo entre el espíritu, el cuerpo que establece la conexión y el centro del planeta. Además, proporciona un vertedero espiritual de energía y una fuente constante de seguridad, renovación y consciencia energética. Esta toma de consciencia, sin embargo, requiere responsabilidad. Por lo tanto, es necesario que aprenda las normas para enraizar su espíritu.

Normas avanzadas para el enraizamiento espiritual

Las normas para enraizar áreas y objetos son similares a las que se aplican para las personas. Y al igual que no se debe crear un cordón de anclaje en otra persona, tampoco se debe hacer en su casa, su oficina o su ordenador. Los objetos, los edificios y los aparatos tienen su propia energía, su propio karma y su propio destino, que implica a la persona que los posee. Con lo cual, su cordón energético podría interferir en sus respectivos destinos.

Si usted establece un cordón de anclaje en las posesiones de otras personas, estará interfiriendo en sus vidas, y eso no está bien. Préstele atención a su propia energía y no trate de vivir las vidas de los demás. Al enraizar dichos aparatos o posesiones, les transmite su atención, su propiedad y su responsabilidad hacia ellos. Si es usted el propietario del objeto, la máquina, el lugar o lo que sea, tiene todo el derecho a hacerlo; de otro modo, no debería.

Antes de estudiar cómo crear cordones de energía para los lugares y objetos que posee, permítame exponer algunas excepciones a las normas generales.

El enraizamiento de una zona: si vive en una habitación dentro de la casa de otra persona u ocupa un determinado espacio, oficina o cubículo en el edificio de otro, tiene todo el derecho a crear cordones de anclaje en esa área. Las zonas en las que duerme o trabaja deben estar siempre en armonía, pero no se preocupe por los lugares de transición a las zonas de los demás. Por ejemplo, no deberá enraizar la cocina común de una casa de huéspedes o de un edificio de oficinas, porque no se trata de un espacio privado. Con su cordón personal será suficiente para mantenerle en armonía mientras prepara la comida.

Si no dispone de ninguna zona privada de su propiedad en el lugar en el que vive ni en el que trabaja, asegúrese de que su aura está siempre enraizada, pues este cordón, unido al suyo personal, le proporcionará un poco de intimidad y espacio. Haga todo lo que esté en su mano para que la situación con relación al respeto de su espacio personal cambie: la intimidad es absolutamente necesaria.

El enraizamiento de las cosas que están bajo su responsabilidad: Cuando tomo prestados objetos de otras personas (cuando uso su coche o su ordenador o me hago cargo de su casa) me hago responsable de ellos. Si soy una persona responsable, quiero que mi energía se ocupe de lo que ocurra durante ese tiempo, así que hago conexiones energéticas para esos objetos. En mi opinión particular, si le ocurre algo a alguna cosa que esté a mi cargo, tendré que ocuparme de ello, económicamente o de la forma que sea. Me gustaría que las cosas que fuesen a ocurrir tuviesen que ver con mi energía, mi camino, mis aprendizajes y mi karma. Cuando me confían sus posesiones, no quiero tener que ocuparme de los temores de otra persona a los robos o los desperfectos. Tan pronto como me hago cargo de los objetos o los aparatos, los asiento y renuevo mi propia conexión energética cada vez que los utilizo.

Cuando devuelvo a su dueño el objeto prestado, elimino el cordón de anclaje que le he creado (dejo que se desprenda del objeto). Éste es un paso de vital importancia porque, al igual que yo no quiero tener que ver con la energía de otra persona cuando utilizo sus objetos, la otra persona no debería tratar con la mía una vez que ha recuperado sus posesiones. Para no alarmar a las personas con mis técnicas de seguridad espiritual, sólo les cuento lo que estoy haciendo con su objeto si ya las conocen; si no es así, me lo callo.

El enraizamiento de las herramientas: ésta es una combinación de las dos excepciones primeras. Cuando trabaja con herramientas, maquinaria y otro tipo de objetos que requieren cierta destreza, se espera que sea responsable de ellos. Por lo tanto, es mejor que los asiente aun cuando no sean de su propiedad. El taladro eléctrico o el ordenador que utiliza ya tiene un vínculo energético con usted que puede llegar a ser más fuerte, real y seguro si canaliza esta energía hacia el núcleo de la Tierra mientras los utiliza. Al fijar con cordones de anclaje las herramientas de su casa o de su lugar de trabajo las protege contra las averías, los extravíos o contra las personas que las toman prestadas sin que se den cuenta.

Dentro de la categoría de herramientas incluyo el vehículo que utilizo para trabajar, que puede tratarse de los aviones del puente aéreo, coches de alquiler, vehículos de transporte e incluso ascensores, si éstos hacen que se sienta mal. La maquinaria de trabajo y los vehículos se encuentran en una categoría confusa dentro de estas normas, porque en realidad no los posee ni se relaciona con ellos una sola persona. En mi opinión, creo que los usuarios conscientes le harían un gran servicio a esos seres metálicos si les creasen un cordón de anclaje y les prestasen atención. Sé positivamente que nos prestamos un gran servicio a nosotros mismos cuando permitimos que nuestra consciencia se mantenga en armonía y nos proteja allá adonde vamos.

El enraizamiento de las zonas de curación: yo siempre asiento los lugares en los que mi cuerpo recibe tratamiento de cualquier clase, incluyendo los salones de masaje, el gabinete de mi acupuntor o un quirófano. Asiento este tipo de lugares porque, cuando pago por un servicio profesional de curación, quiero que se lleve a cabo una curación real sin que interfiera en ella ninguna energía extraña. Y quiero, además, que mi cuerpo se sienta completamente seguro al recibir la curación que he pedido y por la que he pagado.

Si usted se retira a un lugar especial para leer este libro y meditar, asegúrese de que éste está enraizado según el procedimiento que expongo más adelante; de esta forma le será más fácil concentrarse. Yo siempre asiento las habitaciones en las que imparto clases porque, en esas situaciones, tengo que estar muy abierta y receptiva. Una vez más, intento protegerme a mí misma y a mi cuerpo tanto como sea posible mientras dura el proceso curativo, sea del tipo que sea. Cuando concluye la curación, dejo que se desprenda el cordón de anclaje de la habitación hasta la siguiente sesión.

CÓMO ENRAIZAR HABITACIONES O ZONAS

Esta técnica no es difícil de dominar pero sí de explicar (véase la ilustración 8, página 141). El cordón de anclaje que establece para un área determinada contribuirá a definir el territorio de ésta, tanto si se trata de una habitación convencional, de una casa completa, de un recinto compartido o de un alpende. Al igual que su propio enraizamiento define su espacio personal como un área separada y protegida, el enraizamiento de las habitaciones o de determinadas zonas servirá para identificar los límites energéticos del espacio que desea enraizar y las dotará de cordones de energía que partirán de las esquinas superiores e inferiores del lugar elegido.

Comencemos por el techo: visualice cuatro cordones dorados de energía y sujételos a cada una de las esquinas superiores de la habitación o la zona que desea enraizar. Una vez que esté sujeto cada uno a su esquina, haga que desciendan hasta encontrarse justo en el centro del recinto. Este punto central debe quedar aproximadamente a la altura de los ojos.

Una, de manera similar, cuatro cordones a las esquinas inferiores de la habitación y visualice cómo ascienden hasta el centro, lugar en el que se encuentran y conectan con los cordones que partían del techo. Cada uno de estos ocho cordones debe unirse a los demás justo en el centro del espacio que quiere enraizar.

A continuación, visualice un cordón de anclaje, del color que desee, que parta de la conjunción de los anteriores (imagínese que esta conjunción energética es el primer chakra de su habitación) y haga que descienda hasta el centro del planeta. Ánclelo en él y su habitación estará bien enraizada.

Es necesario que compruebe de vez en cuando este cordón de anclaje para asegurarse de que es lo suficientemente firme. Si desaparece constantemente puede ser que haya alguna persona que no está enraizada usando la zona y apropiándose inconscientemente de su cordón. En este caso es bueno usar siempre cordones dorados, porque el oro posee una energía curativa neutral y despersonalizada. Si alguna persona toma por descuido el cordón de anclaje dorado de su habitación no quedará atrapada por su energía. Al usar cordones dorados nadie podrá identificarle como la fuente de esa curación, a menos que sea una persona muy intuitiva.

Cuando asiente la parcela que le corresponde de una zona pública es bueno que tome como norma rodear dicha

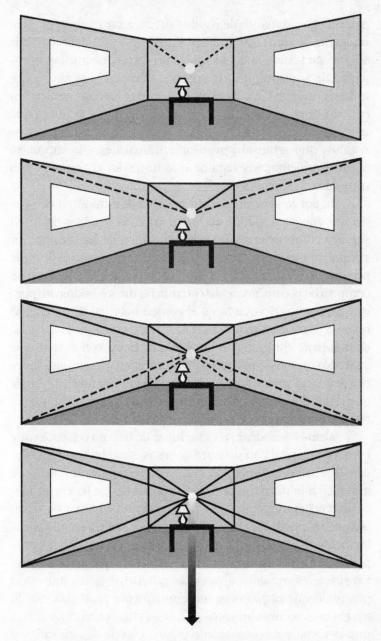

Figura 8. El enraizamiento de habitaciones o zonas.

parcela con un manto de regalos sin enraizar que representen imágenes de rosas. Este manto simbólico le ayudará a definir su área personal y a detener a las personas que puedan apropiarse de sus cordones de anclaje y deshacer, de ese modo, todo su trabajo. Gracias al cordón, estas personas se alejarán con un buen puñado de los regalos gratuitos o flores que usted les ofrece. Y no crea que el hecho de que se lleven estos regalos, que están ahí precisamente para eso, le supondrá algún problema; los regalos que no están enraizados son muy fáciles de reponer.

Yo, por lo general, asiento mi zona de curación o el espacio que me corresponde en la oficina cada vez que llego. Ni siquiera compruebo si aún existe el cordón de anclaje anterior porque me gusta que la porción que ocupo en el espacio de otras personas esté enraizada de nuevo cada vez que la uso. En casa compruebo el enraizamiento con mucha menos asiduidad, porque he descubierto que tanto el cordón habitual de mi cuerpo como el de mi aura renuevan el de mi casa y viceversa. El hecho de mantener enraizados mi hogar, mi oficina o el espacio que me rodea me ayuda además a permanecer en mi santuario interior y a tener presente a mi Centinela. Una vez más se cumple que el uso de cualquiera de las mencionadas herramientas espirituales contribuye a la curación de las demás.

Además de rodear su casa, lugar de trabajo o espacio que ocupa en general con un aura de rosas, sería bueno que colocase un Centinela simbólico, con su correspondiente cordón de anclaje, en la puerta o el acceso de la zona que ha enraizado. El acto del enraizamiento es demasiado evidente en su tejido psíquico y puede que haya personas que se sientan inexplicablemente atraídas hacia usted. El manto de regalos les proporcionará la comunicación y curación que buscan y el Centinela les ayudará a recordar que usted es un individuo protegido que ocupa una zona igualmente protegida. Sin la ayuda de estas herramientas psíquicas podría encontrarse con que la zona que ha enraizado es una especie de «guarida» y tendría que reemplazar su cordón de energía cada pocas horas.

Hágase un favor a usted mismo y a las personas que le rodean y use su enraizamiento, su manto de regalos y su Centinela para enseñarle de manera agradable a los demás dónde empieza usted y dónde terminan ellos. No permita que las personas intuitivas pierdan el tiempo, aunque sea de forma inconsciente, en prestarle atención a sus nuevas facultades. Sea un ciudadano espiritual responsable y no un mero presuntuoso. Si percibe que hay ciertas personas que parecen no mantenerse fuera de la zona que ha enraizado y cree que necesitan realmente una curación, no detenga su propio progreso ni frene su proceso para curarlos; présteles este libro o hágales un esquema de cómo se lleva a cabo un enraizamiento y continúe con sus propias técnicas de curación y separación.

CÓMO ENRAIZAR VEHÍCULOS Y MÁQUINAS

Algunas personas tienen una forma extraña de relacionarse con los vehículos o con determinada maquinaria. A ellos nunca se les rompe ningún aparato, y aunque no son mecánicos per se, siempre son capaces de remediar cualquier tipo de problema mecánico. Por lo general, estas personas están firmemente enraizadas y ese enraizamiento se extiende a todo lo que tocan o utilizan. El enraizamiento de maquinaria funciona igual que el de la energía en una corriente eléctrica: hace que los aparatos funcionen de forma más eficiente y, por lo tanto, más segura.

Por otra parte, en las personas que no están enraizadas la experiencia es diferente: si el aparato tenía que tener algún problema en un momento determinado de su período de funcionamiento espera, generalmente, a que lo estén manipulando estas personas. Parece que la falta de enraizamiento crea o estimula las dificultades mecánicas o eléctricas de los aparatos, mientras que un firme enraizamiento contribuye a expulsar de ellos cualquier percance o problema.

Es maravilloso aprender a enraizar los aparatos que utilizamos y dejar de ser personas que crean el caos en el mundo mecánico que nos rodea. El proceso para enraizar maquinaria y objetos es bastante similar al que se sigue para enraizar zonas. Fije cuatro cordones a las esquinas superiores del aparato u objeto y otros cuatro a las inferiores. A continuación, haga que los ocho confluyan en el punto central del objeto. Una a la conjunción un cordón de energía que lo ancle en el centro del planeta, y ¡eso es todo! (para aclarar el proceso véanse las ilustraciones 8 y 9 en las páginas 141 y 146).

Podemos aprovechar el hecho de que a los aparatos les guste estar enraizados. Podemos enraizar nuestros coches, ordenadores, herramientas y electrodomésticos. Mediante este procedimiento no sólo creamos un ámbito más seguro dentro de nuestras vidas para los seres eléctricos y mecánicos, sino que además incrementamos nuestra propia consciencia del tiempo presente. Si somos capaces de enraizar y conectar con todos los artículos útiles y mundanos que pueblan nuestra vida ordinaria, no tendremos que detener nuestra meditación o curación mientras estamos conduciendo, trabajando, cocinando o realizando cualquier actividad del mundo real, pues éste se vuelve parte de nuestro mundo espiritual de forma que podremos enraizarnos, curarnos o avanzar en nuestro proceso espiritual sin que importe dónde nos encontremos en ese momento o lo que estemos haciendo.

Aunque todas estas facultades auxiliares resulten realmente útiles, la más importante de las que se enseñan en este libro es, sin lugar a dudas, la de enraizar su propio cuerpo. Si se olvida de todo y se dedica simplemente a enraizarse desde su primer chakra o a partir de los chakras de sus pies (véanse los capítulos dedicados a ambos), su vida fluirá de manera más apacible. Todas las demás facultades tienen su importancia, pero el centro de nuestro trabajo lo constituye la capacidad de enraizar nuestro cuerpo.

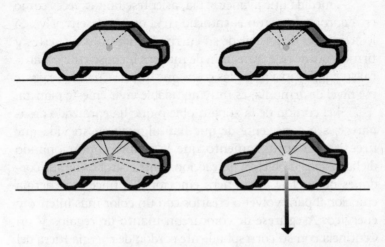

Figura 9. El enraizamiento de vehículos o maquinaria.

Cuando estamos enraizados, vivimos con plenitud el momento presente, habitamos realmente nuestro cuerpo; y cuando habitamos nuestro cuerpo somos conscientes del entorno que nos rodea y estamos preparados para él. Nos percatamos de nuestras necesidades, pensamientos, reacciones y sentimientos. Comenzamos a cuidar de nosotros mismos y, de esa forma, a protegernos y crear separaciones. Todo esto comienza con nuestro enraizamiento espiritual, así que asiéntese con todas su fuerzas cuantas veces sea necesario, especialmente en los momentos en los que no se sienta del todo bien. Siempre que esté enraizado podrá volver a centrar su espíritu porque al alcanzar el equilibrio, su capacidad de enraizamiento, no sólo personal sino también la de todas sus posesiones, contribuirá a que le sea más fácil situarse plenamente en el momento presente, en su cuerpo y en su vida. Al limpiar el mundo y los objetos que le rodean de la influencia del pasado, de los excesos o de la energía y las expectativas externas, es más probable que consiga alcanzar una consciencia más apacible.

A medida que avance el día, asiéntese tantas veces como crea apropiado según el entorno en el que se desenvuelve. Si los cordones de anclaje de su cuerpo y su aura son fuertes y firmes, puede que transmita de manera inconsciente y natural su equilibrio a todas las cosas que utilice. Cuando se posee ese nivel de armonía, es muy agradable vivir en este planeta.

Si el cordón de la zona u objeto que ha enraizado desaparece, sea consciente de que hay alguien en su vida que necesita un enraizamiento que le están proporcionando dichas zonas u objetos. Si reacciona ante el «robo» de sus cordones de anclaje de manera emocional, utilice esa energía emocional para volver a crearlos con un color más intenso y enérgico. Asegúrese de colocar un manto de regalos y un Centinela con su correspondiente cordón de energía fuera del espacio o del objeto que ha enraizado: con ello se solucionará el problema.

Está bien que los demás se apropien alguna vez de los cordones de sus posesiones o de los espacios que ocupa, pero lo que no es correcto es que lo conviertan en un hábito. Y si usted lo permite, les estará enseñando que la facultad del enraizamiento reside en su vida y no en las de ellos. Además, estará propiciando que surja una relación víctima-verdugo totalmente innecesaria. Usted es lo suficientemente fuerte como para impedir que las personas actúen contra usted en el ámbito de la energía, o para alejarse de su camino. Usted no es una víctima. Permita que afloren reacciones emocionales naturales mientras se producen robos en sus herramientas energéticas, pero canalice sus emociones de forma apropiada para que puedan prestarle la contundente energía que poseen en la recreación de sus herramientas externas.

Proteja y engrandezca su vida poniéndola a salvo de las personas inconscientes. Si cree que puede llegar a ser útil, enséñeles a los ladrones de cordones de energía a enraizarse; también puede dejar un ejemplar de este libro en un sitio en el que esté seguro que lo van a ver. En cualquier caso, protéjase, sepárese de ellos y prosiga con su propio proceso curativo.

TÉCNICAS AVANZADAS CON IMÁGENES

Ya ha utilizado regalos en forma de imágenes en numerosas comunicaciones espirituales, pero existen también determinadas formas de usar los regalos para curar y limpiar zonas concretas de su cuerpo. Pruebe a aplicar la curación que le expongo a continuación cuando la intranquilidad le lleve a padecer dolor de cabeza.

El regalo facial

Cuando se encuentra o se relaciona con otras personas, la mayor parte de la atención que le confieren se dirige, generalmente, hacia su cara o sus ojos. Y, si su atención se centra en ese lugar, es muy probable que su energía esté concentrada también allí. En ocasiones, su cara tiene que soportar tal cantidad de energía procedente de otras personas que llegará a sentirse viejo y arrugado antes de tiempo. El exceso de energía y atención externa sobre su rostro le puede provocar, además, dolor en el seno frontal de la cabeza. Realice el siguiente regalo facial al final de una semana repleta de relaciones sociales o en cualquier momento en el que advierta que el estrés y la fatiga le hacen entornar los ojos o apretar los dientes.

Asiéntese en su cuerpo, una vez que éste esté enraizado y con el aura bien definida, y contemple desde la habitación de su mente una gran planta o flor de hojas aterciopeladas. Sitúe esta imagen justo delante de su cara. Este regalo simbólico debe ser un poco más grande que su cabeza y debe estar tan cerca de usted que pueda ver con facilidad los nervios de sus hojas o pétalos y las gotas de rocío que los cubren. Debe tener un tamaño tal que lo único que vea ante usted sea el propio regalo.

Asiente el símbolo desde su centro mediante un cordón de anclaje dorado. Contemple cómo dicho cordón desciende a través del tallo de la planta y sus raíces hasta llegar al centro del planeta. No es necesario que lo siga; diríjalo desde el interior de su mente y sepa que hará todo lo que usted le pida.

Haga el vacío en el interior del cordón de anclaje de este regalo simbólico para extraer a través de él la energía bloqueada o extraña de su rostro. Puede que llegue a sentir la fuerza que se produce en los ojos, la mandíbula, los dientes, los pómulos, e incluso en la parte trasera de la cabeza o del cuello. Deje que toda esa energía se aleje de usted y contemple cómo se fortalece el símbolo a medida que libera su rostro de vieja energía. Imagínese que toda esta energía extraña y estancada actúa como fertilizante para su planta. Por otra parte, tenga presente que la energía que está expulsando volverá, limpia, a su dueño (o a usted la próxima vez que realice la Curación del Sol). Deje que se aleje por completo de usted.

Continúe practicando esta técnica del regalo facial durante tanto tiempo como desee y observe cuánta energía se desprende de usted. Si tras esto se siente mucho más ligero, sería conveniente que revisase su Centinela: ¿sigue, como de costumbre, frente a usted o lo desplaza hacia un lado cada vez que se relaciona con alguien? Si es así, *¡no lo haga!* Mantenga siempre la corola de su Centinela justo frente a su cara, porque si se deshace de gran cantidad de energía a través de esta técnica de curación, su Centinela debe ser muy fuerte debido al exceso de energía procedente de otras personas que se ha depositado en su cara.

Si su trabajo le exige el trato con muchas personas o sus circunstancias personales hacen que se dirijan hacia usted energías intensas, será necesario que ajuste sus herramientas de acuerdo con su situación particular. Le sugiero que cree un manto de Centinelas en lugar de uno solo, un teléfono simbólico, una puerta o una ventana (véase la página 149) y una reserva abundante de regalos que no estén enraizados. Si se prepara a conciencia para tratar con una multitud de personas no se verá afectado por toda su energía. Sin embargo, si no está lo suficientemente preparado, tanto su curación espiritual como su meditación se volverán más arduos, ya que se encontrará repleto de pequeños retazos de atención, necesidades, exigencias y energía procedentes de otras personas.

Puede llegar a ser un recepcionista, comerciante o director de instituto más eficiente si le presta atención a su aura. El hecho de que realice técnicas de separación para con el resto de las personas no le hará más distante, inconsciente o inhumano, sino que le ayudará a ser el verdadero protagonista de su propia vida, de sus lecciones y de su modelo kármico... ¿Hay algo más impresionante que esto?

La puerta, la ventana o el teléfono simbólicos

Los regalos de la puerta, la ventana o el teléfono funcionan como los regalos de bienvenida que envía como saludo a las personas con las que se encuentra. La única diferencia es que estos regalos en concreto se sitúan en las zonas donde no siempre puede ver quién se acerca a usted.

Cuando desarrolla un trabajo en el que debe tratar con el público directamente o a través del teléfono, no puede estar realmente preparado para afrontar las diferentes actitudes, relaciones o dificultades que pudieran surgir. Al colocar una considerable cantidad de puertas, teléfonos o ventanas simbólicas como regalo en el área de contacto inicial, las personas entrarán en su esfera de influencia de manera más sosegada. Además, el uso de estos regalos en las relaciones sociales que lleve a cabo facilitará en gran medida la labor de su Centinela personal, que no tendrá que realizar demasiado esfuerzo para protegerle, porque las personas que se acerquen a usted y a su aura habrán recibido de antemano un poco de cordialidad y afecto.

La puerta, la ventana o el teléfono simbólicos se sitúan generosa y abundantemente en la entrada de su esfera, cualquiera que sea la forma de ésta. Si las personas entran habitualmente en el lugar donde usted trabaja a través de una puerta u otro tipo de acceso al recinto, coloque cada mañana al menos un centenar de estos símbolos en la entrada. Si las personas se relacionan con usted a través del teléfono, el intercomunicador o el módem, coloque otro centenar de símbolos dentro de cada aparato. Visualice cómo uno o más de sus regalos simbólicos viaja a través de los cables de la transmisión (¡claro que los regalos simbólicos pueden viajar por los cables, están hechos de energía!).

Si trabaja detrás de una puerta corredera, como en el gabinete de un médico, coloque otro centenar de símbolos justo por fuera de la puerta además de los que ya ha situado en la puerta principal. Nunca he visto ninguna oficina provista de puerta corredera que no rebosase de estrés (¿qué fue primero?), así que es una buena idea prepararse con antelación para tanta tensión y dotarla de tantos regalos simbólicos como podamos.

El uso de estos regalos con una localización determinada le ayudará a hacer de su lugar de trabajo un espacio tan seguro como su propio hogar, además de proporcionarle una comunicación espiritual excelente a cualquiera que tenga la suerte de establecer contacto con usted.

El devorador de energía negativa

El regalo simbólico devorador de energía negativa es un colega muy divertido que crece y se desarrolla a partir de la energía destructiva de otras personas. Este símbolo disfruta especialmente cuando las otras personas intentan proyectar su propio lado oscuro (mediante frases del tipo de «¿sabes cuál es tu problema?») para controlarle mediante el miedo o la vergüenza. En las situaciones en las que recibe una atención negativa (en una entrevista de trabajo, en un juicio, cuando la policía le ordena que se detenga o cuando alguien le dice «¿sabes cuál es tu problema?»), puede crear un regalo simbólico que se cebe con todas las proyecciones perjudiciales.

Mientras su Centinela personal y el contorno de su aura se ocupan de mantener su separación con respecto a los demás, el devorador de energía negativa merodeará por su aura engullendo el fertilizante humano que le hace a usted sentirse tan incómodo y a él tan feliz. Cuando este símbolo engorde hasta estar completamente lleno, no tiene más que dárselo a la persona que contribuyó a ello con su energía y ambos experimentarán liberación y curación.

A continuación veremos cómo se hace: cree una planta o una flor de tamaño mediano *que no tenga ningún cordón de anclaje* en cualquier lugar dentro de la zona anterior de su aura y dedíquesela a alguna persona negativa o amenazadora con la que se encuentre. Este símbolo no está enraizado porque tendrá que deshacerse de él. Póngale una cara a la planta o la flor, una dentadura capaz de engullir energía y dótela de la habilidad de moverse como un rayo devorando toda la energía que traspase a su Centinela. Yo suelo colocar mi planta devoradora en el espacio que hay entre los ojos y el corazón. A veces la llevo en la solapa y otras veces justo delante de mí, pero siempre puede moverse por donde quiera como si fuese un pequeño Comecocos en busca de deliciosos trozos de energía que proyectan sobre mí. La convierto en una flor espinosa del tamaño de un puño, con cara hambrienta y dientes puntiagudos, como Audrey, la planta devoradora de hombres de *La Tienda de los Horrores*.

A medida que mi planta devoradora busca y engulle energía, se vuelve más grande y fuerte y sonríe todo el tiempo mostrando sus dientes afilados. Cuando ha comido energía suficiente para crecer hasta alcanzar el tamaño de una col, se la envía a la persona de cuya energía se ha nutrido. En ocasiones, mi planta alcanza ese tamaño en un santiamén (¡antes incluso de que tenga lugar el encuentro perjudicial!). Entonces se la envío a la persona que la hizo crecer tanto, creo otra planta devoradora y vuelvo a comenzar. ¡En mi jardín hay miles de flores y plantas!

Cuando el símbolo devorador de energía negativa haya comido hasta estar repleto y se haya deshecho de él, tiene la oportunidad de detenerse a comprobar que se mantiene apartado de la forma de relacionarse que tienen otras personas. Por otra parte, la persona que alimentó su planta o flor obtiene una visión intuitiva de la cantidad de energía que llega a usarse para ser amenazador, desagradable o manipulador.

Muchas veces, la recepción de este regalo simbólico trastornará profundamente a este tipo de personas, porque casi nunca se ven a sí mismas como fuerzas negativas del universo. Piensan que tienen un carácter dominante, firmemente honesto y directo o que lo que intentan hacer es preservar sus propios intereses o los de su empresa en un mundo lleno de maleantes y embusteros. Cuando reciben este regalo simplón, gordo y feliz, que sonríe tras haberse atiborrado de su propio mal humor, de repente sienten la necesidad de revisar su postura en la vida. A veces los resultados son tan divertidos como la propia planta devoradora.

Una de mis estudiantes utilizó un ave del paraíso como símbolo devorador de la energía negativa de un policía que, montado en su motocicleta, la obligó a detenerse por error, creyendo que la placa de su matrícula había caducado, cuando, en realidad, no era así. De modo que el agente comenzó a escudriñar en busca de alguna razón oportuna para haberla hecho detenerse. Comenzó comprobando las luces, los intermitentes, el seguro del vehículo y todo lo que se la iba ocurriendo. En medio de la inspección, mi amiga recordó sus facultades y creó una flor devoradora de energía negativa para el agente.

La flor se hizo rápidamente tan grande que mi amiga tuvo que dársela casi inmediatamente. Al parecer, el policía dejó de hablar en medio de una oración, se dio media vuelta, se montó en su motocicleta y la dejó junto al coche pasmada por el asombro. Debido a este resultado tan inmediato y sorprendente, mi amiga comenzó a preocuparse por haber manipulado, en cierto modo, al policía. Ciertamente, el simple hecho de devolverle su propia energía le hizo recobrar de repente la compostura. No pudo dirigirse racionalmente a ella para pedirle disculpas, porque lo que le había afectado no procedía del mundo racional. Lo único que le permitía su consciencia era darse cuenta de que se estaba comportando como un estúpido presuntuoso, pero no era lo suficientemente consciente como para hablar de ello. Lo único que pudo hacer en ese momento fue marcharse.

No se reproche el hecho de que su Centinela o el contorno de su aura no puedan mantener fuera de ésta algunos tipos de energía perjudicial; tampoco se preocupe si sus símbolos devoradores de energía negativa se hacen extremadamente grandes con rapidez. Aproveche la señal y haga que sus símbolos protectores de su espacio personal se vuelvan más fuertes y posean colores más intensos; asimismo, asegúrese de que las espinas de la rosa que hace las funciones de Centinela sean numerosas y puntiagudas. Por otra parte, no tenga reparo en reforzar las herramientas que protegen su espacio personal con plantas y flores devoradoras de energía negativa, pues resultan buenos regalos para cualquier ocasión.

Si durante un encuentro tenso con alguna persona su símbolo devorador de energía negativa no crece aún quedando mucha de la energía proyectada en la habitación, felicítese porque esto significa que su Centinela habitual y el contorno de su aura le mantienen correctamente separado. De todas formas, entréguele a la persona malhumorada su pequeño presente, no le hará ningún daño.

La protección de los centinelas

Ya hemos tratado el tema de las capas formadas por regalos que actúan como centinelas, pero se trata de una herramienta tan útil que no está de más que profundicemos en ellas un poco más. *Si los regalos están enraizados*, funcionan como un potente sistema que preserva todo el entorno del aura, salvando cualquier resquicio por el que alguien pudiera entrometerse en su aura o su cuerpo.

La persona que se acerque a usted con la intención de molestarle, perjudicarle, absorber su energía o controlarle encontrará todos los accesos custodiados por centenares de espinosas rosas energéticamente enraizadas (si lo desea, puede añadir otras flores, plantas o árboles que sean de su agrado). La energía procedente de esta persona molesta será aceptada, reconocida y enraizada; su aura quedará protegida, y por el mero hecho de que *algo* haya aceptado su energía, ésta se neutralizará y la persona en cuestión se calmará. Al reconocer la comunicación espiritual que se ha producido, hará que las vidas como espíritus de otras personas en este planeta sea más real, lo cual, de por sí, ya es curativo.

A través de los centinelas personales y de las capas de centinelas es usted el que decide dónde ocurrirá ese reconocimiento espiritual curativo (*fuera* de su campo áurico personal) y cómo protegerá su propia realidad mientras se produce el contacto espiritual. Al colocar fuera de su aura una representación protectora de usted mismo en forma de manto de rosas, cuya función expresa es la de recibir a los demás y preservar su territorio personal, no se está apartando del mundo, sino que, por el contrario, se está implicando en él ofreciendo a los demás atención intuitiva, formación acerca del enraizamiento y la separación espirituales, así como un buen surtido de belleza, amor y consideración hacia todos los seres que pueblan este planeta.

Los regalos simbólicos de bienvenida *que no están enraizados* suponen un excelente medio para preservar las áreas que usted ha enraizado dentro de las esferas de influencia de otras personas. Cuando asienta su oficina, habitación o cubículo, puede atraer a personas que, o bien necesitan enraizamiento espiritual, o bien pretenden que usted deje de realizarlo. En definitiva, no dispondrá de intimidad alguna. Sin embargo, si coloca en los límites de la zona que ocupa una capa de regalos simbólicos que no estén enraizados, proporcionará a los demás la oportunidad de considerar que sus necesidades, tanto físicas como energéticas, están separadas de las de ellos. Se acercarán a su espacio personal con la intención de descubrir qué está haciendo o de evitar que tome el control de su propia vida, pero se alejarán con el amor y la atención que les brindan sus presentes simbólicos. Gracias al uso de éstos, podrá preservar su intimidad con más facilidad al tiempo que las personas que le rodean experimentarán un contacto espiritual curativo.

Recuerde que debe renovar a diario sus capas de regalos simbólicos, estén o no enraizados. Si notase que son indispensables para su seguridad podría ser porque se encuentre, probablemente, en una situación que resulta extenuante, tanto para usted como para su Centinela personal. Dedíqueles mucha atención y apoyo y repóngalos con frecuencia. Cree usos nuevos e insólitos para sus símbolos, pues representan, en definitiva, su facultad de amar, curar y proteger su propia realidad. Los desafíos que se presenten en su vida serán tan particulares como usted mismo, de manera que, lo que crea que debe hacer con sus símbolos es exactamente lo que debe hacer.

Recuerde que debe enraizar energéticamente los símbolos que utilice con su aura o su cuerpo, pero no los que cree para enviárselos a los demás. Debe conservar los que intervengan en su curación personal (por eso es necesario que los asiente y los ancle al centro del planeta) y asegurarse de que sus comunicaciones espirituales con otras personas son neutrales y responsables (por esta razón no debe enraizar los símbolos que envía a los demás). Nunca debe presuponer que la comunicación espiritual y la curación proceden directamente de usted, que es lo que ocurriría si enraizase los símbolos que destina a otras personas.

Por lo demás, diviértase creando y destruyendo regalos e imágenes y comprobando lo fácil que le resulta comunicarse espiritualmente cuando lo hace con responsabilidad y amor. Todas las personas desean, en el fondo, vivir en paz y armonía. Si pone en práctica las enseñanzas y el amor que le proporcionan los regalos simbólicos, tanto usted como los demás llegarán a experimentarlas.

Tercera parte

GUÍA PARA EL CONOCIMIENTO DEL AURA Y LOS CHAKRAS

Cómo Interpretar
su Aura

La mayor parte de mi educación o experiencia sobre las diferentes interpretaciones del aura ha resultado, en el mejor de los casos, confusa. En un momento dado podía aplicar a mi aura una docena de intuiciones, por lo demás competentes, para obtener otra de diagnósticos conflictivos, porque las auras están completamente vivas y en continuo cambio. Por consiguiente, resulta extremadamente difícil concretar el significado de cada color, matiz o fluctuación.

En mi opinión, para estudiar el aura de manera competente se requiere una gran bibliografía exhaustiva al respecto, pues cada una de ellas contiene una cantidad enorme de información. Pero también el estudio del cuerpo precisa un conocimiento enciclopédico y la mayoría de nosotros nos las arreglamos muy bien sin tener conocimiento consciente de la multitud de funciones que ocurren en su interior.

A medida que vivimos con plenitud en el interior de nuestros cuerpos y cuidamos de ellos, necesitamos menos las curaciones procedentes del exterior o las recomendaciones de los expertos. Nuestra salud se transforma en una cuestión simple cuando escuchamos con la suficiente atención lo que nos dicen nuestros cuerpos sobre la comida, el ejercicio físico, el ambiente en el que nos movemos, nuestro estado emocional o las relaciones que más nos convienen. Con respecto al cuidado y la comprensión de nuestra aura se puede adquirir un conocimiento igual de simple. Si vivimos conscientes de ella y la escuchamos, nos expresará de manera muy clara la curación o atención que necesita. Llegaremos a ser excelentes intérpretes áuricos, pero no por el estudio de todas las auras en las diferentes circunstancias, sino porque seremos conscientes de las necesidades específicas de nuestra frontera energética.

Las auras, al igual que los cuerpos, son entes individuales. Existen similitudes entre ellas que pueden servir de referencia, sin embargo, las afirmaciones generales como «las auras púrpura significan avance espiritual» nos pueden conducir a un camino sesgado. Aunque incluiré una lista con los posibles significados del color del aura, no quiero que la tome al pie de la letra. Por otra parte, las auras cambian de color a cada hora, o quizás, a cada instante. Las interpretaciones de su color son, por tanto, extremadamente subjetivas: si yo le digo que el color verde en el aura expresa cambio y evolución, pero en la suya le inspira frustración, entonces, su color verde significará frustración. Se trata de su aura; lo que significa que se expresa de acuerdo con sus propias inferencias y experiencias. Los colores y las imágenes que manifiesta tendrán, por lo tanto, un significado personal específico para usted.

Cuando realizo interpretaciones o curaciones en otras personas, no suelo interpretar el color de su aura; hago como si me pusiese unas anteojeras. En vez de interpretar colores determinados y tratar de adivinar lo que pueden significar para cada una de las personas, las palpo (con los chakras de las palmas de mis manos) y percibo dónde se encuentra cada aura en relación con cada cuerpo.

Durante las interpretaciones áuricas, compruebo si ésta presenta manchas frías o calientes o agujeros, su integridad, su tamaño, si tiene protuberancias, etc., y explico lo que voy percibiendo mientras trabajo. Por lo general, el aura de la persona en cuestión comenzará a arreglarse y volver a configurarse por sí misma antes de que yo mueva un dedo.

Cada una de las auras que veo es completamente diferente a las demás y a sí misma de una sesión a otra. Las auras son, como ya he dicho, maleables, mutables y totalmente individuales. La única cosa que todas tienen en común es que, de una manera u otra, siempre existen. Si no aparecen enseguida, se puede configurar como aura la energía normal que flota alrededor del cuerpo (mediante la técnica de definición del aura, página 41). Con esta ayuda, las auras no tardan en corregirse y reformarse a sí mismas. Yo he tenido la oportunidad de ver auras tremendamente dañadas por el consumo de drogas y por psicosis, pero nunca dejan de existir, sea cual sea su forma.

También suelo percibir ciertas energías o anomalías en las auras que no tienen del todo significado para mí. En esos casos, la contrasto con la mía propia, que me envía un sentimiento o una imagen en *nuestro* lenguaje particular que describe lo que está ocurriendo en la otra aura.

Ésta es una cuestión importante. Los videntes realizan siempre sus interpretaciones a partir de su propio conocimiento, aunque puedan ayudarse de los guías espirituales u otras fuentes. El secreto para ser un buen vidente consiste en vivir plenamente y recoger tantos conocimientos y experiencias como sea posible, de manera que se disponga de una amplia base de conocimiento y experiencia que se pueda aplicar en las situaciones o interpretaciones inusuales. Un buen vidente se limita a creer que la información que recibe es correcta y ésta es una verdad que funciona tanto en las interpretaciones de nosotros mismos como en las de los demás.

A medida que se adentre en las directrices para interpretar el aura, quiero que se sienta libre para reemplazar las técnicas interpretativas que no funcionen en su caso. Yo poseo unas manos extremadamente sensitivas y realizo mis interpretaciones a través de una especie de empatía. Puede que usted tenga unos ojos o unos oídos muy sensibles y sea capaz de realizar sus interpretaciones a través de la clarividencia o la «clariaudiencia». Si le pido que toque su aura, pero usted puede verla, oírla o sentirla de alguna otra manera, use sus propias facultades psíquicas. No siga mis técnicas interpretativas si no le funcionan. Puede que sus facultades y su aura discrepen de mis recomendaciones.

PAUTAS GENERALES PARA LA INTERPRETACIÓN DEL AURA

Para interpretar su aura, siéntese y entre en su estado meditativo usual. Limpie su cuerpo y su aura de la energía estancada a través del vacío en sus cordones energéticos, ilumine y defina el contorno oblongo de su aura con una luz dorada. La energía dorada representa la energía curativa del momento presente; su aura interpretará que usted quiere ver lo que está haciendo en este preciso momento.

Después de haber establecido el contorno dorado de su aura de manera que su forma sea correcta y esté completo, permanezca dentro de su santuario interior y permita que la energía dorada se manifieste en cuantos colores quiera mostrarle su aura. Tenga en cuenta, también, los posibles cambios en la forma o cualquier otra anomalía que se pueda producir cuando cambia el color. Si en este momento no ve nada, cierre los ojos y utilice las manos para tocar el contorno del aura, pues los chakras de las manos son capaces de recoger las vibraciones del color. No se preocupe si no puede percibir los cambios de color que experimenta su aura con los ojos cerrados, su cerebro los recibirá e interpretará a través de sus manos. Ésta es la forma como trabajan muchos videntes.

Los colores del aura

Las ideas que expongo a continuación son muy generales. Sus propias interpretaciones son, sin lugar a dudas, las correctas.

ROSA: Disposición para la curación, protección contra el abuso, indecisión.

ROJO: El primer chakra, los chakras de los pies, el cuerpo físico, poder, ira, sexualidad.

NARANJA: El segundo chakra, los sentimientos, los músculos, furia, sensualidad, curación.

AMARILLO: El tercer chakra, el intelecto, inmunidad y protección, impaciencia, temor.

VERDE: El cuarto chakra, los chakras de las manos, amor, transformación, curación, frustración, pérdida.

AZUL: El quinto chakra, comunicación, conocimiento espiritual, aflicción, separación.

PÚRPURA/ÍNDIGO: El sexto chakra, poder espiritual, telepatía, sacrificio.

VIOLETA: El séptimo chakra, certeza espiritual, liberación, confusión religiosa.

MARRÓN: Los chakras de los pies, la energía de la Tierra, enraizamiento, asuntos del pasado.

NEGRO: Finalidad, muerte, renacimiento, demora.

BLANCO: Presencia de guía espiritual, pureza, conmoción, supresión.

PLATEADO: Información del mundo espiritual, desequilibrio, inseguridad.

DORADO: El octavo chakra, curación, neutralidad, la energía de Cristo, indisposición transformadora.

Como norma general, cualquier color pastel puede indicar un mensaje menos intenso que el de su correspondiente color básico; los colores oscuros indican un mensaje más intenso que el de sus respectivos colores. Una mezcla de colores indica una mezcla de mensajes; por ejemplo: el amarillo pálido de mi aura puede significar que me encuentro ligeramente atrapada en un proceso intelectual, que me siento un poco impaciente o que estoy aplicando una leve cantidad de temor a un ambiente que en cierto modo me resulta inseguro. Un amarillo muy brillante puede significar que estoy todo el tiempo pensando, que me siento terriblemente impaciente o que estoy utilizando una gran cantidad de temor protector porque el ambiente que me rodea es extremadamente peligroso.

Por otra parte, un color amarillo anaranjado en mi aura puede significar que estoy intentando incorporar a mi proceso mental realidades sensuales, que utilizo la energía de mi temor para proteger mi mundo sensual, o que estoy impaciente a causa de mis sentimientos. En su aura, estos mismos colores pueden significar algo totalmente diferente. Le sugiero que confíe en la certeza que percibe cuando canaliza sus sentimientos y que invierta el proceso.

Cuando canaliza sus emociones, elige un esquema de color y una cualidad energética para el estado emocional que desea curar. Entonces, deja que el color elegido represente su estado emocional mientras trabaja con su energía. Al interpretar su aura puede invertir el proceso pidiéndole a los colores o las cualidades de ésta que le digan los sentimientos o las situaciones que representan. Para llevarlo a cabo, permanezca en el interior de la habitación de su mente y perciba el color de su aura o la cualidad de éste. Espere a que su cuerpo manifieste un estado emocional o un recuerdo en respuesta al color o la energía que ha percibido.

También su mente puede ayudarle a interpretar la energía ofreciéndole una serie de imágenes o explicaciones acerca de ésta. En cualquier caso, exprese su agradecimiento a su aspecto interpretativo y avance en su interpretación con la ayuda de la información que se le ha proporcionado.

No se deje influir por los colores que vea en su aura en este preciso instante, ni se juzgue a sí mismo según el nivel de intensidad que presenten. Su aura puede mostrar un color verdoso oscuro o negro en este momento, para volverse, más tarde, púrpura y dorada pasando por un rosa claro o un azul eléctrico. Durante la interpretación, su aura se congela en un lugar para que pueda verla; de no ser así, no podría mantener una comunicación con ella, debido a que, en situaciones normales, se mueve y fluctúa con extremada rapidez. Así pues, los colores que ve son válidos sólo momentáneamente.

Lo que le muestra su aura en este momento son asuntos que requieren una atención inmediata, atención que le proporciona a través de su enraizamiento y concentración. Si realiza la Curación del Sol al final de esta interpretación, se limpiará su aura y se procesarán los asuntos que la ocupen en estos momentos.

Mucho más importante que el color, según mi experiencia práctica, es la forma y el estado del aura. El trabajo con nuestra aura hasta este momento ha girado en torno a su redefinición según lo que considero su forma y tamaño ideal. Los colores brillantes que hemos elegido para su contorno no son infalibles, sino simples medios de preservación, para ellos y nosotros mismos, que expresan dónde queremos que se sitúe nuestra aura con relación a nuestro cuerpo.

Mi aura, de perfil magenta, puede mostrar en su interior el color que ella misma prefiera, aunque cree una capa pastel de ese mismo magenta para su interior. El uso de la energía color magenta me ayuda a mantener una consciencia constante de la plenitud e integridad de mi espacio personal. Mi contorno magenta se ilumina y define el área que deseo que ocupe mi aura, lo cual me ayuda a recordarle a ésta dónde debe estar. La capa pastel de color magenta sirve para conectar mi consciencia corporal con mi consciencia áurica y no para reemplazar los colores naturales de mi aura por otros que me gusten más.

Al tiempo que el aura presenta su color real y sus propios esquemas energéticos, puede también manifestar anomalías con respecto a su tamaño o forma, que se solventarán al final de este capítulo mediante la Curación del Sol; no obstante, en primer lugar, echemos un vistazo al posible significado de cada una de las anomalías.

Atención: las indicaciones y ejercicios que incluyo a continuación servirán para ayudar a su aura cuando no se encuentre en un estado totalmente óptimo. Si su aura está «hecha polvo» y constantemente confusa y *en este momento usted no consume drogas ni alcohol,* es muy probable que los chakras de su cuerpo hayan perdido su alineación natural; no es muy grave, pero no puede determinar los problemas de sus chakras manipulando su aura.

Si el contorno de su aura está incompleto o repleto de energía negativa, incluso después de haber realizado la Curación del Sol y las técnicas curativas que se describen más adelante, pase al capítulo titulado Cómo Interpretar los Chakras (página 321). Si sus chakras están sanos y alineados, su aura podrá cuidar de sí misma.

Si en estos momentos consume alcohol o drogas, su energía se encontrará en una situación caótica. Lo más probable es que no sea capaz de mantener su aura saludable, un cordón de anclaje constante o un sistema armonioso de chakras. Si desea dejar el consumo de dichas sustancias, le serán muy útiles al respecto las herramientas que se describen en este libro, pero todo el trabajo que estamos realizando (ni, de hecho, cualquier otro tipo de trabajo) no le servirá de mucho si persiste en cometer abusos sobre su cuerpo o su energía mediante el consumo de drogas.

El tamaño del aura

Las siguientes categorías se establecen con respecto al aura de forma oblonga, separada del cuerpo por una distancia aproximada a la longitud del brazo que venimos definiendo a lo largo de este libro.

DEMASIADO PEQUEÑA: un aura cuyo contorno es, en conjunto, demasiado pequeño (la que se encuentra a algo menos de 50 centímetros de su cuerpo), indica la reacción que se produce ante un entorno inseguro, e incluso amenazante. Si su aura no puede ocupar el espacio que requiere en su vida y sus relaciones, es porque, ciertamente, usted no dispone de la libertad personal que necesita para experimentar su máximo crecimiento y evolución.

En muchos casos, elegiremos inconscientemente ambientes represivos por dos curiosas razones: porque anulan nuestra capacidad de avance, de manera que no tenemos que afrontar el miedo que comportan el crecimiento y la evolución; por otra parte, porque reducen nuestra consciencia a una zona más pequeña de lo normal, lo cual nos mantendrá durante la mayor parte del tiempo dentro o cerca de nuestros cuerpos. Sin embargo, como ya sabemos cómo permanecer en el interior de nuestros cuerpos, ya no hay necesidad de comprimir o entorpecer a nuestra aura.

Independientemente del lugar de la consciencia en el que se encuentre, su aura necesita tener un tamaño adecuado, y usted, estar en un entorno que permita a su aura ocupar el espacio que requiere para su salud. Si su aura ha estado limitada, puede que sus intentos de expandirla hayan creado dificultades en el entorno represivo en el que se encuentra.

Si posee un aura más pequeña de lo habitual, cuídese y queme sus contratos energéticos con asiduidad. Trasládese a una situación que les proporcione, tanto a usted como a su aura, espacio para vivir en libertad. Sé que no resulta fácil, pero es absolutamente necesario.

DEMASIADO GRANDE: si el contorno del aura está por toda la habitación, es indicio de un espíritu aburrido o infrautilizado, o de un consumidor de drogas. No haga que tenga que volver a soltar el discurso de las drogas otra vez; sólo intente reunir de nuevo toda su energía, ¿vale? Un aura enorme (algo más alejada de 90 centímetros con respecto al cuerpo) denota la existencia de una tremenda cantidad de energía espiritual y física a la que se está ignorando. Las personas que poseen grandes auras están, por lo general, fuera de sus cuerpos, mayormente porque sus vidas no tienen casi nada que ver con su verdadera existencia como seres buscadores, inteligentes e inmortales.

Si prefiere continuar ignorando el camino verdadero de su existencia y perder el tiempo neciamente, puede llegar a resultar bastante incómodo reducir este tipo de auras hasta un tamaño apropiado. Cuando su aura y su energía vuelven a ocupar las dimensiones correctas, puede ser que se sienta, en cierto modo, encerrado y obligado a tomar decisiones que le impulsan a seguir un camino más tortuoso que el que desea en estos momentos. No son más que temores infundados. Elija un color para dichos temores y canalice su energía emocional para comprobar por qué le protegen y qué tienen que decirle.

La forma del aura

Las auras se pueden desviar de su forma oblonga de muchas maneras. Entre estas desviaciones se pueden incluir protuberancias, desgarros, agujeros, hendiduras y otras imperfecciones. En el próximo capítulo hablaremos sobre anomalías concretas, pero ahora me gustaría ofrecerle una visión general de lo que indica cada segmento del aura.

LA ZONA FRONTAL: Cualquiera de las anomalías que aparezcan en la zona anterior del aura están relacionadas con el futuro y con la parte consciente de la mente. Una persona que posea una zona frontal muy grande (y, por consiguiente, una zona posterior pequeña y muy cercana al cuerpo; véase la ilustración 10, página 170) está destinando una gran cantidad de energía al futuro, a los planes, esquemas o sueños. Es muy probable que esta persona esté fuera de su cuerpo, pasando por alto el pasado y los mensajes inconscientes y viviendo en un estado frenético de permanencia constante fuera de los límites de su piel. Para encontrar la armonía, le puede resultar muy útil hinchar la parte posterior de su aura y hacerle sitio en su vida a las enseñanzas y los asuntos sin resolver de su pasado.

Los desperfectos en la parte frontal de su aura pueden significar que se avecina un trauma acerca del cual le está alertando su aura de manera clarividente. Puede tomar el control consciente de dicho trauma creando un contrato energético para él y quemándolo más tarde. Cuando perciba de manera clarividente un acontecimiento futuro puede, por lo general, cambiarlo.

LA ZONA POSTERIOR: La zona posterior de su aura representa el pasado, el inconsciente y los cimientos sobre los que basa el concepto que tiene de su vida en la actualidad. Un aura desviada excesivamente hacia atrás significa que la persona es incapaz de experimentar avances, pues está dirigiendo toda su energía y atención hacia los asuntos del pasado. Debido a que carece del apoyo de la parte frontal de su aura, puede que no sea capaz de tomar consciencia de ese pasado que la obsesiona.

Los daños y desgarros en esta zona de su aura indican daños olvidados o del pasado que no han sido canalizados de manera apropiada. La Curación del Sol resultará muy útil a la hora de traer esos asuntos al tiempo presente, donde puede curarlos y afrontarlos con sus facultades y conocimientos actuales. También le puede ayudar el hecho de hinchar la zona frontal de su aura, que dispondrá así de más espacio para usted en el presente y el futuro.

LA ZONA IZQUIERDA: La zona izquierda de su aura se refiere a su energía femenina, tanto si es un hombre como una mujer. Su energía femenina contiene su naturaleza difusa, intuitiva y receptiva, así como las funciones del hemisferio derecho del cerebro. Cuando aparecen hendiduras o desperfectos en el lado izquierdo del aura, busque las formas de negación del aspecto femenino de su ser o alguna interferencia causada por una persona que consume una gran cantidad de energía femenina.

La zona izquierda de su aura manifiesta, por otra parte, lo abierto que está a la recepción de información y guía

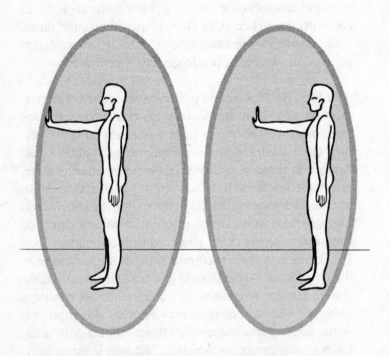

Figura 10. Correcta/Desequilibrada. Un ejemplo de desviación del aura.

procedente del mundo espiritual, y de contacto, apoyo y amor procedente del mundo físico. Si la zona izquierda de su aura es muy grande implica que depende seriamente de la receptividad, mientras que si dicha zona está disminuida, lo que expresa es falta de disposición para la escucha y la recepción.

LA ZONA DERECHA: La zona derecha de su aura se refiere a su energía masculina, que está presente tanto en hombres como en mujeres. Esta energía contiene su naturaleza perspicaz y expresiva, así como las funciones del hemisferio izquierdo de su cerebro. Los daños o anomalías de la zona derecha del aura denotan una negación de sus aspectos expresivos masculinos o dificultades ocasionadas por alguna persona que utiliza una gran cantidad de energía masculina.

El estado de esta zona de su aura manifiesta su capacidad (o permiso) para dar, enseñar, comunicarse o expresar su yo interior en el mundo exterior. Si el lado derecho del aura es muy grande implica dependencia con respecto a la expresión, mientras que si está restringida, implica reticencias a la hora de actuar, comunicarse o expresarse.

LA ZONA SUPERIOR (desde la altura del pecho hasta el extremo superior del aura): la zona superior del aura está relacionada con su conexión con el espíritu y con el bienestar que experimenta con la orientación y la información que recibe de él. El espíritu puede incluir a Dios, a sus guías espirituales y ángeles o a cualquiera que en estos momentos no habite un cuerpo. Si la zona superior de su aura se encuentra extremadamente cerca de su cabeza, puede significar que no cree o no confía en la información espiritual. Por el contrario, una zona superior grande o alargada significará que destina tanta energía a los aspectos cósmicos de la vida que llega a ignorar casi por completo su cuerpo y su vida física.

Los desperfectos y desgarros en esta zona del aura pueden ser indicio de una religión severa, de desavenencias en sus creencias o una separación de la espiritualidad y de la ayuda que ésta proporciona. Si hincha la porción superior de su aura, su espiritualidad puede volverse más útil y comprensible para usted.

LA ZONA CENTRAL (desde el pecho hasta las rodillas, rodeando todo el cuerpo): el estado que presente la zona central de su aura está relacionado con su vida física diaria. Las anomalías que se manifiestan en esta porción se refieren, generalmente, a problemas físicos y desafíos de los que su aura está tratando de advertirle o que intenta curar por sí misma.

A veces, el aura le mostrará una mancha de color o una pulsación de energía situadas en una determinada zona de su cuerpo que está teniendo o a punto de tener problemas. Dirija la energía de la Curación del Sol hacia esa determinada zona de su aura y su cuerpo y hágale una visita a un acupuntor. La medicina china ha trabajado con la energía durante más de cinco mil años y resulta sorprendente cómo es capaz de mantener una conexión cuerpo/espíritu clara, enraizada y saludable. Las medicinas chinas son, además, muy respetuosas con la energía: no la expulsarán de su cuerpo ni harán que padezca efectos secundarios, como ocurre habitualmente con la medicina Occidental.

El centro de su aura señala, además, la armonía o comunicación que existe entre usted como ser humano y como espíritu inmortal. Cuando esta zona del aura es poco firme y confusa denota, por lo general, una relación cuerpo/espíritu nada ideal. En ese caso, manténgase enraizado y todo se arreglará.

LA ZONA INFERIOR (desde las rodillas hacia abajo): la porción inferior de su aura se refiere a su capacidad para enraizarse. Si no está completa o presenta anomalías, manifiesta una falta de disposición para mantenerse enraizado o incapacidad para hacerlo. Si esta zona es confusa, puede evidenciar, también, falta de ejercicio físico (que es una forma natural de enraizarse), así como falta de cuidado del cuerpo.

Observe si hay alteraciones en su aura desde la zona superior a la inferior: ¿está enraizado con tanta intensidad que ha empujado hacia abajo la zona superior de su aura para no escuchar a su espíritu?, ¿o ha elevado tanto su enraizamiento que la parte superior del aura puede volar en busca de respuestas mágicas? Hagamos una pequeña aclaración: la magia se encuentra aquí mismo. La encontrará con más rapidez si su espíritu está enraizado, si permanece en el interior de su cuerpo y, al mismo tiempo, en conexión con su información espiritual. De vez en cuando resulta divertido pasar una tarde sólo en el mundo corporal o sólo en el espiritual, pero alcanzar la curación significa saber hacer de ambas facetas un todo. Somos espíritus *en* cuerpos, lo que quiere decir que no somos sólo espíritus ni sólo cuerpos. Ser un todo significa trabajar para conseguir la armonía de ambos aspectos durante el mayor tiempo posible.

Cualquier alteración, desgarro, protuberancia o insuficiencia que pudiese aparecer en cualquiera de las zonas de su aura se puede curar reformando el contorno de ésta mediante la energía dorada del presente, y después, realizando la Curación del Sol. De hecho, se puede considerar que cada definición del aura o cada Curación del Sol es una forma rápida de interpretarla y sanarla.

Las técnicas interpretativas avanzadas que siguen se requieren sólo cuando el tipo de anomalía que manifiesta el aura no responde a curaciones más simples y persiste, inalterable, en sus meditaciones. Llegados a este punto, estaría indicada una interpretación áurica completa.

Anomalías en el aura

Ahora que tiene una idea de lo que representa cada zona del aura, veamos lo que significan algunas anomalías y desperfectos específicos. Recuerde que, casi en todos los casos, la curación de dichas alteraciones se alcanzará mediante la Curación del Sol, que ya domina.

MANCHAS: En el aura, las manchas definidas de color pueden ser señal de la existencia de energía estancada en el cuerpo energético o en el físico. Si éstas presentan determinados atributos, consulte las secciones dedicadas a *MANCHAS FRÍAS*, *MANCHAS CALIENTES Y PULSACIONES*. Si no es así, pregúnteles por qué están ahí. Si proceden de los cuerpos espiritual, emocional o intelectual, le mostrarán una relación o unos conceptos estancados. Por tanto, puede disiparlas quemando los contratos o las imágenes que hagan referencia a ellos.

Si las manchas están relacionadas con su cuerpo físico, estarán, por lo general, suspendidas sobre el área en el que se sitúa la enfermedad o el problema. En ocasiones, las manchas le pueden mostrar una imagen que represente la forma en la que mantiene su cuerpo o un alimento que haya tomado y le esté causando malestar. Preste mucha atención a cualquier mancha de energía obstruida que pueda tener. Si necesita más ayuda, visite a un acupuntor. Éstos son capaces de ver el cuerpo como un sistema de meridianos energéticos; por lo común, pueden descubrir y liberar la energía que está estancada y que paraliza todo su trabajo.

Si las manchas de energía le muestran imágenes de otras personas, significa, generalmente, que usted mantiene una relación contractual desfavorable que permite que sus compañeros contractuales accedan directamente a su aura y su cuerpo. En esos casos, las manchas son, de hecho, pequeñas porciones de la energía personal de sus compañeros de contrato que no puede fluir dentro de su aura. Queme los contratos y las imágenes y evite, durante algunos días, cualquier tipo de contacto con la persona en cuestión hasta que haya conseguido una separación efectiva. A veces necesitará llevar a cabo varias sesiones de quemar imágenes hasta romper la conexión y avanzar. Mientras trabaja en ello, acuérdese de dirigir la energía de la Curación del Sol hacia la zona que ocupaba la mancha y de cubrir su aura con una capa de centinelas que estén enraizados, los cuales harán que las conexiones contractuales inconscientes sean menos probables.

PROTUBERANCIAS: Las zonas protuberantes denotan, habitualmente, una desviación del aura que significa que la zona opuesta de ésta presenta una hendidura, que constituye la reacción hacia la protuberancia o su causa. Éstas denotan que una parte de usted se encuentra atrapada en ciertas limitaciones (que proceden de usted mismo o de la sociedad). El lado opuesto intentará, por consiguiente, expandirse para ocupar más espacio en el mundo. Por ejemplo, si la zona derecha de su aura presenta una hendidura, que significa que usted no dispone de permiso para expresarse o expresar su masculinidad, como respuesta, se inclinará o dependerá en demasía de su energía femenina. Sin embargo, el uso desproporcionado de la energía femenina no le resultará curativo a largo plazo, porque no se encontrará en armonía con su energía masculina. Estas dificultades son fáciles de solventar mediante las redefiniciones habituales de su aura o la Curación del Sol, durante la cual debe usar sus manos para tirar de la protuberancia, al tiempo que expande su correspondiente hendidura. Al final, añada una gran cantidad de energía dorada y curativa a ambos lados de la alteración.

MANCHAS BRILLANTES: Las zonas que presentan una luz o color brillante revelan la porción de su ser que se está examinando, destacando y curando en estos momentos. Puede que, tanto la localización del problema como la aplicación de esa luz hayan surgido directamente de usted, de la facultad curativa de su propia aura o (en caso de que la mancha sea blanca o plateada) de sus guías espirituales. Yo suelo dejar que las manchas brillantes actúen por sí solas, a menos que estén muy calientes (véase MANCHAS CALIENTES, página 184). Dado que estas zonas resplandecientes aparecen también en el transcurso de un proceso curativo, yo procuro no interferir.

MANCHAS FRÍAS: Normalmente, el aura mantiene una temperatura constante, pero, en ocasiones, ésta puede resultar ligeramente alterada por la presencia de colores brillantes o fríos en dicha zona energética, lo cual no debe preocuparle.

Sin embargo, debe prestar atención a la existencia de posibles manchas en su aura sensiblemente más frías que el resto de ésta (más de cinco, e incluso diez grados de diferencia). Las manchas frías implican, generalmente, que hay una parte de usted a la que ha dejado morir por el desuso. También pueden evidenciar algún área de su vida en la que permite que ciertas personas se introduzcan en su consciencia y le ultrajen. Para obtener un conocimiento más amplio sobre lo que una determinada mancha fría puede significar en su caso en particular, consulte la sección dedicada a los diferentes segmentos del aura y sus significados. Resulta imprescindible cubrir este tipo de manchas con una enorme cantidad de calor, realizar la Curación del Sol y, finalmente, rodearlas con una capa de Centinelas que estén enraizados.

Queme los contratos que haya establecido con los aspectos fríos, ajenos o negados de su propio ser o con las personas a las que ha permitido que desvíen su energía. Haga que todos esos contratos se consuman en una llama fulgurante, y cuando realice posteriores Curaciones del Sol, no deje de revisar especialmente esta zona. Asegúrese de que, al tiempo que vuelve a integrar esta área en su vida y en su consciencia, define el contorno de su aura con colores muy cálidos y vibrantes.

MOTAS DE COLORES: Las pequeñas motas de colores indeterminados que saltan por toda el aura (a diferencia de las MANCHAS, página 174, que son más fácilmente perceptibles y se mueven con lentitud o permanecen inmóviles) son muestra de una gran actividad áurica relacionada, generalmente, con el crecimiento espiritual y la transformación. Estas diminutas motas son, normalmente, una anomalía transitoria. Si aparecen más de una vez o son todas del mismo color pueden ser indicio de un daño en la energía provocado por el consumo de drogas o de alcohol. Estas sustancias disipan la energía física, cada una de ellas de una manera específica, y producen, además, enormes perjuicios en los campos áurico y chákrico. Si las drogas forman parte de su vida actual o lo han hecho en un pasado reciente, le será muy difícil llevar a cabo el trabajo que se propone en este libro y estas pequeñas motas serán, probablemente, todo lo que pueda manifestar su aura en estos momentos. Aliméntela con energía curativa dorada e intente recuperarse expulsando de su cuerpo y de su vida toda la energía procedente de las drogas. Visite a un acupuntor, a un nutricionista, a alguna persona que practique las técnicas de las Flores de Bach o a alguien que pueda asesorarle y prestarle ayuda.

MANCHAS OSCURAS: Las manchas oscuras que aparezcan en el aura significan áreas de crítica severa o castigo con usted mismo y con los demás. Los cuadrantes completamente oscuros pueden indicar la muerte total de la zona oscurecida o reticencia a aceptar ese aspecto concreto de su ser. Si quiere saber a qué aspecto se puede estar refiriendo, consulte la sección dedicada a los segmentos del aura.

Yo considero la energía oscura como un lugar en el que el castigo o el miedo han hecho que las luces se extingan. Para facilitar el proceso de aceptación del área o áreas en cuestión, puede resultar útil canalizar la energía de la Curación del Sol sobre las zonas oscuras e iluminar el contorno del aura. Recuerde que debe quemar los contratos que representan los aspectos oscuros de su ser e iluminar y reocupar el aura mediante la creación de un manto de Centinelas que estén enraizados y que llenen todo su espacio.

ZONAS DE ENERGÍA DENSA: Las áreas donde la energía es espesa, en las que se pueden, de hecho, percibir bordes y formas, indican, a menudo, la presencia de otras personas o seres en su territorio personal. Dicha presencia está siempre legitimada por una relación contractual; nadie puede introducirse en su aura si no tiene su permiso.

El aura funciona mejor si sus colores y patrones energéticos poseen fluidez y libertad suficiente para palpitar, moverse, girar y fluir. La energía que es demasiado densa comporta una obstrucción en el aura, que deja, por tanto, de fluir hacia la curación. Esta energía puede ser caliente, templada o fría, dependiendo de la intensidad del contrato que se haya establecido. Dicho contrato debe ser identificado, examinado y, finalmente, quemado. Además de esto, se deben enraizar y liberar las áreas en las que la energía haya quedado estancada.

Para eliminar esta energía excesivamente densa, coloque un cordón de evacuación, de color resplandeciente, justo en el centro de la zona a la que nos referimos y expulse fuera de su aura la mancha de energía a través de él. A medida que vaya drenando la energía, llene de inmediato su aura con la energía de la Curación del Sol y observe cómo esta energía dorada empuja a la mancha hacia abajo para evacuarla por el cordón que ha creado. Extienda con las manos la energía dorada sobre la zona que presentaba la alta densidad de manera uniforme y, para finalizar, rodee su aura con un manto protector de Centinelas que estén firmemente enraizados.

Si sabe quién es el causante de dicha obstrucción en la fluidez de su energía, queme de nuevo los contratos que haya establecido con él después de haberse deshecho de la mancha. Si no es así, coloque en un contrato una imagen representativa del tamaño y las cualidades de la zona densa y quémelo, verá como también funciona.

No siempre es necesario identificar a las personas que han contribuido a su malestar psíquico. Lo único realmente necesario es deshacerse de los patrones viejos e impracticables y reemplazarlos por mejores facultades y un nivel mayor de consciencia. Atribuir culpas está bien en un momento dado, porque nos ayuda a identificar nuestras heridas, pero, a largo plazo, son mejores las acciones concretas que nos apartan de las relaciones perjudiciales.

ZONAS APLANADAS: Señalan áreas en las que no dispone de la libertad que necesita para expresarse de forma segura. Por lo general, indican que esta falta de seguridad se origina en su entorno, y no en su propio ser. A veces, las zonas aplanadas son un tipo de anomalías del aura que usted mismo causa al creer que puede ser una cosa *u* otra, pero no dos cosas a la vez.

Conozco a bastantes personas que aplanan la zona inferior de su aura para poder abultar la superior y volverse, de esta forma, *más espirituales*. Les recuerdo (y a usted también) que nos estamos esforzando por llegar a ser seres completos y centrados, y no los frutos divididos de reacciones ante diferentes entornos. Los seres completos integran la Tierra y el cosmos, lo masculino y lo femenino, la luz y la oscuridad, la paz y el caos, el pasado y el futuro y son, a la vez, una cosa y la otra.

Alise los hundimientos y protuberancias que aparezcan en su aura redefiniendo el contorno de ésta como un óvalo continuo y armonioso. Recuerde que, aunque tenga problemas con alguna porción determinada de su ser, su aura se encontrará más feliz y saludable si dispone de un espacio apropiado y correctamente definido en el que procesar sus problemas y ejercer como su protectora.

ELONGACIONES: Las elongaciones, que tienen la apariencia de largos tentáculos o cordones de energía que se extienden a partir de su aura, representan zonas en las que usted se extiende para intentar asir un concepto que, a su juicio, se encuentra más allá de su entendimiento o sus facultades actuales. Esta idea se deriva de la creencia de que la seguridad, la paz y la información se encuentran en cualquier parte excepto en su propia vida y experiencia.

Es necesario que contraiga dichas elongaciones a medida que se recuerda a sí mismo que toda la información, la capacidad curativa y la seguridad residen en usted: en su cuerpo enraizado y protegido en el momento presente. Resulta también útil alisar con las manos la zona de la elongación y realizar un seguimiento de dicha zona en sucesivas interpretaciones y curaciones.

CONTORNOS DELGADOS Y VACILANTES: Su aura podrá mantener una demarcación bastante clara entre sí misma y el mundo exterior mediante la definición habitual de su contorno. Sin embargo, si ésta manifiesta un perfil excesivamente debilitado y confuso, puede estar evidenciando una falta de salud en sí misma o en su cuerpo. Revise sus horas de sueño, su dieta y la cantidad de ejercicio que practica habitualmente; compruebe, asimismo, sus relaciones, tanto en el plano interpersonal como en el laboral. Si su vida es insegura o poco estable, su aura no será tan saludable como debiera. Este trabajo con el mundo interior posee un aspecto hermoso (o espeluznante, dependiendo de su punto de vista), y es que, en un momento dado, su aura, su cuerpo y su ser interior ya no volverán a tolerar más ningún tipo de energía perjudicial. A medida que avance en un estilo de vida más consciente, comenzarán a reaccionar con firmeza ante cualquier tipo de exceso. Y, aunque efectivamente, usted se esté fortaleciendo y viva más plenamente, puede que llegue a sentirse débil y menos libre cuando su cuerpo diga «no» a ese amante o aquella comida, «no» a este trabajo o aquel barrio y cuando su aura diga «no» a esa relación o a aquel régimen.

Cuando el aura manifiesta un contorno debilitado, le está diciendo que su salud, tanto física como espiritual, se encuentra en riesgo en su entorno actual. Usted puede, desde luego, fortalecer el contorno de su aura y recargar sus Centinelas, pero quiero que sepa que en este momento ya dispone de seguridad y apoyo suficientes, así que no tiene por qué permanecer en una situación comprometida, tanto para su espacio energético como para su salud. Puede avanzar en el aprendizaje o bien esperar donde está hasta que descubra todas las herramientas energéticas que existen para protegerle de los ambientes nocivos. La elección es suya.

ZONAS DIFUSAS: La confusión en el aura representa la confusión existente dentro de o entre determinados aspectos de su ser. Puede provenir de la negativa de otras personas a permitirle adentrarse en el aspecto en cuestión o de la suya propia a mantenerse firme con respecto a él.

Si no tiene ni la menor idea de cómo exteriorizar su aspecto femenino y la zona izquierda de su aura se presenta confusa, o no consigue *alcanzar* la espiritualidad y la parte superior de su aura, por consiguiente, oscila en exceso, realice la Curación del Sol y coloque en ella una representación suya como ser femenino, como ser espiritual, como ser bien enraizado y en armonía o como cualquier otro aspecto de su ser que le parezca poco definido en estos momentos. Contémplese dentro de su Sol, integrando plenamente este aspecto de sí mismo. A medida que introduce la energía dorada del Sol en su aura y en su cuerpo, introduzca también en usted a este ser completo. Deje que las piernas de dicho ser se fundan con sus piernas, deje que se asiente en su pelvis, que sus brazos se acoplen a los suyos y permítale que vea a través de sus ojos.

Deje que esta faceta de su ser interno, que no había desarrollado con anterioridad, invada su aura con su energía. Proporciónele un cordón de anclaje firme para que pueda quedarse con usted. Siéntese y recréese en lo que experimenta al sentirse femenino, masculino, espiritual o terrestre. Experimente la sabiduría y la belleza de esa parte de usted a la que había ignorado o invalidado en el pasado. Permítale que hable, sienta y viva. Haga que comparta con usted toda su información, todos sus conocimientos curativos y toda la energía vital que había estado obligado a ocultar.

Cuando esta faceta de su persona esté instalada por completo en su cuerpo, deje que se desvanezca su Sol y cierre el acceso de la parte superior de su aura. Inclínese hacia adelante y evacue el exceso de energía a través de su cabeza. Observe qué proporción de este nuevo aspecto quiere retener en su cuerpo. No se sorprenda si, al sentirse tan a gusto, lo quiere todo, porque ya ha vivido demasiado tiempo ignorando esta porción de su ser.

Haga que el aspecto personal con el que trabaja tenga una cabeza y dispóngase a escuchar las historias, advertencias y sentimientos sobre su vida que le expresa. Puede que encuentre esta información contraria a lo que había creído hasta ahora (si no fuese así, esta zona de su aura no habría estado confusa), pero escúchela de todas formas. Invítelo a que le ayude a sanar su aura en sucesivas sesiones curativas e interpretativas. Una vez que haya revitalizado e integrado las zonas confusas de su ser, descubrirá cómo su vida y determinadas actitudes cambian sorprendentemente.

AGUJEROS: Los agujeros que aparecen en el contorno de su aura son zonas por las que se puede filtrar su energía y a través de las cuales puede penetrar la de otras personas. Éstos pueden ser indicio de que su Centinela no es el más apropiado para las situaciones que se le presentan, dado que el contorno de su aura se ve afectado por la energía procedente de las intrusiones de los demás. Si el aura está repleta de agujeros, necesita con urgencia una capa de Centinelas que estén enraizados... y ¡no escatime las espinas!

Por otra parte, los agujeros le piden que esté más atento a la naturaleza de las interacciones que establece con otras personas o con las situaciones que debe afrontar en su vida. Realice técnicas de destrucción de imágenes y quema de contratos hasta que identifique qué personas o hechos concretos son los que dañan su aura. Los agujeros, si les pregunta, le mostrarán la silueta de la persona o la situación que los ha provocado. Una vez que identifique la causa, deberá quemar determinados contratos, enviar docenas de regalos de bienvenida y permanecer energéticamente enraizado cuando entre en contacto con las personas o las circunstancias que favorecen la aparición de dichos orificios.

También pueden aparecer brechas provocadas por el consumo de fármacos, especialmente sedantes, alcohol, sustancias alucinógenas o marihuana. Todos los fármacos occidentales y las sustancias que alteran el estado anímico o la consciencia, dispersan la energía. En determinadas ocasiones, está indicado el uso de ciertas sustancias, pero no tan frecuentemente como creemos en la actualidad.

Si consume drogas, su aura lo manifestará y su energía reaccionará ante los numerosos desafíos que comporta vivir en un cuerpo de una manera menos plena, menos eficaz y menos consciente. Puede continuar consumiendo estas sustancias y solucionar los problemas de salud e integridad de su aura con más asiduidad, o puede darle a su cuerpo un cambio y limpiarlo definitivamente de agentes nocivos.

MANCHAS CALIENTES: Las zonas que presentan un incremento de la temperatura de más de cinco o diez grados denotan una concentración excesiva de energía procedente de su atención consciente, de la capacidad curativa de su propia aura o de la atención que le procura otra persona.

Por lo general, el calor es signo de una energía curativa intensa, pero su presencia puede trastornar el delicado equilibrio de su aura y apartar la energía curativa de otras zonas que también la necesitan. Un aura saludable requiere la presencia constante de energía curativa en todas sus zonas, y las manchas calientes denotan una falta general de energía limpia y disponible para la curación. En estos casos, se aconseja que se incremente la frecuencia con la que se realiza la Curación del Sol, de tal modo que el aura pueda experimentar un flujo constante de energía curativa en vez de tener que tomar dicha energía de una zona para curar otra.

Drene las manchas calientes mediante cordones energéticos o enfríelas antes de llevar a cabo la Curación del Sol por toda su aura. Preste atención a la zona en cuestión y a su cuerpo para ver qué ocurre. Por otra parte, es aconsejable que visite a su acupuntor o a algún otro médico de otra disciplina alternativa. Recuerde que no debe dividir en categorías ni su ser ni su aura, obsesionándose por una zona o aspecto y excluyendo todos los demás. Por el contrario, haga que su energía curativa fluya por todas partes.

BORDES IRREGULARES: Los bordes dentados o puntiagudos en el contorno del aura o en los agujeros o desgarros de ésta denotan la seria necesidad de detenerse y redefinir todos los contornos. Generalmente, yo encuentro estos bordes puntiagudos en personas a las que llamaría «abarcalotodo», o personas que intentan amar, aceptar y experimentar todo lo que encuentran en su camino.

Cuando no usamos nuestra facultad de discernimiento para diferenciar lo que funciona y lo que no en nuestro caso en particular, nuestra aura se ve desbordada por el exceso de información que debe procesar. Si usted intenta aceptar a todos los seres, todas las experiencias externas, todo tipo de contactos y toda la información sin utilizar ningún filtro, se despersonalizará en el proceso. Aunque se considere que el comportamiento espiritual supremo conlleva una sensación de amor universal y de aceptación de toda experiencia, en realidad, puede interferir en el camino de la individualización saludable, a menos que se llegue a ella a través de la verdad.

La individualización real requiere sentimientos reales como la ira, los celos, los prejuicios, el miedo o la euforia. Los diferentes sentimientos y reacciones nos ayudan a separar la paja del grano de la información que recibimos, y este difícil y confuso proceso es el que nos ayuda a avanzar. A veces, poner en práctica las recomendaciones de un libro sobre cómo avanzar espiritualmente o asistir a un seminario de un fin de semana sobre *existencia* no funciona en el mundo real, en el que la vida tiene propósitos específicos, patrones kármicos determinados y experiencias inciertas. El proceso de apertura requiere un trabajo real, y no sólo la negación de las emociones supuestamente no espirituales que comportan las reacciones, la facultad de discernimiento o la propia aura.

Los bordes dentados en cualquier zona del aura están pidiendo ayuda. Cuando el contorno del aura se vuelve puntiagudo, significa que usted no le está proporcionando suficiente definición o apoyo consciente. Si el aura no está bien definida, pierde seguridad, funcionalidad, y por tanto, está más indefensa frente al peligro. Los bordes dentados evidencian la incapacidad del aura para separarse de las experiencias y las personas que la rodean. Sin su ayuda consciente en estos casos, su aura creará bordes, puntas y líneas rectas para intentar protegerse a sí misma y establecer los límites que usted no le proporciona.

No me malinterprete, no le estoy pidiendo que corte drásticamente su relación con el resto de la humanidad y se recluya en su aura. Por el contrario, quiero que se sumerja en el manto protector de su propia individualidad, porque su individualidad es para usted el verdadero camino, la verdadera curación, la verdadera respuesta a su patrón kármico y la capacidad que posee de amar y aceptar el mundo tal y como es. Resulta mucho más fácil amar y respetar a las personas desde el interior de un aura saludable que derribar todas las barreras y respuestas individuales y fingir ser algo que leyó en un libro o que oyó en un seminario; y es, también, mucho más auténtico y favorecedor para el avance. Cuando vive en el interior de su propia realidad, es más útil para el resto del mundo. *Usted* es un ser particular, la única persona que Dios envió para vivir su vida, para poseer sus pensamientos, para experimentar sus sentimientos y para descubrir sus respuestas. Cuando progrese en el mundo espiritual, dispondrá de oportunidades infinitas para ser neutral y no tener rostro; pero mientras viva en su cuerpo, es mejor ser un ser humano imperfecto, simple, estúpido, majestuoso, reactivo y maravilloso como los demás.

Si encuentra irregularidades o bordes dentados en su aura, puede significar también que está intentando, con demasiado esfuerzo, superar determinados sentimientos «malos» y que su aura está teniendo que realizar por usted toda su protección emocional y todas las funciones de reacción. Por favor, vuelva a leer el capítulo dedicado a Cómo Canalizar los Sentimientos (página 119). Recuérde que una cuaternidad sana está integrada por el cuerpo, la mente, el espíritu y los sentimientos. Éstos no son simples reacciones ante los pensamientos o los signos de desequilibrio corporal. Los sentimientos poseen una vida, una experiencia y una sabiduría que forman parte absolutamente del equilibrio y la integridad. Si los ignora o trata de rebasarlos, provocará la separación cuerpo/espíritu y se encontrará, pronto, en una situación de disociación. Confíe en sus emociones, canalícelas, y éstas continuarán su camino plácidamente después de comunicarle mensajes indispensables. Ignórelas o denígrelas y se verá atrapado en una vida poco saludable y demasiado intelectual sin los instrumentos que necesita para progresar, crecer, cambiar o amar.

Si el contorno de su aura está lleno de irregularidades y formas puntiagudas necesita realizar, además de la Curación del Sol, una repetición de las técnicas más básicas, como el enraizamiento, permanecer en la habitación de su mente y crear un manto de Centinelas firmemente enraizados. Tómese algo de tiempo para examinar sus estados de ánimo, sus sentimientos y sus reacciones ante la vida. Use las manos para alisar los bordes de su contorno áurico y para cerrar los orificios o desgarros dentados. Haga que la energía dorada de la curación masajee el interior de su aura, y además, estudie con especial detenimiento los capítulos dedicados a los chakras segundo y tercero.

PULSACIONES: Las pulsaciones que recorren toda la superficie del aura (diferentes de las pulsaciones normales de ésta, que se asemejan a las oscilaciones del interior de una lámpara incandescente) significan que existe una gran cantidad de energía dispersa y exaltada. Cuando comienza a trabajar con su propia energía, su aura puede atravesar períodos de nerviosismo, lo cual no representa motivo alguno para preocuparse. Es una prueba de que está haciendo lo que debe al expulsar cierta energía de su mundo interior. La mayoría de las pulsaciones nerviosas se calmarán durante la Curación del Sol.

Las palpitaciones que se concentran alrededor o dentro de una zona determinada pueden ser síntomas de fatiga física o de un daño que está por venir. Agradézcales la información que le han proporcionado cuando las conecte al centro del planeta y realice la Curación del Sol. Cubra la zona donde se producen con un manto de Centinelas enraizados y haga una visita al acupuntor o a algún médico de disciplinas alternativas.

Las pulsaciones y los relámpagos de energía pueden ser signo, también, de daños producidos por las drogas, especialmente por las estimulantes y alucinógenas y por la cocaína. Una vez más, nos presentan su horrible rostro para mostrarnos lo completamente inútiles que resultan para el cuidado consciente del propio ser.

DESGARROS: Los desgarros, a diferencia de los agujeros, son signos de daños en la imagen que tenemos de nosotros mismos. Éstos pueden ser autoinfligidos o pueden provenir de la imagen que los demás tienen de nosotros.

Como en el caso de cualquier tipo de orificio en el contorno del aura, los desgarros son lugares por donde se puede filtrar la energía o por los que puede penetrar la que pertenece a otras personas. Se deben arreglar durante la Curación del Sol y cubrirlos con un manto de Centinelas *firmemente* enraizados. Queme los contratos que haya contraído con el daño al que se refieren y con su posición como víctima de usted mismo o de las formas de pensamiento de otras personas. Recuerde que todos los pensamientos e ideas son porciones de energía y atención atrapados mediante un vínculo. Cuando deshace dicho vínculo, su energía, limpia y vacía de elementos ajenos, vuelve a estar disponible para que la utilice de la forma que desee.

Mientras arregla las rasgaduras de su aura, siéntese en la habitación de su mente y observe cómo la energía de los desgarros se eleva hasta su Sol. A medida que ésta se introduce en él, contemple cómo se consumen los conflictos, la ira o el odio a sí mismo que permanecían atrapados en ella. Reciba de nuevo la energía que estaba perdida e incorpórela a su reserva energética global. Después, dedíquela a otros fines.

Casi todas las alteraciones áuricas se pueden remediar mediante la Curación del Sol, que debería realizar en estos momentos si está interpretando su aura al tiempo que lee este capítulo. Sólo cuando dichas alteraciones se manifiesten reiteradamente, requieren una técnica curativa especial.

Recuerde que su aura ha llegado hasta la casi completa inmovilidad para que pueda verla. Mientras usted está interpretando esta momentánea «imagen congelada», puede que ella ya haya comenzado a curar todas las anomalías que usted ha identificado. Realice la Curación del Sol y confíe en que su aura está cumpliendo, mientras tanto, con su función. No se obsesione con ella; si está siempre escudriñándola, ¡nunca se podrá curar!

Aproximación a los Chakras

Chakra es un término sánscrito que designa una serie de centros circulares de energía que se encuentran en el cuerpo. Hay chakras, o centros energéticos, en las palmas de las manos y en las plantas de los pies, y existen, además, siete chakras principales que se alinean a lo largo del eje central del cuerpo. Finalmente, hay un chakra justo por encima del aura llamado el chakra del Sol. El cordón de anclaje parte del inferior de los chakras centrales, del primer chakra.

El sistema de chakras está íntimamente relacionado con el sistema endocrino. Cada uno de los chakras desde el segundo hasta el séptimo está asociado a una glándula o grupo de glándulas determinadas, mientras que el primero y el octavo actúan como reguladores físicos y espirituales de todo el sistema endocrino. Las alteraciones de cualquiera de los sistemas, glandular o chákrico, o de alguna glándula o de algún chakra en concreto, pueden trastornar al otro sistema. Como contrapartida, la curación de cualquiera de los sistemas beneficiará al otro. Por lo tanto, tenga presente también a su sistema endocrino mientras realiza curaciones en sus chakras. Si desea obtener una información más completa sobre las glándulas y hormonas del sistema endocrino, consulte el libro titulado *Curación Saludable* (*Healthy Healing*) de Linda Rector-Page, que aparece en la bibliografía.

Muchas de las religiones orientales ofrecen una información extensa acerca de los chakras. Sus siete chakras principales tienen siete nombres diferentes y a cada uno se le asocia una nota musical, un color, una forma, un animal y otros atributos. Todas estas clasificaciones resultan muy interesantes, pero como en el caso del aura y del cuerpo, podría pasarse años estudiando las posibles funciones, significados e historias de los chakras sin llegar a aprender a trabajar con ellos de manera práctica.

No dedicaré demasiado tiempo a dichas clasificaciones porque desviaría su atención de la curación. Además, una vez que reconozca sus chakras, serán ellos mismos los que le muestren toda la información accesoria.

En su definición más rudimentaria, cada chakra es una especie de medio que preserva un grupo específico de facultades. En cierto sentido, los chakras son indicadores o medidas que nos informan sobre la salud relativa de la capacidad en cuestión. Si desea saber más acerca de su facultad para trabajar con la información espiritual, puede fijarse en el chakra que está situado en la zona superior de su cabeza (el séptimo chakra) y comprobar su estado. Si quiere examinar su capacidad para armonizar el espíritu, el cuerpo y la autocuración, puede dirigirse al chakra del corazón (cuarto chakra). Si quiere verificar el funcionamiento de su sistema defensivo, tanto el físico como el espiritual, entonces compruebe su plexo solar (tercer chakra).

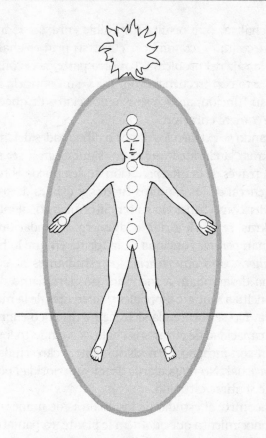

Figura 11. El sistema de chakras.

Los problemas energéticos de su aura son el reflejo de lo que ocurre en su vida, pero la causa principal de éstos se puede descubrir, generalmente, en el interior de los chakras. Puede abrir cuantas veces quiera la zona superior de su aura para realizar curaciones de las distintas anomalías que ésta manifieste, pero si no se detiene a examinar qué está ocurriendo en los centros energéticos de sus chakras, podría estar intentando detener el curso de problemas importantes de la energía con simples tiritas. Si tiene que colocar constantemente imágenes protectoras en la zona que queda frente a su primer chakra, o le resulta imposible enraizarse, lo que de verdad necesita es examinar y curar su primer chakra para llegar a la raíz del problema. Por otra parte, si el contorno de su aura está con frecuencia confuso y su Centinela no cumple con su función, ambos son signos claros de que su tercer chakra requiere curación.

Cuando se extraen los daños o dificultades del interior de los chakras, la claridad que se consigue llega a ser sorprendente. A través de la interpretación áurica puede obtener una visión general de los aspectos fuertes y débiles de su energía y aprender cómo funciona su ser. Sin embargo, al interpretar sus chakras, se puede dirigir a las energías fundacionales que determinan *por qué* funciona de la forma en que lo hace.

Y ahora, otra advertencia: los estudiantes de cualquier disciplina desarrollan, a menudo, un narcisismo de grupo que les incita a sentirse especiales y diferentes de la masa poco instruida. No se sorprenda si se siente un poco engreído por tener la capacidad de curar sus chakras cuando todos los que le rodean son incapaces (en su opinión) y carecen de formación espiritual. No haga alarde de su superioridad porque no dejará de sentirse estúpido.

Si acomete el estudio de los chakras de manera saludable, el conocimiento que adquiera le planteará paulatinamente más interrogantes, en ocasiones cuestiones fundamentales extremadamente difíciles. A veces, las cosas que observará en sus chakras le harán desear detener y abandonar todo su proceso de aprendizaje. No se sentirá superior, se sentirá como un idiota, lo cual es bueno, pues es lo que, en determinadas ocasiones, se experimenta cuando uno está realmente aprendiendo.

Cuando el aprendizaje haga que se disperse en demasiados aspectos, vuelva al principio. Manténgase enraizado. Vuelva a leer los primeros capítulos de este libro. Vuelva a consultar la Guía de Dificultades y simplifique todas las cosas. Cuando esté nuevamente enraizado y en armonía, vuelva al lugar en el que comenzó a abrumarse y descubrirá que puede abordar la misma cuestión de manera diferente. Si mantiene los pies en el suelo, podrá volar. Cuando sea capaz de afrontar sus propios asuntos, no tendrá tiempo de despreciar a los demás. Recuerde que todas las personas tienen su aura y sus chakras. Muchas pueden mantener su salud espiritual sin haber aprendido jamás nada sobre ellos. No dé por sentado que los chakras de las otras personas no funcionan de manera saludable sólo porque nunca han oído hablar de ellos; lo que ocurre, simplemente, es que cada persona tiene su propio camino para llegar a las cosas.

Si ha leído otros libros acerca de los chakras, la información que encuentre en éste se puede contradecir con la que ya conoce. Lo único que puedo alegar en mi defensa es que ¡nunca he leído ningún libro sobre este tema! Todo lo que sé sobre ellos lo he aprendido de ellos mismos a través de mi trabajo. Éste no es un tratado sobre los chakras, sino una historia traducida directamente de su mundo. Esperemos que le conduzca al universo interior de sus propios chakras, donde podrá discernir, usted mismo, entre las diferentes discrepancias que se puedan presentar.

PUESTA A PUNTO DE LOS CHAKRAS

Antes de comenzar a interpretar o estudiar sus chakras, es conveniente que les proporcione una mini-curación. Los chakras, al igual que el aura, poseen una forma básica determinada. Si antes de llevar a cabo una interpretación se establece dicha configuración, la subsiguiente interpretación fluirá de manera más apacible.

Yo visualizo cada chakra como un disco de energía giratoria que está orientado hacia el frente. Los chakras centrales que están sanos miden, por lo general, entre siete y doce centímetros de diámetro; los de las manos y los pies son normalmente algo más pequeños (de cinco o seis centímetros de diámetro aproximadamente). El chakra del Sol posee el tamaño que quiera, dependiendo de la cantidad de energía que tenga que proporcionarle a usted. En sentido estricto, la longitud del cilindro que describen los chakras puede oscilar entre cinco y treinta centímetros aproximadamente, en función de la producción de energía de su propietario. Los chakras más largos y gruesos implican una producción mayor que los más pequeños y delgados.

Los chakras cuyo estado es saludable presentan un borde circular claramente delineado, un color (específico para cada chakra) limpio y reluciente y un flujo de energía constante dentro de él. Se deben esperar alteraciones con respecto a este modelo, e incluso deben ser motivo de alegría en las primeras curaciones e interpretaciones. Estas alteraciones significan que se está transformando en un buen intérprete y que sus chakras son lo suficientemente conscientes de ello como para enviarle mensajes acerca de las dificultades que atraviesan.

Los chakras, como ocurre con el aura, son extremadamente activos y animados. Si no hace una limpieza y los sosiega un poco antes de comenzar a interpretarlos, se podría pasar más de una hora con cada uno de ellos, escuchando sus historias sobre el pasado, el presente y el futuro. Estas historias son fascinantes, pero no siempre resultan válidas para usted en el momento presente, como tampoco puede que le indiquen cómo superar las dificultades.

La técnica curativa que yo llamo Puesta a Punto de los Chakras es simplemente un medio para recordarles su forma, tamaño y color ideales. Durante una interpretación o curación, los chakras sobre los que realice este examen preliminar pueden manifestar las alteraciones que están experimentando en ese momento, en contraposición a los trastornos que han experimentado en el pasado o que sufrirán en el futuro. La Puesta a Punto los limpia y dirige su atención hacia el presente.

Durante esta Puesta a Punto es importante que recuerde que lo que está haciendo, en esos momentos, no es escuchar las historias de sus chakras, sino *indicarles* qué deben hacer. Si se detiene a escucharlos, la Puesta a Punto no será una curación rápida, sino una interpretación en la que invertirá demasiado tiempo. Por ahora, debe adoptar una actitud directiva en lugar de receptiva. La receptividad estará indicada en los estudios e interpretaciones reales de los chakras que veremos más adelante.

Cómo realizar la puesta a punto de los chakras

Visualice su chakra del Sol rozando el borde superior de su aura. Imagínelo claro y abierto, inundado por una energía dorada que se mueve libremente dentro de él. Visualice una demarcación bien delimitada entre su contorno, el contorno de su aura y la energía que fluye por fuera de ésta.

Comenzando por su séptimo chakra, justo por encima de la coronilla de su cabeza, visualice este centro energético con un aspecto sano, abierto, circular y bien definido, y rellénelo con energía violeta-púrpura que fluya con vivacidad. A continuación, dirija su atención hacia su frente y contemple su sexto chakra (o tercer ojo) como un centro de energía circular sano, abierto y perfectamente definido y llénelo de una energía vibrante y limpia de color índigo. Desplace su atención hacia su quinto chakra, o de la garganta (justo por encima de la depresión que aparece en la base de la garganta), e inúndelo de energía limpia y vivaz de color azul zafiro. Permanezca en la habitación de su mente. No salga de ella para visitar cada uno de los chakras. Puede observarlos perfectamente desde el interior de su mente.

Centre su atención en su cuarto chakra, o del corazón, que se sitúa sobre el esternón y contémplelo con el mismo diámetro que los que están por encima de él. Visualice su chakra del corazón con una forma circular bien definida y lleno de energía en movimiento de color verde esmeralda. Su tercer chakra, o del plexo solar, debe estar sano y abierto y presentar una forma circular perfectamente definida repleta de energía de color amarillo resplandeciente. Ahora observe su segundo chakra (justo por debajo de su ombligo) igualmente sano, abierto, circular, definido y lleno de una energía limpia y vibrante de color caqui-anaranjado.

Permanezca en el interior de su mente y visualice su primer chakra (por encima de los testículos en el hombre o en el centro de la vagina en la mujer); imagínelo como un centro energético sano, abierto y bien definido, repleto de energía centelleante de color rojo rubí. Asegúrese de incluir una imagen de su cordón de anclaje en esta visión de su primer chakra. Contemple los chakras de sus manos (en el centro de las palmas) con un diámetro de entre cinco y siete centímetros; observe también los chakras de sus pies (en el centro de los arcos) con unas dimensiones similares. No les asigne ningún color a los chakras de las manos o los pies, pero esté atento a los que puedan manifestar ellos mismos.

Ahora sus chakras están preparados y son conscientes de la función que *se supone* que realizan. Aunque en este momento puede continuar estudiándolos o puede proceder a su curación, esta Puesta a Punto es una excelente mini-curación que puede llevar a cabo en cualquier momento, tanto si se propone efectuar una interpretación completa de ellos como si no.

Si a continuación realiza, en efecto, la interpretación de sus chakras, ésta será mucho más válida, porque toda la actividad y nerviosismo de éstos se habrá apaciguado. Si no pretende llevar a cabo la interpretación, sus chakras se encontrarán mejor de todas formas. Esta mini-curación los devuelve a su alineación natural y a su conexión entre ellos mismos y con usted. Como a usted, a los chakras les gusta que se les tenga en cuenta y que se les hable, incluso de forma aparentemente intrascendente.

Mientras lee las descripciones que siguen a continuación e intenta interpretar los chakras o sanarlos, recuerde que cualquier anomalía o daño que perciba en ellos es señal de que se está convirtiendo en un propietario competente y responsable. Los problemas que puede identificar, también los podrá resolver. Recuérdese a sí mismo que, ahora, es un sanador intuitivo que puede tratar cualquier problema que sus chakras quieran compartir con usted.

El Primer Chakra (o Kundalini)

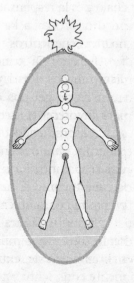

E ste chakra, expresivo y de color rojo brillante (todos los chakras con números impares son primordialmente expresivos y los de números pares, principalmente receptivos), se localiza en la base de la columna vertebral, justo en el interior de la vagina en la mujer y por encima de los testículos en el hombre. El primer chakra, al que algunas personas llaman el chakra de la raíz, es el de la supervivencia básica, del vigor sexual y de la energía de la vida corpórea.

El primer chakra no está asociado a ninguna glándula en particular. En cambio, actúa, en colaboración con el octavo, como regulador de la energía física del sistema endocrino. Si surgen complicaciones en el primer chakra, pueden resultar también afectados negativamente tanto el funcionamiento del sistema chákrico como el del sistema endocrino. Para obtener más información acerca del desequilibrio endocrino, consulte la *Guía de Dificultades* (página 341).

El primer chakra está, o debería estar, en conexión con los chakras de las plantas de los pies. Si esta conexión no es saludable, el enraizamiento puede resultar difícil de conseguir. En cualquier estudio sobre el primer chakra se deben incluir los de los pies. Para obtener una visión más exhaustiva sobre la conexión entre ambos centros energéticos, remítase al capítulo dedicado a los chakras de los pies.

La energía de este chakra es muy poderosa. Cuando este primer centro, o energía *kundalini*, asciende a través del cuerpo (éste es el único chakra que puede hacerlo), su poderosa fuerza vital puede ser muy útil para asegurar la supervivencia física en situaciones de peligro extremo. La energía del primer chakra es la responsable de los brotes repentinos de fuerza que pueden ayudar a las personas a huir o hacer frente eficazmente a encuentros violentos.

La energía kundalini fluye también hacia arriba en determinadas ocasiones de despertar espiritual. Debido a esto, numerosos grupos espirituales han desarrollado técnicas para favorecer el ascenso de la energía kundalini, aunque no se haya producido tal despertar o no exista ningún tipo de peligro. Cuando la energía kundalini fluye hacia arriba, atraviesa cada uno de los seis chakras centrales restantes y sale de la cabeza como si fuese una columna de fuego o una cobra preparada para atacar.

Las sensaciones físicas que resultan de este flujo ascendente son muy similares a los efectos de la cocaína. Uno se siente invencible, extremadamente despierto y alerta, físicamente consciente y totalmente desinteresado por la comida, el sueño o cualquier otro proceso de la vida mundana. Es una sensación muy placentera, pero incitar al kundalini para conseguirla tiene sus consecuencias. Son incontables las personas nerviosas, trastornadas y exhaustas que han acudido a mí para que restablezca el orden de su kundalini. Una mínima cantidad de energía del primer chakra es capaz de llegar muy lejos. Incluso durante un ascenso breve del kundalini, el cuerpo se siente incapaz de manejar el exceso de energía, por no mencionar la falta de comida y sueño.

Las meditaciones que realizan los yoguis experimentados con el kundalini pueden favorecer la evolución de la curación; sin embargo, la mayor parte de las enseñanzas occidentales sobre el kundalini no son impartidas por yoguis expertos, sino que se emplean, más bien, como una especie de droga recreativa. Al principio, el uso de la energía del kundalini es una excitante idea que, más tarde, se torna en catástrofe. Si no se está totalmente seguro de cómo provocar el ascenso del kundalini (por lo general, se hace mediante monótonos recitados, ayunos y largos períodos de meditación profunda hasta que el primer chakra despierta y se pone en actividad), tampoco se tendrá ningún tipo de garantía de poder hacerlo descender, y el hecho de salir de la meditación y volver a comer no siempre funciona.

Por curioso que pueda parecer, determinadas doctrinas utilizan la repetición monótona de ciertas oraciones, el ayuno y la privación del sueño para reclutar adeptos que se dedicarán a enviar el kundalini arriba y abajo (el propio kundalini puede activarse como protección en épocas de hambre e insomnio). Para los occidentales que carecen de experiencia en el trabajo con la energía psíquica o espiritual, estas subidas del kundalini pueden resultar abrumadoras. Muchas de las personas que buscan la espiritualidad atribuyen el poder de su primer chakra a las doctrinas y a su experiencia en ellas en lugar de a éste, lo cual contribuye a crear y sostener las ideologías que los tienen atrapados. Si no se les permite que exploren o experimenten su propia energía son las víctimas ideales para cultos, gurús o cualquier otra doctrina que ofrezca la esperanza de alcanzar el conocimiento de la energía y la espiritualidad.

Aunque la energía del kundalini pueda causar numerosos problemas, el primer chakra es extremadamente sensible, por lo que resulta muy fácil desviarlo incluso si ha permanecido mucho tiempo ascendiendo y descendiendo por nuestro cuerpo.

Uno de los peores casos relacionados con el kundalini que he visto jamás le ocurrió a una mujer partidaria de una de estas doctrinas y que había mantenido su primer chakra en ascenso durante tanto tiempo que había provocado una erupción por todo el cuerpo como si se hubiese quemado la piel. De hecho, el fuego de su kundalini le estaba llegando a afectar la piel. Acudió a mí en busca de curación, de manera que hice que se enraizara y creé sobre su cabeza una luna azul (véase la Curación del Kundalini, en la *Guía de Dificultades*, página 341). Casi instantáneamente comenzó a manifestar una serie de convulsiones que se produjeron al reintroducirse en su cuerpo y extraer de los chakras superiores la energía del primer chakra. Yo continuaba con mi trabajo, y cuando la energía volvió a su lugar correcto, cesaron las convulsiones. Entonces, rompió a llorar en atroces sollozos, mientras yo continuaba con mi cometido. Poco después volvía a estar perfectamente enraizada desde su primer chakra y su energía estaba distribuida de manera uniforme. Sus chakras superiores se dañaron y distorsionaron porque se habrían visto obligados a funcionar con las vibraciones del primer chakra, en lugar de con las suyas propias; no obstante, pronto volvieron a su estado normal.

Esta mujer me contó que se sentía como si hubiese despertado de un sueño que se había convertido en una pesadilla alucinatoria interminable. Era como si hubiese sido seducida y atrapada por otro mundo. El culto al que pertenecía fracasó algunos años después de manera estrepitosa, dejando como resultado un gran número de personas afectadas. Ella sintió alivio al romper cuando lo hizo, aunque la vilipendiaran las personas que pensaba que constituían su nueva familia. La erupción que padecía desapareció al día siguiente a nuestra primera curación; tras esto, fue capaz de reanudar su vida como una persona más centrada (menos idealista, si cabe) y más sabia.

Si se deja a su libre voluntad, el primer chakra tiene capacidad para ponerse en funcionamiento y detenerse por sí solo, provocado por un peligro, emergencia, enfermedad, depresión o la apertura de la consciencia psíquica. En estas circunstancias, la energía del primer chakra ascenderá por sí misma a través de los otros chakras como una especie de llamada a la consciencia. Cuando se activa el primer chakra en respuesta a situaciones de verdadera necesidad, también se desactivará por sí solo cuando llegue el momento. La energía kundalini tiene capacidad de autogobierno y conoce su funcionamiento y responsabilidades mucho mejor que nosotros.

Le aconsejaría que no jugase con el kundalini como si fuese un juguete o una droga, ni que lo utilizase para experimentar un atisbo de consciencia espiritual. Puede ser divertido jugar durante algún tiempo con la fuerza del kundalini, pero puede causar estragos en los demás chakras, a los que les resulta imposible funcionar durante mucho tiempo al nivel de vibración del primer chakra. Asimismo, puede resultar dañada el aura, que no permanecerá en buen estado si se la obliga a mantener un solo color, el rojo, y una sola frecuencia de vibración energética. Junto con estos dos serios inconvenientes se encuentra el hecho de que resulta casi imposible enraizarse cuando la energía de este chakra está en pleno ascenso.

CUANDO EL PRIMER CHAKRA ESTÁ ABIERTO O CERRADO

En cualquier problema relacionado con el primer chakra pueden presentarse también complicaciones (u originarse) en los chakras de los pies. Dado que estos chakras deben estar en conexión con el primero, es aconsejable que los incluya cuando se disponga a estudiar o curar su primer chakra. Si el estado de los chakras de los pies es saludable, cualquier trabajo que realice con su primer chakra se verá favorecido. Trataremos los chakras de los pies en un capítulo próximo.

Si el primer chakra es muy grande y está abierto es signo, por lo general, de que usted se encuentra en un momento de supervivencia, ya sea económica, emocional o física. Si atraviesa una época difícil, deje que su primer chakra mantenga ese gran tamaño para que pueda ayudarle, pero esté atento porque puede iniciar una subida de la energía kundalini. Comúnmente, cuando el peligro haya pasado, el primer chakra hará que la energía vuelva a descender por sí sola. Si no es así y la energía del kundalini asciende introduciéndose en los demás chakras durante un día o más, consulte la Curación del Kundalini que aparece en la *Guía de Dificultades*. Si no está viviendo ninguna situación problemática, puede que el primer chakra haya aumentado su tamaño simplemente para abrirse a nuevos niveles de consciencia, lo cual es muy bueno, aunque le aconsejaría que no dejase de vigilarlo.

La energía que genera el primer chakra es extremadamente impetuosa, llegando a ser temeraria en ocasiones, de ahí que resulte tan útil para asegurar la supervivencia. No obstante, aunque este chakra esté recién curado, necesita de su guía y dirección mientras esté activo, porque éste puede sentirse mejor y creer que puede correr un maratón, espiritualmente hablando. Puede pensar que es capaz de socorrerle en cualquier circunstancia y permanecer abierto y sin protección, porque de repente la vida es segura. Puede que su estilo de vida actual y su entorno no sean lo suficientemente saludables aún, por lo que debería proteger a su poderoso chakra de los daños que puedan derivarse del ambiente que le rodea (para ello, mantenga en funcionamiento su tercer chakra, que es protector). Reduzca el contorno excesivamente abierto de su chakra hasta que alcance el diámetro normal de entre seis y diez centímetros. Su chakra adoptará un tamaño mayor sólo en ocasiones determinadas, especialmente cuando se prepare para afrontar algún peligro. Si, para variar su tamaño le resulta útil, utilice como apoyo visual el hecho de que los chakras se abren y se cierran como el obturador de una cámara fotográfica.

Un chakra cerrado es indicio de una actitud de cierre hacia la energía vital o de un intento de ignorarla. Los chakras cerrados se presentan en personas que sufren un gran dolor físico o emocional que no está relacionado con su supervivencia per se (lo que provocaría una apertura mayor del primer chakra), sino con la negación profunda del propio camino o experiencias. Puede indicar, también, la negación individual de la necesidad de una sexualidad clara, objetiva y sin escollos. El cierre del primer chakra puede parecer una buena manera de escapar de todos sus problemas, especialmente de los sexuales, pero no funciona. Si cerramos e ignoramos este chakra, lo único que conseguiremos es trastornar nuestro enraizamiento espiritual y el resto del sistema de chakras.

Yo siempre les digo a las personas que tienen algún chakra cerrado que el hecho de tener problemas espinosos es completamente normal, pero que si se cierran los chakras relacionados con dichos problemas, multiplicaremos dichos escollos y dificultades. Es muy posible que, mientras mantengamos el buen estado de nuestro primer chakra, suframos contratiempos en cuanto al sexo, la supervivencia o el enraizamiento espiritual. Lo que resulta estúpido es castigar a todo nuestro sistema chákrico tan sólo porque no queremos afrontar ciertos aspectos de nuestro ser. Tenemos la responsabilidad de asegurarnos que no nos estamos perjudicando ni a nosotros mismos ni a nuestros chakras porque nuestras vidas no son del todo perfectas. Independientemente de las dificultades que suframos en un determinado momento, siempre será conveniente que mantengamos todos los chakras en funcionamiento.

Si su primer chakra está cerrado pero no se encuentra en ninguna situación peligrosa o que amenace su supervivencia, es posible que esté reparándose. En un sistema chákrico sano y equilibrado, los chakras se pueden cerrar durante un breve espacio de tiempo para curarse y deshacerse de hábitos o contratos energéticos perjudiciales. Durante estos períodos, son los demás chakras los que cuidan del que está cerrado, permitiéndole, de este modo, unas pequeñas vacaciones. Podrá saber si su primer chakra se encuentra descansando por el aspecto y el color de todos los demás, por la ausencia de problemas importantes y por el hecho de que puede permanecer enraizado aunque este chakra esté cerrado.

Si su primer chakra se encuentra de vacaciones, felicítese a usted mismo y a los demás chakras y proporciónele a cada uno de ellos un regalo de bienvenida. Cuando uno de sus chakras se puede tomar un descanso como éste manteniendo la seguridad, significa que ha logrado una comunicación saludable con la totalidad de su sistema de chakras. Ofrézcale aún más apoyo colocando dos Centinelas justo al frente y en la zona trasera de su primer chakra. Dichos Centinelas lo guardarán y curarán, y éste se abrirá de nuevo tan pronto como esté preparado (por lo general, en menos de una semana).

Si al cabo de una semana su chakra no se abre, pregúntele qué necesita. Habitualmente, éste requerirá un Centinela o un contorno áurico mejor, o quizás, un nuevo cordón de anclaje. Puede incluso que necesite que se sanen en primer lugar los chakras contiguos. Confíe en las necesidades que este chakra básico le indique para abrirse otra vez.

RASGOS QUE CARACTERIZAN A UN PRIMER CHAKRA SALUDABLE

Cuando el primer chakra presenta una apertura correcta, está bien definido y su energía color rojo rubí fluye libremente, el estado del cordón de anclaje será igualmente saludable y su definición apropiada.

Además de los efectos positivos asociados al enraizamiento espiritual, las personas cuyo primer chakra esté en óptimas condiciones estarán en contacto con su cuerpo y su sexualidad a un nivel puramente físico y objetivo. Sabrán lo que les beneficia en cuanto a la alimentación, protección y la pareja sin necesidad de actuar de manera muy emotiva o rumiar constantemente si las decisiones que toman son acertadas o no. Mantendrán una postura sólida, un paso firme y contundente y una consciencia plena de dónde están, dónde dejaron su coche, las llaves de su coche o su energía.

Estas personas se sentirán centradas, poderosas y capaces de abordar cualquier asunto relacionado con la salud que pueda surgirles, incluso si ello les obliga a estar enfermos durante un período suficiente para que su cuerpo pueda expulsar la energía que no desea.

Si una persona desarrolla su vida únicamente a partir de su primer chakra, puede ser poco espiritual y estar por encima de toda creencia y carecerá de la influencia necesaria sobre el resto de sus chakras para equilibrar su naturaleza física con su espiritualidad, con su intelecto y con su naturaleza emotiva. De todos modos, no nos detendremos demasiado en las personas que no han alcanzado el equilibrio, ya que el objetivo de nuestro trabajo es llegar a la completa plenitud.

El Segundo Chakra (o Hara)

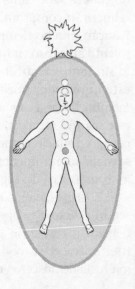

E ste chakra receptivo, de un cálido color anaranjado, se sitúa en el centro del cuerpo, por debajo del ombligo. El segundo chakra es el centro de los sentimientos, la musculatura, la identidad sexual y la sexualidad en un sentido más amplio que la mera necesidad primaria de procrear del primer chakra. El segundo chakra está asociado a las gónadas: los testículos y los ovarios.

La sexualidad de este chakra se refiere a la conexión entre los sexos y a las diferentes funciones e identidades de cada uno de ellos, así como a la capacidad para vincularse y unirse a la persona amada. La energía del segundo chakra nos permite, además, vincularnos en situaciones no sexuales y experimentar una verdadera empatía en el ámbito físico, lo cual no siempre es bueno, especialmente en las situaciones interpersonales en las que resulta crucial tener unos límites bien definidos.

En numerosos casos, las personas que, debido a su poca espiritualidad, no están conectadas con su primer chakra, se identificarán en exceso con la energía del segundo y tratarán de enraizarse y centrarse en su cuerpo desde éste. Esto es un problema, porque la función del segundo chakra consiste en vincular las cosas a través de los sentimientos. Dicha vinculación, en un sistema chákrico sano, se puede utilizar sin peligro para desarrollar un gran número de habilidades para relacionarnos con los demás; pero un énfasis excesivo en este chakra podría crear una persona con muy pocas fronteras emocionales.

La energía sexual de este chakra no es saludable si se utiliza por sí sola. Las personas que están centradas en el segundo chakra serán amantes profundamente sentimentales que requerirán compromisos extremos por parte de sus parejas. Pasarán mucho tiempo buscando la trascendencia del sentimiento amoroso en lugar de aceptar al otro como es y amarlo sin tantos requisitos sobrehumanos. Para todo aquel que esté implicado, puede resultar emocionalmente agotador intentar llevar a cabo una vida sexual adulta centrada sólo en este segundo chakra. Es mejor dejar que el primer chakra se ponga en funcionamiento para conseguir el equilibrio entre la sexualidad puramente «carnal» del primer chakra y los ideales románticos del segundo.

El segundo chakra es, además, el centro de la identidad según el sexo. Se supone que todos los seres humanos mantienen un equilibrio psicológico, emocional, físico y espiritual entre el sexo masculino y el femenino, aunque la mayoría de nosotros no lleguemos a alcanzarlo, volviéndose confusos el género y la sexualidad; los síntomas de desequilibrio se expresan en el funcionamiento del segundo chakra. Éste refleja cuánta energía masculina, directa y expresiva, dejamos que fluya en nuestro organismo en contraposición con la difusa y receptiva energía femenina. La falta de equilibrio con relación al sexo, como ocurre en cualquier otro caso de desequilibrio entre dos polos, no es el estado ideal.

Una buena forma de comprobar dicho equilibrio consiste en colocar las pequeñas rosas para interpretarlas justo frente a nuestro segundo chakra. A la izquierda pondremos la rosa femenina, y a la derecha, la masculina. Dejaremos que cada una de ellas se manifieste como símbolo del sexo al que representan y las observaremos para comprobar cómo cambian, especialmente en lo que respecta a la otra. Si una rosa se vuelve grande y brillante mientras que la otra se oscurece y marchita, representará una fuerte desviación hacia uno de los sexos.

Estúdielas con atención, y si es necesario, vuelva al capítulo dedicado a la interpretación de rosas para refrescarse la memoria en cuanto al significado de la longitud del tallo, el color y los demás atributos. Recuerde que estas rosas ilustran el estado actual de su equilibrio entre ambos sexos. Aunque éste esté extremadamente desviado, no significa que el desequilibrio vaya a durar toda la vida; por el contrario, se puede examinar, trabajar con él, restaurar y curar.

Después de haber leído la información primaria con respecto al género, muestre su agradecimiento a las rosas, destrúyalas y coloque en su lugar dos Centinelas muy sanos y firmemente enraizados. Dedíquelos a la curación de sus desequilibrios relacionados con su identidad sexual. Dótelos de habilidades protectoras, un firme enraizamiento y colores radiantes, y custodiarán su extremadamente receptivo segundo chakra. No sólo servirán como cura para su energía masculina y femenina, también confrontarán y expulsarán todos los mensajes sociales sin sentido acerca del sexo que plagan nuestra sociedad. Si necesita ayuda para reconocer y tratar las diferencias entre la energía masculina y femenina, le recomiendo los libros *Él* (*He*) y *Ella* (*She*) de Robert A. Johnson que aparecen en la bibliografía; se trata de dos ejemplares muy pequeños pero muy valiosos.

Cada chakra lleva asociada una habilidad psíquica específica que puede ser tan astuta, en ocasiones, como caótica e inconsciente. El segundo chakra realiza su labor de curación y comunicación a través de la empatía corporal completa o *clarisensibilidad*. Gracias a ésta, el segundo chakra traslada a su cuerpo los dolores, sentimientos o conflictos de otra persona. Un ejemplo cotidiano de este tipo de empatía se produce cuando nos encogemos al ver cómo alguien golpea los testículos de otra persona. Podemos llegar a sentir la patada aunque no tengamos testículos.

La capacidad de sentir el sufrimiento de los demás y de acceder a una profunda comprensión de sus emociones y reacciones es muy importante. El problema que se presenta con esta profundidad de entendimiento es que la energía de la otra persona no puede funcionar en nuestro cuerpo, así que no tenemos la capacidad de curarla de su dolor porque no disponemos de sus herramientas. El sufrimiento de cada persona es específico de ella y se presenta con su conjunto determinado de herramientas.

Aunque no pueda curar su desequilibrio relativo al sexo, sí que puedo ayudarle a encontrar las herramientas apropiadas para que usted mismo se cure. Si tratase de introducir en mi cuerpo su sufrimiento y su confusión, usted se sentiría mejor por un momento, pero no habría aprendido de la experiencia y el verdadero problema se manifestaría tarde o temprano. Además, yo tendría la energía de su sufrimiento estancada en mi segundo chakra, a menos que tuviese la feliz idea de deshacerme de ella a través de un cordón de anclaje.

Los curadores *clarisensibles* que trabajan desde el segundo chakra se llaman *curadores esponja* y, aunque son capaces de obrar milagros, a menudo mueren de cáncer o enfermedades que consumen sus órganos internos. Esto es así porque sus cuerpos son incapaces de procesar lo que no les pertenece. Sus sistemas se ven acaparados por toda la energía extraña que ingieren. Y aunque puedan realizar un buen número de curaciones milagrosas a lo largo de su carrera, a la larga, el precio que deben pagar es muy alto.

Por ejemplo, mi energía y mis células crearon, por alguna razón, mi propia depresión suicida y su curación me llevó a un nuevo nivel de conocimiento personal. Aunque necesitaba orientación, apoyo nutricional e información, las herramientas que precisaba para curar mi enfermedad venían con ella. Mi capacidad para acceder a dichas herramientas provenía de mi propio uso del segundo chakra. Al entrar en empatía directa con mis deseos suicidas, fui capaz de comprender por qué se manifestaban en mi cuerpo. Cuando comprobé la importancia de la depresión como protección que evitaba que viese o supiese la verdad acerca de mi infancia, fui capaz de expresarle mi gratitud y dejar que se marchase. En vez de luchar, sentir odio o atiborrarme de medicamentos, fui capaz, con la ayuda de mis habilidades empáticas, de usar la energía de mi enfermedad como un aliado para la curación.

Mi segundo chakra me enseñó que cada desequilibrio tiene una razón de ser, a menudo protectora. Un cuerpo trastornado no se está rindiendo al infortunio, sino tratando de sobrellevarlo de la mejor manera posible. Cuando mi depresión me mostró que se trataba de una reacción ante el abuso que había sufrido, fui capaz de curar la escisión que me había producido, lo cual me libró de cometer una locura.

La depresión que sufrí me sirvió, además, para imponerme el compromiso de no fingir nunca más que en mi mundo todo iba bien. Si hubiese delegado la responsabilidad de curar mis perturbaciones mentales en cualquier tipo de sanador, no habría captado el mensaje de mi confusión. Si alguien me hubiese curado de forma milagrosa, no habría experimentado mi propio poder de curación y habría creído que ese poder sólo residía en dicha persona y no en mi interior.

Si usted, como curador, absorbe milagrosamente el sufrimiento de otra persona, no sólo la priva de la oportunidad de aprender y alcanzar nuevos niveles de conocimiento y poder personal, sino que se expondrá usted mismo a un peligro innecesario. Como no es usted quien sufre la enfermedad, tampoco posee las herramientas necesarias para tratarla. No tiene ningún derecho a introducir el sufrimiento en su propio cuerpo. Si usted ama a la gente y quiere ayudarla, permítale que posea su propio dolor. Trate de guiarla fuera de la miseria pero no absorba su miseria dentro de su cuerpo. Si usted se quiere a sí mismo, no se perjudique para demostrar que es un buen sanador. Utilice la capacidad curativa de sus otros chakras, o mejor aún, cure desde todos ellos al mismo tiempo. Si lo hace así, comprenderá el sufrimiento de los demás sin tener que fundirse con él.

Compruebe lo abierto y receptivo que se encuentra su segundo chakra, porque puede haber absorbido energía inconscientemente en gran numero de situaciones aparentemente triviales. Las personas que son muy meticulosas limpiando y organizando absorben, a menudo, energía vieja con su segundo chakra mientras quitan la suciedad o ponen en marcha un nuevo sistema de clasificación de las cosas. Las personas que son buenos jefes de personal o consejeros absorben, con frecuencia, el estrés de los demás sin darse cuenta. Las enfermeras son un buen ejemplo de *curadores esponja*, así como los terapeutas, los taquígrafos, los gerentes, los contables, los padres y los trabajadores de organizaciones humanitarias. Esta lista podría seguir interminablemente, y aunque se le atribuya en mayor medida a las mujeres, los hombres absorben los problemas de los demás del mismo modo y con la misma frecuencia que éstas.

La mejor forma de descubrir si usted es un *curador esponja* es examinando el nivel de fatiga y el estado de su tercer chakra. Si, tras una semana de trabajo, se encuentra agotado y exhausto, si le duele el estómago constantemente, si almacena grasa protectora por encima del plexo solar o por debajo del ombligo y si necesita unas largas vacaciones fuera de casa, probablemente absorba los problemas de los demás a diario. El agotamiento y la necesidad urgente de alejarse de todo pueden ser señales normales de fatiga, pero el dolor de estómago o la acumulación de grasa en estos casos evidencian que su protector tercer chakra le pide que le ayude a protegerse a él mismo y a su segundo chakra. La necesidad constante de irse lejos de vacaciones es, también, una señal inequívoca de que absorbe el estrés de los demás. Las personas cuyos límites espirituales y emocionales funcionan correctamente no necesitan salir de la ciudad para relajarse.

Coloque un buen número de Centinelas que estén enraizados frente a su segundo y tercer chakra como mecanismo de defensa frente a la absorción de estrés y compruebe el tamaño y el estado de cada chakra tan a menudo como le sea posible. Recuérdese a sí mismo, una y otra vez, que usted puede existir y ser importante aunque en ocasiones no encaje con todo y todos los que le rodean. Su capacidad de absorción es importante, pero sólo si su cuerpo posee salud, equilibrio y un profundo conocimiento de la energía. Si su capacidad de absorción es mucho mayor que el resto de sus habilidades intuitivas, originará desequilibrios espirituales y físicos tremendos.

La clarisensibilidad es una habilidad curativa importante dentro de uno mismo. También es vital como parte integrante de un arsenal curativo espiritual completo. No obstante, la absorción, por sí misma, es más segura si se realiza dentro de los miembros de una misma familia, especialmente en el caso de padres e hijos. El beso que una madre o un padre le da a su hijo en una herida o golpe tiene propiedades curativas absolutamente mágicas. Cuando los padres besan las heridas, hacen que salga de ellas el dolor. De todas formas, mientras los hijos son menores de trece años, están conectados psíquicamente a la energía de sus padres, por tanto, este tipo de absorción de padre a hijo no tendrá ningún efecto negativo en el progenitor.

La absorción de energía entre hermanos o entre hijos mayores y padres o abuelos se puede realizar, también, de manera segura porque el material genético y emocional de ambos es los suficientemente similar como para que el cuerpo lo procese sin demasiada dificultad. Ésta es la única ocasión en la que recomiendo la absorción de energía. Bajo otras circunstancias es, simplemente, insegura e innecesaria. Las personas no aprenderán de su experiencia si las dificultades desaparecen como por arte de magia.

Con frecuencia, los curadores esponja están desconectados de su realidad emocional interior. Dado que su segundo chakra, que es el centro de los sentimientos y la protección emocional, está siempre ocupado con todo excepto con las necesidades de su propietario, los curadores esponja no saben cómo se siente. Su confusión emocional es tal, que uno podría aprovecharse de ellos durante años antes de que se percataran de ello. La mayoría de las personas que forman parte de la vida de un curador esponja dependen de este hecho.

Las personas clarisensibles que no están en armonía se encuentran tan llenas de la energía de los demás que ya no son capaces de discernir sus propios sentimientos y agotan su energía emocional en los problemas de los demás. Por esta razón, los curadores esponja continúan con su labor curativa aunque ésta comience a acabar con ellos. Es cierto que les perjudica, pero también obtienen una recompensa: ¡no tienen que experimentar sus propios sentimientos! *Parece* que el sufrimiento proviene del presente, y ellos pueden hacerle frente. Pero el sufrimiento que se instala en ellos subrepticiamente es demasiado grande para afrontarlo. Estas personas prefieren los peligros que conlleva la absorción de energía que el terror que comporta su trauma interior.

Las personas clarisensibles corren un riesgo terrible en las relaciones que establecen con personas manipuladoras y descentradas, porque su carencia de fronteras les facilita el acceso a personas que abusan de ellos. Su aura y su sistema de chakras expresa, de hecho: «¡Adelante, estás en tu casa! ¡Aquí no hay ningún tipo de protección!»

Este abuso es una desgracia, pero se puede detener. Recuerde que la absorción de energía es un tipo de acuerdo contractual y que los contratos se pueden enrollar y quemar con la misma facilidad con la que fueron creados y admitidos. El mero hecho de que los curadores esponja hayan pasado mucho tiempo absorbiendo energía ajena no es motivo para que deban continuar haciéndolo. Es un comportamiento que se puede modificar. Los curadores esponja pueden volverse conscientes de su segundo chakra y de la capacidad de éste para canalizar y curar estados emocionales. Los curadores esponja que se conectan de nuevo al poder curativo de su segundo chakra pierden el interés por absorber la energía de los demás en un espacio de tiempo sorprendentemente breve.

Las personas clarisensibles que están en armonía poseen una información tan fascinante y una cantidad de energía curativa disponible para su propio uso tal, que no tienen necesidad de implicar su segundo chakra en los procesos curativos de otras personas. Pueden descubrir la información curativa que poseen sus propios sentimientos y pueden aprender a conectar y establecer una relación de empatía con los demás de manera segura y saludable.

Es muy fácil trabajar con el segundo chakra. No es necesario que invierta semanas en preocuparse de él o suplicarle que se cierre. Todo lo que se necesita es consciencia y disposición para el cambio. Cuando llegue a los capítulos dedicados a las interpretaciones y curaciones que siguen a la descripción de este chakra, préstele especial atención a su segundo chakra si está trastornado, pero dedique la mayor parte del tiempo a restablecer su alineación y el contacto con el resto de los que integran el sistema. Es este equilibrio, más que cualquier otra cosa, lo que curará su segundo chakra.

El uso excesivo de este chakra origina problemas en el enraizamiento (primer chakra), en la protección psíquica (tercer chakra), en la autoestima y la comunicación cuerpo-espíritu (cuarto chakra), y por consiguiente, en el resto. La curación individual del segundo chakra ayudará, pero lo más preciso será reequilibrar el sistema completo y devolver a cada uno de ellos al presente. Si no fuese así, los problemas asociados al resto de los chakras podrían hacer que el segundo volviera al antiguo hábito de absorber la energía.

Un chakra sano es un miembro activo que contribuye al funcionamiento de todo el sistema. Si surge un problema en el segundo chakra se necesita, no sólo su ayuda, sino también la del resto de los chakras, cuyo estado es el correcto. Una vez que lo ha curado y colocado en el lugar que le corresponde dentro de la alineación y en comunicación con el resto del sistema, su segundo chakra recibirá la ayuda, el apoyo y la curación de los demás.

CUANDO EL SEGUNDO CHAKRA ESTÁ ABIERTO O CERRADO

Un segundo chakra extremadamente abierto dentro de un sistema chákrico desequilibrado puede ser devuelto a su tamaño correcto (de seis a diez centímetros de diámetro) de manera inmediata. Dado que este chakra es tan receptivo y se encuentra, por lo general, tan desprotegido, es capaz de introducir en su cuerpo energía extraña antes incluso de que usted se percate de que ésta ronda a su alrededor. Restablezca el tamaño de este chakra imaginando el mecanismo del obturador de una cámara fotográfica, o utilice las manos para devolverlo a su tamaño original. Si es la primera vez que intenta cerrarlo tras toda una vida de absorber energía, es aconsejable que mantenga este chakra un par de centímetros, por lo menos, más pequeño que el resto. Cúbralo con Centinelas protectores que estén bien enraizados energéticamente, tanto por delante como por detrás. Después de un largo período de curación mediante la absorción de la energía de personas que no pertenecen a su familia, su segundo chakra necesitará un buen descanso.

Cuando se cierra un segundo chakra demasiado abierto, es bueno alejarse durante algún tiempo de personas necesitadas o manipuladoras. Busque sólo la compañía de aquellos amigos o familiares que le respeten, comprendan y valoren. Puede que le resulte difícil encontrar personas así si ha pasado mucho tiempo en el desequilibrio que provoca la clarisensibilidad, pero siempre habrá una o dos personas cariñosas escondidas en algún sitio. Si hay alguna persona en su entorno que le ha instado a que descanse y se cuide o le ha ofrecido ayuda y curación aunque usted la haya rechazado, búsquela. Su segundo chakra, y su demasiado utilizada habilidad clarisensible necesitarán la ayuda de otro ser humano que sepa cómo dar sin llegar a traicionarse.

Un segundo chakra muy abierto dentro de un sistema sano y equilibrado es indicio de una apertura emocional o sexual necesaria para lograr crecimiento y bienestar. Puede averiguar si su segundo chakra se encuentra en un estado óptimo por su color, que debe ser claro y de un tono anaranjado muy cálido, sin mezcla de otros colores. Si sus otros chakras, en especial el primero y el tercero, están sanos también, puede dejar que el segundo permanezca agrandado por lo menos una semana.

Coloque dos Centinelas firmemente enraizados en la parte delantera y trasera de su segundo chakra con el fin de evitar que vuelva a adquirir el hábito de absorber energía y no deje de vigilarlo. En el plazo de una semana debe volver a la normalidad, y si no es así, restablezca usted mismo su tamaño.

Un segundo chakra muy cerrado es signo de un trastorno o en los sentimientos o en los aspectos conectivos y emotivos de la sexualidad. Si el segundo chakra está cerrado y el primero está muy abierto (anomalía que da lugar a una personalidad y sexualidad poco espirituales, no empáticas y poco emotivas), se produce una situación socialmente tolerable para que la adopten los hombres. Si usted es un hombre, o una mujer con una marcada desviación masculina, no se sorprenda por este desequilibrio. No se trata de una desviación penosa que deba aceptar en la soledad de sus momentos de meditación, pero el nivel de apertura emocional y empatía que resulta de ella puede llegar a ser muy difícil de soportar en el mundo exterior.

Si las personas que viven con usted le conocen como una persona fría y poco emotiva, puede que le vean como alguien que no se preocupa de las cosas. Puede que no confíen en usted y no cuenten con su presencia en los actos sociales, lo cual puede que no le importe. Sin embargo, si vuelve a abrir su segundo chakra, ya no le dará igual estar solo; la soledad le hará sentirse mal. Puede llegar a experimentar rabia, tristeza y todas las emociones de su infancia, adolescencia y juventud que dejó estancadas cuando decidió cerrar su vínculo emocional con los demás seres humanos. Canalice todas esas emociones: le pertenecen y, por tanto, pueden curarle.

Busque, además, la compañía de las personas que no le han permitido comportarse de manera fría en su presencia. Serán una o dos personas valientes que han tratado de llegar hasta usted emocionalmente. Manténgase alejado de las que intentan manipular sus sentimientos para obtener una reacción por su parte. En vez de eso, busque a las que han compartido con usted sus sentimientos o han llorado en su presencia, aunque les haya dejado claro que usted no tiene intención de compartir los suyos. Estas personas no se han dejado nunca engañar por su actitud insensible y no se sorprenderán ni se sentirán consternados ante su proceso de reapertura hacia sus sentimientos.

Rodeado por este tipo de personas, su segundo chakra obtendrá la misma protección frente al mundo que la que le procuran los Centinelas dentro de su aura. Con la ayuda de otras personas emocionalmente abiertas, nadie podrá usar contra usted la vulnerabilidad emocional que conlleva un segundo chakra recién abierto.

Las personas que poseen un segundo chakra en buen estado se preocupan por el mundo, por el lugar que ocupan en él, por los sentimientos y las vidas de los demás y por la sabiduría que encierran sus propias reacciones y emociones. Como tal, un segundo chakra abierto puede ser un inconveniente en un entorno competitivo. Este chakra hace que se preocupe de las cosas y nuestra sociedad es un ejemplo perfecto de lo que puede ocurrir cuando nadie lo hace. A este respecto hemos fracasado, porque la gente está demasiado asustada para establecer contactos con los demás y sentir plenamente. Este hecho favorece todo tipo de delitos contra la humanidad que se producen a diario y crea, además, la necesidad de que aparezcan mártires que absorban el sufrimiento de los demás y mueran sin curar a nadie, mucho menos a ellos mismos.

Existen un millón de razones para que mantengamos nuestro segundo chakra cerrado y nos neguemos a sentir o relacionarnos con los demás de manera sana. La única razón que nos mueve a abrirlo es vivir como seres humanos plenos, y no como una consecuencia sesgada de la sociedad que nos rodea. El segundo chakra necesita su permiso, y no el de la sociedad, para abrirse. Se trata de *su* chakra, de *su* capacidad para sentir y de *su* facultad para conectar con los demás. Nadie, y menos aún una sociedad enferma, tiene derecho a forzarle a cerrar sus habilidades naturales. Si no me cree, pregúntele a su primer chakra: éste no tiene paciencia para tanta estupidez. Si usted se lo permite, subirá hasta el segundo chakra y lo limpiará de telarañas para que pueda abrir de nuevo la puerta de sus sentimientos.

Una de las mejores maneras de comenzar a trabajar con el segundo chakra y de abrirlo es confiando en la ayuda que nos puede proporcionar el agua, el fluido. Los baños calientes y la terapia acuática ayudan a que nuestra musculatura se relaje, que a su vez libera el esqueleto, que a su vez origina una postura y una actitud más flexible y fluida. Los movimientos suaves y los balanceos son especialmente útiles para el segundo chakra. El simple hecho de permitir que las caderas se balanceen mientras caminamos o nos movemos libera la energía estática reprimida en la pelvis. Este pequeño movimiento contribuye, por sí mismo, a la apertura del segundo chakra.

Recuerde, es aceptable que tenga dificultades con los sentimientos o la sexualidad, pero si cierra su segundo chakra como respuesta a dichos problemas, se desestabilizará su sistema energético y el resto de su vida. Si cierra el centro energético que alberga sus sentimientos y su sexualidad de acuerdo con el sexo al que pertenece, no podrá superar las dificultades. ¿Cómo podrá hacerlo si no dispone de esta energía vital básica, la facultad curativa y la información que comporta? Puede, no obstante, tener al mismo tiempo dificultades emocionales *junto con* un segundo chakra saludable; entonces no habrá problema.

Si su salud y la de sus chakras es buena y su segundo chakra permanece cerrado, puede que éste se encuentre de descanso. Todos los chakras se cierran periódicamente para repararse cuando el sistema es lo suficientemente fuerte para permitirlo. Si usted ha dejado de absorber energía y ha concentrado su energía empática curativa en usted mismo, es capaz de realizar auténticos milagros curativos en su cuerpo energético. Cuando su energía alcance un determinado nivel de fortaleza, puede que su segundo chakra, que ha estado saturado, se desactive con el fin de eliminar los viejos contratos que le obligaban a absorber la energía, así como otros signos de enfermedad y falta de armonía. Durante este tiempo, sus otros chakras velarán por él. Éste se volverá a abrir cuando esté preparado.

Puede averiguar si su segundo chakra está de descanso por el estado de salud de los demás, la ausencia de los habituales parásitos necesitados y la sensación de fluidez y relajación de su pelvis y su musculatura, incluso aunque en esos momentos el segundo chakra esté cerrado. Para ayudarlo durante su descanso, puede colocar dos Centinelas enraizados dentro de su aura, por delante y por detrás de dicho chakra. Éstos contribuirán a protegerlo y curarlo hasta que vuelva a entrar en funcionamiento, lo cual debe ocurrir al cabo de unos días, como mucho una semana.

Tras esta semana de vacaciones, su segundo chakra volverá a estar listo para trabajar; si no es así, pregúntele por qué y escuche su respuesta. Puede que necesite un aura más vital o un sistema de Centinelas que lo protejan de practicar inconscientemente la clarisensibilidad. Podría, también, necesitar que usted cure su tercer chakra, que realiza una función protectora. Ayúdelo. Como en el caso del descanso de cualquier otro chakra, muestre su agradecimiento a los demás por estar en buena disposición y alerta para permitir el descanso del segundo. Entrégueles a cada uno un regalo simbólico porque han realizado un trabajo fabuloso.

RASGOS QUE CARACTERIZAN A UN SEGUNDO CHAKRA SALUDABLE

Cuando el segundo chakra está abierto y fluye en él una energía sana, clara y de un cálido color anaranjado, el cuerpo experimenta una fluidez apacible y sensual que puede añadir al enraizamiento que le proporciona su primer chakra. Un segundo chakra en buen estado le confiere una conexión emotiva y responsable con la naturaleza, los animales y los seres humanos, consigo mismo y con el mundo espiritual. El equilibrio de las tendencias sexuales da lugar a personas muy

capaces, con firmes objetivos, y que son, además, espiritualmente conscientes y emocionalmente responsables. Las personas cuyo segundo chakra se encuentra en óptimas condiciones poseen una manera de caminar fluida y lánguida,
como los felinos. Han accedido a un conocimiento muy profundo del transcurso de los acontecimientos y de las personas
que les rodean. Al conectar con sus propios sentimientos,
conectan también con el mundo.

Un segundo chakra saludable proporciona un nivel de
curación interna más poderoso de lo que se pueda imaginar.
Cuando se aplica la empatía total de este chakra en caso de
enfermedad, se puede acceder a la raíz emotiva que ocasionó
dicha enfermedad en primera instancia. Mediante el uso de la
facultad clarisensible del segundo chakra dentro de sus propios cuerpos, las personas que poseen dicha facultad pueden
comunicarse con las células cancerígenas, los virus, los tejidos y las enfermedades en su nivel principal y preguntarles
por qué están viviendo (o muriendo) en el cuerpo. Las respuestas emotivas de cada enfermedad resultan fascinantes.
Cuando se comprende y respeta dicha información a un nivel
emotivo básico, puede producirse una curación real.

Aunque durante mucho tiempo se ha considerado que
los sentimientos están por debajo del intelecto, las personas
que poseen una conexión verdadera con su segundo chakra y
con su estado emocional adquieren un grado de sabiduría que
sobrepasa la meramente intelectual. Saben, no sólo que existen los hechos, sino *por qué* éstos son verdaderos o falsos. Esta
conexión con las realidades emocionales hace que las realidades intelectuales sean *significativas* y no sólo factuales.

El Tercer Chakra
(o Plexo Solar)

E ste chakra expresivo, de color amarillo como el sol, se sitúa justo en el centro del plexo solar, entre el ombligo y el esternón. Está relacionado con el pensamiento y el intelecto y con la influencia que éstos ejercen en el cuerpo. Se asocia a las glándulas suprarrenales y el páncreas. Constituye, además, el centro del sistema inmunitario psíquico. Reaccionará ante el peligro cerrándose, elevando su temperatura o expandiendo su energía para proteger al segundo y cuarto chakras, que son receptivos.

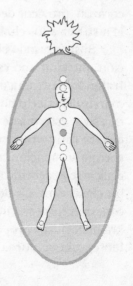

Un dolor punzante de estómago que no esté relacionado con la sensación de hambre, es, a menudo, señal de que el tercer chakra está intentando cerrarse por la presencia de energías o personas peligrosas en el entorno. Su tercer chakra tratará de cerrarse, también, (o de abrirse demasiado) cuando su Centinela y su aura sean demasiado delicados y ornamentales para llevar a cabo una labor real de protección de su territorio personal. En este caso, fortalézcalos.

Existen tres chakras corporales (del primero al tercero), tres espirituales (del quinto al séptimo) y uno de transición (el cuarto, que actúa como puente entre el espíritu y el cuerpo). El octavo chakra es el supervisor de todo el sistema y el tercero, el principal de los chakras del nivel corporal.

Dado que está situado por encima de los otros dos chakras corporales, el tercero es el responsable de filtrar la información espiritual que desciende hacia el segundo y el primero. Este flujo constante de información procedente del espíritu es el que mantiene los aspectos corporales de la conexión cuerpo-espíritu sanos y vivos. Cuando el tercer chakra y el del corazón se encuentran en óptimas condiciones, el tercero aceptará y traducirá la información que, a través del corazón, proviene de los tres chakras espirituales, para pasarla a su vez a los chakras segundo y primero.

Si su segundo chakra no está en armonía y la información que emite no es clara, el tercero pasará mucho tiempo tratando de traducir mensajes confusos. Si recibe un galimatías del cuarto chakra, por el mal estado de éste o su uso excesivo, esto puede volverle tanto a usted como a su tercer chakra muy vulnerables, puesto que éste destinará toda su energía y atención al proceso de traducción, dejando así de dedicarse a identificar el peligro de su entorno. Este infatigable chakra tratará de mantener viva y en funcionamiento la conexión entre su cuerpo y su espíritu aunque su cuarto chakra no le pueda proporcionar una información clara. No obstante, ésta se puede perder si su tercer chakra, desbordado por el trabajo, no dispone de la energía y el tiempo necesarios para mantenerle seguro y protegido.

Si el estado de su tercer chakra no es del todo saludable (por ejemplo, si usted elige perseverar en una relación peligrosa que lo obliga a mantenerse alerta hasta la extenuación), puede que deje de prestarle atención a la información que le envía su cuarto chakra para dedicarse por completo a mantener su seguridad personal. Debido al bloqueo que se produciría en la comunicación entre ambos chakras, pronto experimentaría una escisión entre el cuerpo y el espíritu.

El tercer chakra es, además, el responsable de reunir la información de los chakras corporales y enviarla, a través del chakra del corazón, hasta los espirituales. Cuando se produce este intercambio como debiera, la información del nivel espiritual y las facultades de los chakras superiores tienden a comprender detalles más racionales, pertenecientes al mundo real. Un buen ejemplo del intercambio correcto de la información entre el espíritu y el cuerpo se produce cuando los sentidos nos ayudan a interpretar un mensaje clarividente, o es la intuición la que nos informa acerca de una tortícolis o una comida que no nos sienta bien. Si el tercer chakra está estropeado y no es capaz de canalizar la información del nivel corporal hacia los chakras superiores, la información de éstos se volverá ilegible para el cuerpo o comprenderá cosas absurdas como la situación política de Manila (si usted no es ciudadano filipino) o el conocimiento de un accidente de aviación por el que no puede hacer nada.

Sin la ayuda del tercer chakra y de las realidades del cuerpo, los chakras superiores perderían los estribos emitiendo todo tipo de mensajes inconexos. El cuarto chakra se abriría demasiado, vertiendo toda su energía. El quinto captaría voces de todos sitios. El sexto percibiría visiones inconexas e inútiles y el séptimo chakra canalizaría la información de espíritus inconscientes que no tienen nada que ver con su vida. Todas estas insensateces se evitan manteniendo la correcta conexión entre el tercer y el cuarto chakras.

Al igual que ocurre con una gran cantidad de aspectos de la espiritualidad que han sido totalmente confundidos aquí, en Occidente, el tercer chakra se ha singularizado, innecesariamente, como el menos perfecto. Yo no alcanzo a comprender por qué esta actitud ha llegado a ser tan prevalente. Los occidentales pensamos que el cuarto chakra (el chakra del corazón y el amor) es el más importante. Aparentemente, el chakra de la «energía mala» (el tercero) hace que las personas dejen a un lado su corazón y se involucren en el poder mundano, y es el responsable de las guerras, el racismo, el dinero, el egoísmo y de Hacienda. Cuando lleguemos al capítulo dedicado al cuarto chakra, cogeré una pequeña rabieta por el daño que la idea de este único chakra le ha causado al pobre chakra del corazón, pero también me gustaría ahora defender al asediado tercer chakra.

Quiero dejar claro que el único chakra sano es aquel que es un miembro consciente y comunicativo de un sistema chákrico vivo y operativo. Ya hemos visto lo que puede ocurrir cuando se fuerza al primer chakra a ascender a través de los demás por pura diversión. La manipulación de la subida del kundalini produce desequilibrio, trastornos y una falta general de salud y consciencia. El desequilibrio puede estar provocado, también, por el cierre de alguno de los chakras, que es lo que hace mucha gente cuando considera que el tercer chakra, o del poder, es la raíz de todos los males. A estas personas se les enseña que la actitud empática y afectuosa del chakra del corazón es la única que se puede admitir y que si permiten que su tercer chakra desempeñe su función de protección, separación e inmunidad, perderán su experiencia afectiva.

Debo decirle que esto es totalmente falso. El tercer chakra es como es. No es bueno ni malo, verdadero ni falso. Realiza numerosas funciones, pero la que le ocasiona estos problemas es la que le permite controlar la entrada de energía. Si el tercer chakra percibe un conflicto con otra persona (y usted aún no se ha percatado de su energía), le puede permitir que envíe una ráfaga de energía al tercer chakra de dicha persona para controlarlo, de manera que sea usted quien domine en la subsiguiente confrontación. En ocasiones, bastará esta ráfaga para detener a los atacantes y hará que comience a confiar en el poder que tiene el tercer chakra para ayudarle a salirse con la suya.

Éste es el único delito que puede cometer con su tercer chakra, un mal hábito que puede desaprenderse. Lo que resulta totalmente estúpido es cerrar por completo todo el chakra por el simple hecho de que puede arrojar energía hacia otros en un momento dado. Además, *todos* los chakras son capaces de lanzar energía, ¡incluso el apreciado cuarto chakra! Sin la protección de la vigilancia del tercero, tanto el cuarto como el segundo están predispuestos a caer en el hábito perjudicial de absorber energía de todo tipo, con lo que podrían desencadenarse todos los problemas habidos y por haber. En medio de este caos y desorden, el chakra del amor se encontraría tan impotente y confuso como usted mismo.

Sin los aspectos comunicativos del tercer chakra, la escisión entre el cuerpo, la mente y el espíritu está asegurada, y todos sabemos lo poco eficientes que son las personas que sufren esta falta de conexión. La premisa principal es la siguiente: no haga caso a todas esas tonterías acerca de «la maldad» del tercer chakra y ciérrelo sólo para adaptarlo a las circunstancias. El poder que posee para proteger su propio sistema energético es absolutamente esencial para llevar una vida plena, independientemente de las teorías que divulgue la corriente de la Nueva Era.

De hecho, un tercer chakra sano resulta vital para el buen funcionamiento del afectuoso cuarto chakra. Si se deteriora el tercero, protector y comunicativo, el chakra del corazón podría crecer más de lo normal y perder también su buena salud. Todo el amor que contiene se vaciaría hasta que su propietario no tuviese más para dar a los demás. Este desafortunado incidente se puede constatar en sanadores que se centran en la energía del corazón y sucumben cuando se colapsan y su energía se disipa. Su curación se producirá cuando vuelvan a poner en activo su tercer chakra y comiencen a vivir de nuevo con plenitud.

Si mantenemos nuestro tercer chakra sano, abierto y lo incluimos en todas las facetas de nuestra vida, podemos evitar ese penoso proceso. La explosión energética de dicho chakra cesará cuando se le integre conscientemente en el sistema chákrico. Cuando el clarividente sexto chakra trabaje y supervise las energías que lo rodean, alertará al tercero sobre cualquier peligro que se avecine. Entonces, si el sistema funciona bien, éste reforzará (o le pedirá a usted que lo haga) su aura, su enraizamiento y su Centinela de forma que sea menos probable que se produzca algún daño, y de este modo, la explosión de energía se volverá innecesaria.

En el mundo físico *existen* peligros. Nuestros cuerpos, con relación a los de otros mamíferos, están sorprendentemente desprotegidos. Carecemos de zarpas, púas, glándulas que segreguen almizcle o dientes afilados. Ni siquiera tenemos una cubierta protectora. Nuestros cuerpos tienen que desenvolverse, cada día, en un peligroso estado de indefensión y exposición. Si aceptamos el modelo de pensamiento de la Nueva Era y consideramos que toda la energía y todos los encuentros humanos son seguros, cerraremos nuestro tercer chakra, y entonces ya no tenderemos ningún tipo de protección... ninguno.

Sin protección alguna nos volveremos menos, no más, útiles en el mundo. Nuestro tercer chakra no sólo nos protege, sino que además nos define a nosotros mismos y el lugar que ocupamos en el mundo de la curación. Sin el apoyo protector de este chakra seremos menos de lo que somos. Seremos menos capaces de funcionar y contribuir. Nos llenaremos indiscriminadamente de energía, mensajes y principios extraños.

En el sistema inmunitario físico, la identificación de cuerpos y nutrientes extraños no comporta un proceso de alarma y defensa. Para identificar los agentes extraños, el sistema inmune debe saber cómo son sus células, tarea que lleva a cabo en cada momento por todo el cuerpo, diciendo: «ésta es mía, ésa es mía, ésa es mía, ésta es mía...». Sólo puede identificar una sustancia extraña o intrusa (¡ésta NO es mía!) si conoce sus propios tejidos. De esta forma, la autodefensa procede del autoconocimiento. Sin dicho conocimiento se producirá, con toda certeza, una enfermedad en el sistema.

Éste mismo principio es el que rige el sistema inmunitario psíquico o espiritual. En una persona sana y conocedora de sí misma, la energía del tercer chakra se desplaza por el aura y el sistema chákrico constantemente, tocando y dirigiendo las energías que fluyen por él: «Este sentimiento es mío, esa energía es mía, este mensaje es mío...», hasta que aparece una sustancia extraña. Cuando esto ocurre, alerta al sexto chakra, que estudia y clasifica la energía o avisa al segundo, que realiza una confrontación energética con ella para determinar su contenido emocional. Entonces, el tercer chakra alerta a su propietario mediante un dolor de estómago o determinadas oscilaciones en el contorno del aura. Por fortuna, el propietario responderá. Si no es así, el tercer chakra hará un ovillo con la energía extraña y esperará hasta la próxima sesión de curación para deshacerse de él a través de un cordón de energía.

En un sistema chákrico en mal estado, especialmente si se ha producido una separación entre el cuerpo y el espíritu, o se manifiesta una actitud de aceptación indiscriminada de todo, el tercer chakra estará tan asolado y saturado que, a menudo, castigará a la gente para recuperar algo de su control. En muchos casos, los dolores de estómago a los que hemos hecho referencia se tornarán en trastornos digestivos mayores, úlceras, hernias de hiato o cúmulos de grasa en el plexo solar. En estas condiciones, encontraremos personas con un conocimiento de sí mismas muy poco operativo. Su tercer chakra, totalmente degradado y dañado, no tendrá en absoluto tiempo para identificar lo que le pertenece. Éste se pasará todo el tiempo sofocando fuegos, intentando sin éxito establecer conexión con el chakra que está por encima de él o preguntándose cuándo tendrá lugar la próxima subida del kundalini. Puede que comience también a atacar a la energía de su propietario, que manifestaría un trastorno en el sistema inmunitario espiritual.

Las personas que posean un tercer chakra en estas condiciones necesitarán mucho tiempo para tomar decisiones o recordar cosas. Pueden carecer de armonía y seguridad, pueden haberse desviado tremendamente de su camino y experimentar con desesperanza que su filosofía de aceptarlo todo no funciona. Con el tiempo, se sentirán enfermos física y espiritualmente, como cualquier persona a la que no le funcione el sistema inmunitario.

La energía curativa para estas personas aparece, generalmente, en forma de ataques de cólera. La cólera, como ya sabe, contiene energía para establecer fronteras que ayudarán a reconstruir un aura protectora que preserva, también, al tercer chakra. La cólera denuncia a viva voz la existencia de numerosas necesidades personales insatisfechas. Cuando ésta se canaliza y se les deja paso también a los sentimientos subyacentes de desesperanza, depresión y miedo, el tercer chakra suele restablecerse y volver a su lugar en la alineación natural.

Cuando su tercer chakra vuelva a su puesto de trabajo, le pedirá que proteja su chakra del corazón y que preste atención y se haga responsable de sus verdaderos sentimientos humanos («éste es mío»). Con esa ayuda, podrá enraizarse y centrarse en su propia vida. Aprenderá a integrar la energía de su chakra con la de los demás. Cuando éstas estén listas para que las use y su tercer chakra realice con normalidad su función de protección y vigilancia, ya no volverá a tener que confiar en la muleta de aceptar todo lo que hay fuera de usted *en vez de* aprender a aceptar todo lo de dentro.

Salir fuera de usted mismo para encontrar la paz interior supone retroceder y desviarse. No se desvíe. Mantenga activo su tercer chakra y éste le enseñará a aceptar a la persona más importante de su mundo: usted. Las personas que se aceptan a sí mismas aceptan a los demás, dentro de lo razonable. Las personas que lo abarcan todo y aceptan sólo a los demás no son racionales, y pronto llegarán a no aceptarse a sí mismas o a sus reacciones. Éstas personas se convierten en curadores fuera de control que, en breve, se vuelven incapaces de ayudar y curar a nadie. Sin embargo, las que se aceptan a sí mismas mantienen su salud espiritual y son capaces de ayudar a los demás con facilidad cuando lo consideran necesario.

CUANDO EL TERCER CHAKRA ESTÁ ABIERTO O CERRADO

Un tercer chakra excesivamente abierto debe ser reducido a su tamaño natural de manera inmediata. Si los chakras contiguos están cerrados o presentan un color extraño, o si la apertura del tercero viene acompañada de dolor de estómago, de hígado o de la zona media de la espalda, se evidencia un trastorno general del sistema chákrico o un peligro en nuestro entorno cotidiano. Es muy importante cerrar este chakra y protegerlo mediante Centinelas devoradores de energía negativa, así como proceder a la curación del resto del sistema tan pronto como sea posible.

Dado que el tercer chakra es el centro de la inmunidad y de la facultad de mantener una separación de seguridad en el ámbito energético, se puede ver afectado por ataques o trastornos en cualquiera de los demás chakras. En estas circunstancias requiere atención inmediata, de forma que el resto de los chakras y el aura puedan continuar funcionando con normalidad. Los capítulos que dedicaremos más adelante a la curación de los chakras le orientarán en su meditación.

Un tercer chakra muy abierto, dentro de un sistema sano y alineado indica que el espíritu y el cuerpo se están comunicando. Este chakra está reuniendo energía e información con el propósito de avanzar en los aspectos conscientes del pensamiento y la salud. Se puede reconocer un tercer chakra abierto que esté sano por el aspecto saludable y el color de *todos* los demás, no sólo los adyacentes, y por la sensación de seguridad y paz que percibe en su entorno exterior y en su tracto digestivo. Un ambiente interior o exterior caótico indica que esta apertura no supone un avance saludable en la consciencia, sino un uso perjudicial de este tercer chakra.

Las corrientes que se inclinan a favor del chakra del corazón en detrimento del tercero sugieren que debemos estar abiertos a cualquier energía porque todos formamos parte de una unidad. Esta teoría puede conducir a una expansión inconsciente y perjudicial del tercer chakra en la que su contorno puede llegar a alcanzar el del torso. Dichas enseñanzas nos exhortan a no ser críticos, a no discernir y a aceptar todo tipo de energías, experiencias, personas y circunstancias. Estas teorías requieren que el tercer chakra no esté en buenas condiciones. Indudablemente, tendremos que examinar esta idea de la «unidad» a la luz de cada uno de los aspectos de la cuaternidad.

En espíritu, todos somos, en efecto, uno. No tenemos que realizar ningún esfuerzo para alcanzar un estado de unidad en espíritu. En el plano espiritual, todos somos hijos de Dios y provenimos del mismo lugar, aunque siempre tengamos una misión espiritual individual. La unidad espiritual no necesita un tercer chakra en buen estado; por lo tanto, no tendrá efectos secundarios perjudiciales.

En el reino intelectual, podemos trabajar para *llegar a ser* uno. Podemos cambiar nuestros pensamientos o expandir nuestro intelecto para albergar todas las formas de pensamiento. En el plano intelectual, podemos aprender partiendo del mismo lugar, aunque nuestros procesos mentales siempre sean individuales. La unidad intelectual no requiere tampoco un tercer chakra sano. Ésta no producirá más efecto negativo que un poco de confusión cuando las creencias que hemos albergado durante mucho tiempo se tornen insoportables.

En el plano emocional, resulta bastante fácil formar una unidad con los demás. Nuestro segundo chakra se puede abrir para permitir que el estado emocional de otra persona penetre en nuestro cuerpo, lo cual no es una situación perfecta porque se basa en el negativo hábito psíquico de absorber energía, pero se puede hacer. Existe un método mejor para trabajar con los sentimientos de los demás, que consiste en respetarlos y valorarlos manteniendo una separación desde nuestra propia e individual realidad emocional. Dicha separación (que es justo lo contrario de la absorción de energía) viene promovida y mantenida por nuestro tercer chakra.

La unidad emocional, a diferencia de la espiritual o la intelectual, requiere que se produzca absorción de energía. Requiere que se eliminen las fronteras personales, que se acepte la energía extraña y que se carezca de protección psíquica. Esta unidad emocional *requiere* que el tercer chakra no funcione de manera adecuada. El daño que esto produce puede llegar a ser bastante complicado. No sólo surgirán todos los problemas relacionados con el segundo chakra, sino que se producirá también un daño físico debido al estado de desequilibrio que se precisa previamente en el tercero.

Estas personas «emocionalmente unidas» presentarán una escasa inmunidad frente a los sentimientos de los que las rodean y frente a las infecciones oportunistas del cuerpo. Sufrirán resfriados frecuentes, gripes, alergias, sensibilidad ante ciertos alimentos o medicamentos, problemas estomacales y digestivos y encontrarán dificultades para separar sus pensamientos y reacciones de los de las personas con las que conviven. Puede ser que sufran también trastornos crónicos en la piel. Cuando se intenta llegar a la unidad emocional (absorbiendo energía) fuera de la esfera familiar y la energía extraña es recibida e introducida en el cuerpo, el tercer chakra resulta dañado por este proceso.

La unidad física es un imposible. No hay manera de formar una unidad con alguien en el plano físico y mantenerse en ella. La sexualidad puede unir a los amantes por un instante, pero no más. Un contacto más prolongado resulta inapropiado y ridículo. Los cuerpos *no pueden* formar una unidad con otros cuerpos.

La única persona con la que podemos llegar a formar una unidad es con nosotros mismos. El único espíritu con el que podemos formar una unidad es Dios. Vuelva al verdadero trabajo de aunarse consigo mismo y con su concepto de Dios. Cuando se conozca a sí mismo, conocerá a la gente. Pero si intenta conocer a los demás *en vez de* a usted mismo, estará retrocediendo. Al igual que si se afana en recoger todo tipo de experiencias e información para conocer a Dios. Cuando conozca a Dios sabrá todo lo que necesita saber. Si le presta la suficiente atención a su tercer chakra, si éste tiene el tamaño correcto y funciona con normalidad, le recordará esto una y otra vez. Y al recordarle sus objetivos personales, sus pensamientos, tareas, reacciones, sentimientos, preocupaciones por la salud y realidades, este chakra hará posible que se produzca una unidad verdadera y útil. Le protegerá de una unidad innecesaria e inapropiada.

Si su tercer chakra se encuentra muy abierto dentro de un sistema sano y equilibrado y usted no experimenta *ninguno* de los síntomas de unidad emocional descritos anteriormente, felicite a su sistema chákrico por su salud y su estado de consciencia. En nuestros días es muy difícil que un tercer chakra esté tan abierto por estar lo suficientemente sano como para trasladarse a un nivel de consciencia superior. Nuestra sociedad, así como numerosas doctrinas religiosas y espirituales, degrada los aspectos protectores del tercer chakra hasta tal punto que ¡me sorprende cuando funciona en las primeras interpretaciones!

Proteja y honre su sistema chákrico si su estado es tan saludable, colocando regalos simbólicos delante de cada uno de los chakras. Sitúe, al menos, tres rosas Centinela firmemente enraizadas en la zona anterior y posterior de su tercer chakra, que en estos momentos está tan expandido para protegerle frente a algún tipo de energía errante.

Controle con cuidado este chakra. Utilice las manos para restaurar su tamaño habitual, de un diámetro aproximado de entre seis y diez centímetros, al final de la semana, aunque él prefiera permanecer abierto durante más tiempo. Si su entorno es lo suficientemente seguro y saludable, deje que permanezca abierto. Pero si no es así, ciérrelo y trasládese a un entorno más benigno antes de permitir que se vuelva a abrir. En ese lugar seguro, tanto este chakra como los demás podrán funcionar mucho mejor.

Un tercer chakra constantemente cerrado puede indicar que usted no se muestra decidido a reflexionar o cuestionarse la vida que lleva o que no es capaz de protegerse frente al peligro. Un tercer chakra activo le pide que reflexione sobre la seguridad, la alimentación correcta, los modelos de pensamiento apropiados, los ambientes cálidos y curativos y la paz. Todos éstos son tópicos maravillosos a menos que su modo de vida actual le empuje a alejarse de ellos. Para abrir su tercer chakra tendrá que plantearse cuestiones complicadas: ¿es su vida segura?, ¿se siente cuidado y apoyado? Si no es así, ¿por qué? Al abrir este chakra encontrará las respuestas.

Su recién abierto centro energético reaccionará ante los peligros que se presenten en su entorno. Si ha permanecido durante mucho tiempo cerrado y el ambiente en el que vive es totalmente inseguro, puede dar lugar a trastornos como dolores estomacales, temores, rabia, pensamientos de huida, etc. Ayude a su chakra saliendo de ese entorno perjudicial. Culpe todo lo que quiera a los demás, pero salga de él. Utilice todas sus facultades, pida ayuda, pero *salga*. Su salud requiere que viva en libertad y su tercer chakra le ayudará a protegerse hasta que llegue a alcanzarla.

Cuando volví a abrir mi chakra tras quince años de clausura, tuve que realizar un gran esfuerzo para recuperar la vida que llevaba antes de verme desbordada. Invertí seis años completos trabajando, meditando, experimentando ciertos procesos y procurándome ayuda para recuperar la salud, pero sólo un minuto en volver a tomar el control y obtener mi libertad. Ésta llegó tan pronto como abrí mi tercer chakra y comencé a protegerme a mí misma. Mi recién recobrada libertad necesitaba el apoyo de más mujeres maltrechas, de un grupo de víctimas de abusos, del sistema sanitario y de mi regreso a las aulas después de diez años de ausencia. Puede que la suya precise menos ayudas. Aunque se sienta muy lejos de ella, sólo los separa un minuto; vuelva a abrir su tercer chakra y comprenderá lo que le digo.

Cuando un tercer chakra habitualmente sano está cerrado, mientras que los demás funcionan en perfecta armonía, puede significar que éste está reaccionando frente a una persona o modelo energético de su entorno inmediato que intenta controlarlo y éste le muestra su rechazo a la lucha. Este tipo de cierre inmediato en un chakra saludable a menudo va acompañado de una punzada de hambre o un dolor estomacal pasajero. Permanezca atento a esos momentos de clara comunicación que le proporciona su chakra y ayúdelo alejando su cuerpo de la energía perjudicial. Esto evitará que se produzca el estallido de energía y le dejará un minuto para colocar un manto de Centinelas, enviar regalos energéticos o quemar contratos. Bendiga a la persona o la energía que le ha mostrado dónde debe reforzar sus defensas. Agradézcales el servicio que le han prestado.

Como ocurre con cualquier otro, *un tercer chakra cerrado temporalmente* dentro de un sistema que funciona correctamente puede indicar que está realizando un poco de estudio reposado. En ocasiones, los chakras se desactivan durante un tiempo cuando su consciencia alcanza al punto de equilibrio.

Se curan a sí mismos, recargan sus baterías y se deshacen de viejos patrones mientras los otros chakras velan por ellos. Si encuentra que su tercer chakra está cerrado, aunque el resto del sistema se encuentre en buen estado, y no existe evidencia de ningún peligro en su entorno inmediato, puede que esté experimentando un descanso del tercer chakra. Reconocerá este estado, no sólo por la salud y disposición del resto de los chakras, sino también por la sensación de relajación y bienestar que experimentará en la zona media de su espalda y en su tracto digestivo aun cuando dicho chakra permanezca cerrado.

Felicite a los demás chakras por su excelente labor y dedíqueles un regalo simbólico. Coloque dos Centinelas protectores en el interior de su aura, justo en la zona frontal y trasera de su tercer chakra, y continúe con su interpretación. En el transcurso de unos días, como mucho una semana, su chakra volverá a abrirse por sí solo. Si no es así, pregúntele qué tipo de ayuda necesita que usted le proporcione. Con frecuencia, solicitará un contorno áurico más brillante y un sistema de Centinelas más fuerte o más atención por parte de sus respuestas emocionales.

Rasgos que caracterizan a un tercer chakra sano

Cuando el tercer chakra está abierto y fluye en él una energía clara y amarilla como el sol, confiere al cuerpo y al espíritu una inteligencia equilibrada. Cuando forma parte de un sistema chákrico saludable, el tercer chakra añade a las cualidades emotivas y asociativas del segundo la capacidad de pensar, discernir y procesar información.

Este chakra aporta, también, la capacidad de proteger la salud a través del trabajo, el estudio, la meditación y la aplicación, que se une a la curación y mantenimiento del cuerpo puramente físicos que desarrolla el primer chakra. Los sanadores cuyo tercer chakra funciona satisfactoriamente disponen de una enciclopedia virtual de información para sí mismos y para sus clientes, porque la verdadera curación del tercer chakra está avalada por el conocimiento y la fe.

Un tercer chakra comunicativo se nutre a sí mismo de un sentimiento general de bienestar acerca del conocimiento espiritual y las habilidades intuitivas. Cuando envía y recibe información libremente, el cuerpo comprende al espíritu y el espíritu al cuerpo. El conocimiento clarividente, lejos de ser confuso, inconexo y desequilibrado, es real, válido y útil. La información física es escuchada, valorada y traducida, sin ningún tipo de obstrucción mental, para que la comprenda el espíritu. El conocimiento de uno mismo es una realidad simple y cotidiana para las personas cuyo tercer chakra funciona en armonía.

Estas personas han alcanzado el equilibrio entre el intelecto, el entendimiento espiritual y el conocimiento corporal. Estos tres aspectos no luchan entre sí por el dominio; por el contrario, se comunican y procuran apoyo mutuo. Si añadimos un segundo chakra saludable, que gobierna las emociones, obtendremos una cuaternidad armoniosa, los cuatro lados de un cuadrado perfecto.

El Cuarto Chakra (o del Corazón)

El cuarto chakra es un centro de energía receptivo, de color verde esmeralda, que reside en el centro del pecho. Se le llama chakra del corazón, pero en realidad, se sitúa detrás del esternón y está asociado al timo.

Se ha escrito y hablado tanto sobre este centro energético, afamado, deificado, usado en exceso y malinterpretado, que es difícil no resultar aplastado por el peso de tantas suposiciones o apresado en el templo de los rituales y supersticiones

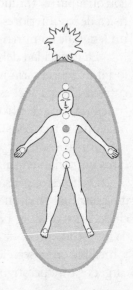

que ha suscitado entre *viejas almas* y *seres superiores*. ¡Puaj! Mejor partamos de cero, ¿verdad?

El chakra del corazón es un centro receptivo de energía verde esmeralda que posee la facultad de amar y sentir compasión, tanto por nosotros mismos como por el mundo exterior. Este chakra está (o debe estar) en conexión con los chakras de las manos. Si esta conexión no es la correcta, puede resultar dañada la capacidad de dar, amar, establecer contactos y recibir. En cualquier estudio o interpretación que se realice, se deben incluir los chakras de las manos. Puede obtener más información sobre éstos y su vinculación con el chakra del corazón en el capítulo dedicado específicamente a ellos (página 241).

El del corazón es el chakra central (o de transición) de los siete que componen el sistema. Actúa de puente entre los tres chakras corporales que hay por debajo de él y los tres espirituales que están por encima. En un sistema correcto, este chakra recibe la información puramente espiritual que procede de los chakras superiores (que reúne y envía el quinto, o de la garganta) y la traduce al lenguaje de los chakras inferiores. Por otra parte, traduce, también, la información meramente física de los inferiores (que recopila y envía el tercer chakra) a un lenguaje comprensible para los tres chakras superiores.

La capacidad del cuarto chakra de establecer este vínculo vital es necesaria para la curación de una posible escisión entre el cuerpo y el espíritu. Cuando este chakra está activo, funciona como centro de recopilación y distribución de información. Actúa constantemente de mediador, facilitando la comunicación entre el cuerpo y el espíritu. Sin su ayuda, éstos entrarían en una continua confrontación.

Dicho esto, pensará que las personas iniciadas en el estudio espiritual tendrán un chakra del corazón más sano que los ciudadanos de a pie, pero ¡recapacite! Por desgracia, la mayoría de los estudiantes que acuden a clases de crecimiento espiritual y meditación poseen los cuartos chakras más dañados, sobrecargados e inoperativos que podríamos imaginar. En la mayor parte de las corrientes de estudio espiritual, se pone tanto énfasis en la capacidad de amar a los demás del corazón, que todas las demás funciones intrínsecamente útiles que éste desempeña se anulan o ignoran.

El amar y perdonar a los demás está considerado como el mejor comportamiento espiritual posible. Se cree que la principal función del corazón consiste en la capacidad de dar desinteresada y compasivamente. Éstas son, ciertamente, las características principales de la energía del cuarto chakra, pero son también las de los sanadores apresurados y disociados que excluyen las aportaciones de los seis restantes.

En efecto, el amor hacia los demás es vital, irreemplazable, pero no se debe utilizar como excusa para abandonarse a sí mismo nada más comenzar la travesía espiritual. El verdadero amor por los demás llega *sólo* después de aprender a amarnos a nosotros mismos en todas nuestras facetas: la horrible, la majestuosa, la infantil, la exquisita, la estúpida o la sabelotodo. Pero este amor por nosotros mismos no podrá florecer si dirigimos toda la energía de nuestro corazón hacia el exterior; de ese modo no quedará ninguna para que la empleemos en nosotros mismos ni en la comunicación vital entre el espíritu y el cuerpo. Si no dirigimos hacia nuestro interior el amor y la compasión, aunque les dediquemos a los demás todo el amor del mundo, no servirá de nada. Es así de simple: la energía del chakra del corazón debe ser proyectada hacia el cuerpo antes de que pueda aplicarse de verdad a los demás.

El énfasis excesivo sobre este chakra puede ocasionar muchos inconvenientes: destruye el equilibrio y la alineación del sistema chákrico en conjunto, porque la efusión constante de energía del corazón disminuye la oportunidad de que se produzca la comunicación entre los chakras espirituales y los corporales. Esta importancia excesiva interfiere, también, en la inmunidad psíquica y espiritual, porque el tercer chakra invierte demasiado tiempo en proteger al exhausto corazón, restándolo del que dedica a proteger los cuerpos físico y energético.

La efusión del chakra del corazón favorece la incapacidad para pedir ayuda y curación, porque el comunicativo quinto chakra que está sobre él se encontrará tan desbordado como el tercero, que está por debajo. El quinto chakra será incapaz de expresar las necesidades del individuo. Las personas que se centran en el chakra del corazón se encuentran, continuamente, realizando curaciones en ambientes peligrosos, incapaces, por completo, de pedir ayuda. A menudo se queman, con lo que ya no pueden volver a prestar ayuda nunca más, ni siquiera a sí mismos.

Si se concede una relevancia excesiva a sus atributos, el mismo cuarto chakra puede resultar dañado. En la mayoría de los casos de uso desmesurado, este chakra experimenta una hiperextensión de su forma circular, transformándose en un óvalo horizontal y llegando casi a alcanzar los hombros en sanadores desprotegidos, médiums o terapeutas.

El signo clave que nos indica la existencia de problemas en el cuarto chakra es la aparición de un conflicto o una escisión entre el espíritu y el cuerpo. Dado que el chakra del corazón se encuentra en el éter, entre el cuerpo y el espíritu, si vivimos a partir de este chakra provocaremos dicha escisión. Los sanadores que se centran en demasía en el corazón vacilan, a menudo, entre las necesidades y desafíos puramente físicos y las acciones y creencias puramente espirituales. Ninguno de los extremos es bueno, ni existe flujo o equilibrio entre ellos.

El propietario de un cuarto chakra utilizado en exceso se debate entre amar y comprender a todos los seres y atiborrarse de chocolate en una rabieta a cuenta del dinero. O piensan que pueden satisfacer sus propias necesidades y no hacer caso a las de los demás, o que deben ser totalmente desinteresados y brindar cada parte de ellos a los demás. Será sólo o blanco o negro, sin término medio. Las personas que intentan vivir sólo desde el cuarto chakra ven la vida como una proposición disyuntiva. O viven en el mundo del cuerpo y tratan con su ego, sexo y dinero, o viven en el mundo del espíritu, en el que no necesitan nada y son totalmente desinteresados. Estas personas divididas oscilan entre un extremo o el otro, sin llegar nunca a un equilibrio entre ambos polos.

Yo utilizo la analogía del péndulo para describirlas: un péndulo que oscilase todo el tiempo hacia uno de los extremos de su arco, necesitaría una tremenda cantidad de energía para mantenerse en él. Podría haber algo que lo sujetase y lo mantuviese en esa posición, pero sería totalmente antinatural. Los péndulos sólo se balancean libremente si alguien les aporta energía. En su estado natural, describen suaves arcos circulares en torno a la vertical de su radio. Los péndulos reales viven *sólo* en la zona intermedia entre el blanco y el negro.

El antídoto contra las oscilaciones extremas e antinaturales es, por supuesto, el equilibrio. Éste es posible incluso en los casos más severos de daño en el chakra del corazón. Al equilibrar el sistema chákrico, puede aprender a amar y curar de manera apropiada, al igual que puede aprender a actuar de forma emotiva, a pensar, protegerse, sobrevivir, comunicarse, conocer, dar y recibir. Utilice la analogía del péndulo para recordarse a sí mismo que la vida en este planeta no es una continua proposición disyuntiva. Somos espíritus en cuerpos y cuerpos de espíritus. Ninguno de los extremos es mejor o peor, superior o inferior, más rico o más pobre que el otro.

Si percibe una separación entre las necesidades del cuerpo y las del espíritu, es evidente que su chakra del corazón no es libre para realizar su labor de meditación y traducción dentro del sistema. Queme los contratos energéticos que haya establecido con las oscilaciones del péndulo y utilice la energía resultante para curar su corazón.

Cuando el cuarto chakra está abierto o cerrado

En cualquier tipo de dificultad que aparezca en el chakra del corazón estarán implicados también los chakras de las manos. A medida que remedie dichos problemas, preste atención a la conexión entre el corazón y las manos. Curar dicho vínculo ayudará a reforzar cualquier trabajo que realice con el chakra del corazón. Si éste necesita atención, consulte el capítulo dedicado a los chakras de las manos.

Ya hemos mencionado las ventajas e inconvenientes de un chakra del corazón muy abierto o deforme. *Si su cuarto chakra está muy abierto* (con un diámetro mayor que diez centímetros aproximadamente) y el resto de los chakras están deteriorados, cúrelos y devuélvalos a su alineación natural tan pronto como le sea posible. Asegúrese de que tanto el cuarto como los demás chakras mantienen una apertura de unos seis a diez centímetros como máximo.

Como ocurre con cualquier otro, un cuarto chakra momentáneamente abierto es un buen signo dentro de un sistema sano y equilibrado. Los chakras del corazón se abrirán por sí mismos cuando necesiten superar conflictos relacionados con el amor, la autoestima y la comunicación competente entre el espíritu y el cuerpo. Si sus chakras, en especial el tercero y el quinto, están en armonía, y la zona superior de su espalda y la de sus pulmones no sufren ninguna molestia, deje que su cuarto chakra permanezca abierto. Cúbralo, por delante y por detrás, con algunos símbolos protectores de forma que pueda disfrutar de alguna intimidad. Revise su chakra del corazón dos veces al día y haga que vuelva a su forma natural si se mantiene abierto durante más de una semana.

Si el chakra del corazón está deformado, la historia es diferente. Independientemente de lo bien que parezca estar funcionando el resto del sistema, un cuarto chakra deformado no es un buen asunto. Esta variación de la forma puede indicar una tendencia hacia una curación totalmente descontrolada del cuarto chakra o un intento de reemplazar el amor hacia uno mismo por el amor y la aprobación de los demás. Restablezca el contorno del chakra tan pronto como advierta su deformidad. Utilice las manos para devolverle la forma circular a su energía y consulte la sección dedicada a los chakras de las manos si necesita más información.

Si el chakra del corazón está extremadamente cerrado es signo de fatiga, abuso o desconfianza. Aunque parezca ser un mecanismo protector, el cierre del corazón es, de hecho, perjudicial para uno mismo y para los demás. Un corazón que se cierre a causa de la angustia es un corazón que admite que no es digno de amor. Este corazón no está educado para amar o confiar en los conflictos de los encuentros humanos. No cree en cuentos de hadas, no es capaz de desear la felicidad ni de pedir amor, como tampoco puede darlo. Un chakra del corazón cerrado deja de crecer cuando se niega a actuar de mediador entre los chakras espirituales y los corporales. Éste crea una tragedia mayor de la que es capaz de aliviar.

Volver a abrir este chakra es tan difícil como importante. El requisito no es sólo coraje a raudales, sino disposición para abandonar creencias muy arraigadas sobre la falta de amor. El amor está por todas partes, pero para percibirlo o sentirlo debemos, en primer lugar, creer en él. Un chakra del corazón cerrado no cree en casi ninguna cosa.

Ni la más fuerte devoción ni un batallón de relaciones perfectas significarán nada si tenemos el corazón y los ojos cerrados al amor. Si están abiertos, el amor aparecerá en los lugares más insospechados: en la caricia de un niño en el supermercado, en los ojos de un perro del vecindario, en el rapapolvo de uno de nuestros superiores en el trabajo y en las constantes intromisiones de un miembro de nuestra familia. El amor es un lenguaje que requiere una consciencia especial sin la cual, nos sonaría como un galimatías sin sentido.

Cuando estoy tentada de cerrar mi corazón, me repito a mí misma el siguiente dicho: «el amor permanece, sólo cambian las personas». Si me siento y medito, llego a la conclusión de que siempre tenemos a nuestro alcance algún tipo de amor, pero mi problema está en desear sólo un romance o una ilusión imperecedera. Me convenzo a mí misma de que, cuando el amor del que dispongo no me interesa, no existe el amor. En esos momentos de testarudez sentimental me doy cuenta de que intento escuchar el amor en mi propio lenguaje en vez de escuchar el lenguaje del amor.

El amor siempre se surte, libremente, de personas cuyos cuartos chakras están abiertos. Todo lo que precisa es que se utilice con uno mismo o con lo demás, y que no se acapare o esconda. El amor necesita que el cuarto chakra permanezca abierto para dar y recibir. Usted puede tener numerosos problemas de amor, curación, comunicación entre el espíritu y el cuerpo resonando en su interior, pero debe mantener su cuarto chakra abierto y en buen estado si desea avanzar. Éste no necesita que usted ame, cure, confíe o comparta nada. Sin embargo, debe estar abierto si se propone llevar una vida plena. Siga adelante y sea tan poco cariñoso y amable como quiera, pero haga que su cuarto chakra esté abierto y en condiciones, ¿de acuerdo?

Si su sistema chákrico está en buen estado pero su corazón está cerrado en estos momentos puede que se haya retirado para repararse o meditar. Los chakras del corazón son muy propenso a sufrir daños y, en ocasiones, necesitan escabullirse y tomarse unas vacaciones privadas. Si usted es capaz de permanecer en su cuerpo y la zona superior de su espalda está flexible y libre, el cierre de su cuarto chakra no supondrá ningún problema. Felicite a su sistema chákrico por permanecer lo suficientemente consciente para procurar su propia curación y ofrezca a cada uno de los demás chakras un regalo simbólico. Proteja las zonas anterior y posterior de su cuarto chakra con, al menos, cuatro Centinelas especialmente concebidos para ello. Éstos ayudarán a su chakra a mantener la intimidad hasta que esté preparado para abrirse de nuevo, lo cual debe ocurrir en no más de una semana.

Si, pasada una semana, su chakra del corazón sigue cerrado, puede que necesite que refuerce el contorno de su aura y su sistema de Centinelas antes de acceder a abrirse otra vez. Por otra parte, podría necesitar, también, que cure a los chakras contiguos para facilitar su meditación. Pregúntele a su corazón qué necesita y éste le responderá.

RASGOS QUE CARACTERIZAN
A UN CUARTO CHAKRA SALUDABLE

Es maravilloso contemplar un chakra del corazón en buen estado dentro de un sistema armonioso. El corazón canaliza el amor y la aceptación dentro del cuerpo y hacia el mundo exterior, y la energía de color verde esmeralda de su interior se mueve con gracia y fluidez. El cuarto chakra sano está dispuesto para recibir energía e información del cuerpo y del protector tercer chakra e invertirla en amor y empatía antes de enviarla hacia los chakras superiores. Este chakra presta también atención y acepta la energía e información del espíritu y del comunicativo quinto chakra y le añade compasión y sentimiento antes de enviarla a los chakras corporales.

Uno de los signos que nos indican que la salud del chakra del corazón es la correcta es un agradable sentido del humor con respecto a uno mismo. El corazón sano se dedica instintivamente al cuidado del propio ser: confía en la intensa información física, emocional, intelectual y protectora de los tres chakras corporales. No obstante, este chakra ayuda a liberar a través del humor los excesos de los chakras del cuerpo.

Los tres chakras corporales conviven, durante gran parte de sus vidas, en una atmósfera de peligro y supervivencia, y por ello, no encuentran muy a menudo una oportunidad para relajarse. Un cuarto chakra eficiente es capaz de procesar toda la información procedente de dichos chakras hiperactivos bajo un punto de vista menos urgente e inexorable. El chakra del corazón tiene una visión más aguda que los chakras corporales: es capaz de reírse de las intrusiones y los achaques físicos o emocionales.

La risa del corazón no es irónica ni sarcástica. Es una risa cálida y franca que puede ayudar al cuerpo a ganar distancia y perspectiva con respecto a un trauma. El corazón puede llevar al cuerpo un poco de la imparcialidad del espíritu, pero no tanta como para anular su propia realidad. La risa del corazón reduce el estrés del cuerpo proporcionándole un descanso curativo del dolor que sufre en ese momento. La risa del corazón conlleva, también, una consciencia curativa de los tres chakras superiores, a los que les recuerda que son responsables del cuerpo y que deben estar unidos a él. Sin la ayuda para basarse en la realidad de un cuarto chakra funcional, los tres chakras espirituales irían a la deriva dejando atrás un cuerpo abandonado.

A veces, cuando se produce una crisis en el mundo físico, puede no parecer una crisis para el espíritu. A éste le parecerá que es una excelente experiencia que le conducirá a su ascensión. Sin el humor del corazón, que lo devuelve a la Tierra y le dice: «¡Hola! Vivo en el planeta en un tiempo real y tengo que comer, dormir y pagar el alquiler» el espíritu andaría sorteando obstáculos en busca de aclaraciones. Un cuarto chakra sano ofrece humor, equilibrio, autoestima, aceptación de los demás y una buena relación entre el espíritu y el cuerpo de su propietario. Lleva consigo, además, empatía por el propio ser, lo cual le permite a usted tomarse tiempo, crear o elegir entornos agradables, buscar la curación y relaciones saludables y escuchar a su propio cuerpo. Un chakra del corazón cuidado de forma apropiada favorece la existencia de una bonita relación entre el cuerpo y el espíritu, lo cual provoca un bonito compañerismo entre los sentimientos y el intelecto.

Después de curar e integrar todas las facetas del propio ser, el cuarto chakra conoce lo suficiente para curar a los demás de forma correcta, en lugar de hacerlo de manera compulsiva. Sabe como dar sin abandonarse a sí mismo.

El Quinto Chakra
(o de la Garganta)

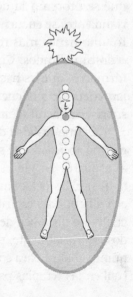

E ste chakra expresivo, de color azul zafiro, se sitúa justo por encima del hueco que hay en la base del cuello, donde procesa la comunicación entre el espíritu y el cuerpo y la transmite al mundo. Está asociado con las glándulas tiroideas y paratiroideas.

Gracias a su habilidad para transformar la información procedente del espíritu en expresión real y tangible, el quinto chakra es también el centro del cambio y del compromiso. La salud de este chakra influye, no sólo en el nivel de comunicación posible en el momento presente, sino también en la capacidad para efectuar y mantener cambios tanto en el interior como en el exterior del ser. En muchos casos, los malestares y bloqueos que se producen en la garganta o el cuello o los dolores de cabeza que se originan en éste último están relacionados con la incapacidad para expresarse uno mismo o para comprometerse con el cambio.

El quinto chakra es, además, el centro de la facultad psíquica de la *clariaudiencia*, o la facultad de escuchar voces incorpóreas y mensajes procedentes del mundo espiritual. La clariaudiencia es una habilidad psíquica muy difícil de calibrar, especialmente desde que en el mundo de la medicina occidental se la ha considerado como un claro síntoma precursor de la esquizofrenia u otros trastornos psiquiátricos. Dado que las facultades paranormales que sobrepasan la intuición no son bien acogidas en el mundo de la medicina, a muchos clariaudientes desafortunados se les ha diagnosticado erróneamente esquizofrenia y se les ha relegado al mundo de los fármacos y el internamiento. A la facultad de escuchar voces no se le concede ni siquiera la mínima credibilidad que se otorga a la de ver visiones. Con frecuencia, los clariaudientes se encuentran con que no se les apoya en absoluto y no tienen más remedio que admitir que están dementes o desequilibrados. Cuando se les somete a tratamientos con fármacos, que les hacen perder su enraizamiento y los empujan fuera de sus cuerpos y favorecen la pérdida de control sobre esta facultad, a menudo se vuelven de verdad locos.

Es una realidad desagradable, pero forma parte de la vida en una sociedad que se empeña en vivir sin prestarle atención al espíritu. La vida sin el espíritu no funciona. Desgraciadamente, las personas que más sufren son aquellas que padecen dificultades espirituales reales, pero improbables, para las cuales no disponen de respuestas. Quizás nosotros, los educados espiritualmente, podamos utilizar la capacidad de nuestro quinto chakra para comunicar la necesidad de curación espiritual en las terapias psiquiátricas. Quizás podamos cambiar el terrible legado de automatismo e internamiento de los humanos que padecen trastornos espirituales.

Mi frustración consiste en que es muy fácil curar un quinto chakra muy abierto y demasiado clariaudiente. Sólo hay que cerrarlo un poco con las manos y cubrir sus zonas anterior y posterior con Centinelas bien enraizados, a la vez que se renueva el cordón de anclaje y se reforma el aura. Quizás esta información se susurre en algunos sanatorios mentales y centros de acogida de los sin techo.

El quinto chakra puede manifestar, a veces, energía distinta y discrepancias en el color entre su mitad superior y la inferior. Esto es debido a la labor de canalización que realiza por separado para el cuarto chakra, que está por debajo, y el sexto, que está por encima. Cuando la conexión entre el cuarto chakra y el quinto es buena, la persona es capaz de expresar las necesidades del cuerpo y el corazón con claridad. En este caso, la energía de la mitad inferior del quinto chakra será de un color azul claro y circulará con fluidez. Si la conexión entre ambos chakras no es buena, y la energía de la mitad inferior del quinto es oscura, circula muy lentamente o está marchita, indica que la persona da demasiado y no es capaz de pedir ayuda o nutrirse adecuadamente o hablar desde el corazón.

Cuando la conexión entre el quinto chakra y el clarividente sexto chakra es buena, la persona podrá compartir sus intuiciones, visiones y capacidad de discernimiento. En este caso, la energía de la mitad superior del quinto chakra tendrá un color azul claro y circulará con facilidad. Si la conexión es mala y no se acepta la clarividencia dentro o fuera del ser, la mitad superior del quinto chakra será oscura, se moverá con dificultad o tendrá una forma extraña.

La habilidad para comunicar percepciones clarividentes está mas aceptada entre los hombres, que son con frecuencia libres de manifestarla tan sólo llamándola discernimiento o sentido común. La energía del sexto chakra en las mujeres se ha considerado algo menos válido, a lo que se ha dado el nombre de intuición, que viene a ser sinónimo de adivinación. A las mujeres no se les suele permitir que posean discernimiento o clarividencia, por lo que, a menudo, la zona superior de su quinto chakra así como el sexto se mostrarán completamente oscurecidos.

Con frecuencia, la capacidad de una mujer para discernir sin emoción, que es la función del sexto chakra, es invalidada y cae en desuso. Como resultado, su cuarto chakra, empático y emotivo, es usado en exceso, lo cual provoca un desequilibrio en su sistema energético en general y en su quinto chakra en particular. Dado que la empatía de su chakra del corazón no dispone del apoyo equilibrante de la capacidad de discernir, separar y ver la vida desde arriba del sexto chakra, puede que esta persona llegue a perder la objetividad. El quinto chakra de esta mujer no estará en muy buenas condiciones, atrapado entre dos centros de energía en conflicto. Los hombres que se rijan por un exceso de energía femenina experimentarán también este desequilibrio entre la intuición y el discernimiento.

Los hombres o mujeres que posean mucha energía masculina manifestarán, por lo general, el desequilibrio contrario, en el que la capacidad de discernimiento objetivo del sexto chakra se utilizará en demasía en detrimento de las cualidades emotivas, intuitivas y amables del cuarto. A los hombres les está permitido conocer las cosas a través de su clarividente sexto chakra, pero no les está permitido amar, conectar y sentir las cosas desde el chakra del corazón. Esta actitud aprobada por la sociedad provoca la aparición de numerosos hombres que manifiestan poca empatía y calor humano, y a la larga, una escisión entre el cuerpo y el espíritu a medida que la energía de su cuarto chakra se queda estancada por la falta de uso. En este desequilibrio, el quinto chakra puede mostrar signos de mal funcionamiento, exceso de trabajo y falta de imparcialidad, atrapado como está entre dos chakras incomunicados entre sí.

El equilibrio, en ambos casos, se restablecería al curar el sistema chákrico en general y al tener cuidado de no usar excesivamente (ni ignorar) las facultades de ningún chakra. Cuando los chakras se estabilicen y mejoren su comunicación entre sí, harán posibles nuevas formas de funcionamiento y las antiguas separaciones entre el cuerpo y el espíritu o el intelecto y los sentimientos se volverán innecesarias.

También advierto daños en el quinto chakra entre personas cuya educación religiosa es muy estricta, en la que se desaprueban el conocimiento espiritual individual y el descubrimiento. En estos casos, en la parte superior del quinto chakra se mantiene viva y activa, a menudo, la imagen controladora de la iglesia o de los padres. Dicha imagen pretende detener cualquier comunicación diferente a la del grupo religioso y contribuye, también, a asegurar la incapacidad de cambiar del individuo o de comprometerse con diferentes sistemas de creencias. Si sospecha que ha accedido a vivir su vida espiritual de acuerdo con un sistema rígido, queme los contratos que posea con estas imágenes controladoras.

Un quinto chakra segmentado en luz y oscuridad apunta, con frecuencia, a un desequilibrio en el sistema chákrico, especialmente cuando está presente un chakra del corazón sobrecargado. Esta carga se puede deber al cierre, o el uso excesivo, de dicho chakra. Cuando el dañado cuarto chakra no está en condiciones de canalizar la información del mundo físico hasta el quinto chakra, o de aceptar la información del mundo espiritual que procede de él, el quinto chakra tiene que trabajar dividido, si es que puede llegar a funcionar.

Si la mitad superior de éste es muy brillante, indica, por lo general, una sobrecarga en el cuarto chakra. En estas circunstancias, el quinto chakra reúne aún información procedente de los chakras sexto y séptimo, como se supone que debe hacer. Sin embargo, como no la puede descargar en el cuarto, lo único que hace es intentar mantener su zona superior

limpia y en funcionamiento lo mejor posible. En cierto sentido, es como si eliminase su parte inferior (la conexión con el
corazón), de forma que el resto de él (la conexión con los chakras sexto y séptimo) permanezca viva.

Lo que percibo en este caso es una persona muy armo-
nizada espiritualmente cuyo corazón crea un desequilibrio.
Dado que el cuarto chakra está demasiado ocupado o bloqueado para canalizar la información física hacia los chakras
espirituales, a menudo se produce una separación entre el
cuerpo y el espíritu. Dicha separación provoca una falta de
consciencia corporal. Hace que las realidades del cuerpo (sentimientos, problemas monetarios y relaciones humanas)
parezcan irreales e irrelevantes. Dichas personas están repletas de información espiritual, pero, sin un quinto chakra en
buenas condiciones, no pueden canalizarla ni usarla adecuadamente. A menudo están enfermas, sufren sobrepeso o
pesan menos de lo normal debido a la falta de enraizamiento
y seguridad de sus cuerpos.

En las personas en las que la mitad inferior de su quinto chakra es muy brillante, yo percibo energía psíquica que
sólo se queda en empatía. Por alguna razón, estas personas
son incapaces de escuchar o aceptar información espiritual.
Sienten profundamente los sufrimientos de los demás, pero
no se pueden separar del mundo que les rodea ni ver la salida a su angustia. Las personas primordialmente empáticas
carecen del apoyo orientador y certero de los chakras espirituales, o de la energía para comprometerse a cambiar y crecer. Esto puede venir causado por un mandato en sus años de
crecimiento contra la exploración espiritual o pueden haberlo provocado ellas mismas a partir del miedo hacia lo que
puede verse u oírse en el reino del espíritu.

En muchos casos, su separación entre cuerpo y espíritu
se produce cuando adoptan estilos de vida que no están en
consonancia con su verdadero camino. Si se desvinculan e
ignoran su información espiritual, permanecerán en entornos inapropiados con personas que no son adecuadas. Esta

separación los cierra a los mensajes, consejos y mandatos de sus chakras espirituales, cuyo fin es devolverlos de nuevo a su verdadero camino.

Yo percibo a menudo esta división entre el espíritu y el cuerpo y dentro del propio quinto chakra en sanadores excesivamente centrados en su corazón que viven en ambientes abusivos o agobiantes. Si canalizasen el conocimiento espiritual de su sexto chakra, éste sabría exactamente lo que les ocurre y les pediría contundentemente que saliesen de él. Su sexto chakra puede también traerles problemas si se canaliza a sí mismo hacia el quinto chakra, que le leerá la cartilla a los que cometen los abusos.

Podríamos continuar hasta el infinito hablando sobre las causas de trastorno en los chakras sin llegar a curarlos ni hacer progresos en la vida. Si una de las mitades de su quinto chakra está brillante es una buena noticia; significa que está vivo y empleando al máximo sus habilidades en esos momentos. No se obsesione por la mitad oscura de dicho chakra. Limítese a mantener todo el sistema en buen estado y a limpiar la conexión entre la mitad oscura de su quinto chakra y los chakras contiguos. Si éste ha dispuesto de energía suficiente para mantener la mitad de sí mismo en funcionamiento sin su ayuda, no encontrará problema alguno para restablecer su integridad cuando actúen juntos. No obstante, tenga en cuenta que organizarse con un quinto chakra saludable puede llegar a intimidar. El quinto chakra está relacionado con el cambio y el compromiso, que son dos energías que asustan a muchas personas, porque ambas requieren confianza en uno mismo y en el universo.

Los cambios y los compromisos que se realizan desde la perspectiva del quinto chakra son aventuras serias, valerosas y que contribuyen al afianzamiento de la vida. Si sueña con una finalidad en esta vida muy diferente a su ocupación actual, será su quinto chakra el que le empuje fuera del barro o la confusión. Le ayudará a apuntarse a esas clases o a abandonar su actual trabajo para progresar. Si echa una breve ojeada a su alrededor, comprobará que muy pocas personas en esta sociedad tienen quintos chakras tan eficientes.

Existe poco apoyo real para el tipo de decisiones para reafirmarse por las que aboga el quinto chakra. Todo tipo de libros y anuncios de televisión nos exhortan a ser bravos y valientes, pero muy pocos amigos y socios de la empresa nos apoyarían para que dejemos la enfermería para ser fotógrafos de paisajes o para que invirtamos todos nuestros bienes en una empresa para proporcionarles libros a los niños del Kalahari. Parece que somos capaces de secundar a héroes de la ficción o lejanos, pero nos mostramos menos dispuestos a apoyar el cambio o el compromiso con nuestros verdaderos ideales o los de los que nos rodean.

Para ayudar a su quinto chakra le sugiero que busque y ofrézcale su amistad a personas valientes, activas e inconformistas. Puede encontrarlas en grupos de hombres o de mujeres, en programas especiales de la iglesia, en actividades artísticas municipales o pasatiempos relacionados con la naturaleza. También encontrará personas inadecuadas, egoístas y fanáticas sanadoras en esos mismos lugares. De vez en cuando, sin embargo, encontrará una joya de persona en la que el coraje y el amor será más fuertes que las excusas. Con personas como éstas puede compartir sus verdaderos sentimientos y sueños. Con personas como éstas, su quinto chakra comenzará a florecer.

No se sorprenda si estas personas le piden que justifique cualquier falsedad que descubran. Las personas con quintos chakras fuertes apenas tienen paciencia para los gimoteos y las mentiras. No podrán ayudarle a permanecer en ambientes abusivos y perjudiciales, independientemente de lo convincentes que puedan resultar sus argumentos.

Dado que el quinto chakra es todo comunicación, su curación requerirá que usted hable de su verdad. En general, sólo las personas cuyo quinto chakra está en buen estado serán capaces de escuchar su verdad sincera, por eso es tan importante que las encuentre cuando se comprometa a cambiar. Sin el apoyo humano de otras personas cuyo quinto chakra sea también saludable, esta faceta de su viaje espiritual puede ser un completo fiasco, especialmente si su vida está llena de personas impotentes, que siempre ponen excusas y que intentan ejercer control emocional.

Para los temerosos y los reacios al cambio, la energía del quinto chakra es desapacible. Les recuerda que, tan sólo comprometiéndose consigo mismos, pueden cambiar y salir de su rutina. Dicho compromiso significa terminar con las culpas y las excusas y aceptar la responsabilidad total de nuestro destino, lo cual es espeluznante. El hecho de ser una víctima de los demás y del azar es algo que nos otorga autoridad y elimina toda la responsabilidad personal por nuestra parte. Dentro del mundo de las víctimas, las personas no tienen responsabilidad alguna. La mala gente y la energía negativa los controlan, y no hay otra salida que rendirse a ello. Resulta, de hecho, cómodo ver el mundo de esta forma, porque implica que no es necesario ejercer ninguna acción. La vida es simplemente mala, nadie sale con vida y, si no es por una cosa, es por otra.

El quinto chakra no tiene este parecer. Él percibe personas o ambientes abusivos por lo que son, y o intenta cambiarlos o los deja atrás. No desperdicia ni un minuto de su precioso tiempo en los lugares en los que es imposible el crecimiento. Considera que los desafíos son oportunidades y no sentencias de muerte. Habla con franqueza cuando hay mentiras presentes (lo cual puede hacer que en las reuniones sociales se vuelvan bastante incómodas) y se compromete consigo mismo a cambiar y crecer. Esto puede asustar a las personas conservadoras. Ciertamente, el compromiso de la energía del quinto chakra resulta muy inquietante para alguien que no esté haciendo su trabajo.

Su trabajo con su quinto chakra puede sacudir las estructuras psíquicas que le rodean. Si ha olvidado la idea del estatismo, puede quedarse atónito de la cantidad de obstáculos que sus amigos y si familia pueden poner en su camino.

Puede que traten de asustarle para que abandone la idea de cambiar y moverse. Puede que cuestionen y reprueben todo lo que usted diga, y todo con lo que se comprometa. O, puede que intente hacerlo usted mismo en respuesta a los mensajes viejos que le atrapan y que surgen de su primer chakra.

¿Cuál es la solución? Utilice sus habilidades para centrarse y enraizarse, destruya imágenes, queme contratos y aléjese de las viejas formas de pensar. Su eficiente quinto chakra le ayudará a hacer todo esto aportándole a su labor de limpieza y separación la energía del compromiso y la dedicación.

Cuando trabaje a partir de la energía del quinto chakra, puede que experimente problemas de garganta y cuello como consecuencia de tratar con viejos temores y contratos. Cuando su cuerpo manifieste bloqueos en su quinto chakra, resulta muy curativo colocar los dedos suavemente sobre la garganta y decir en voz alta: «puedo cambiar, puedo cambiar, puedo cambiar». Se puede transformar en una acción irónica y divertida cuando advierta qué relaciones, ideas o movimientos hacen que se aclare su garganta, tosa o perturben, de repente, su cuello. Algunos conceptos pueden incluso hacerle sentir como si escupiera una bola de pelo. Ésos son los que requieren la quema de sus contratos. Puede cambiar, puede cambiar...

Cuando el quinto chakra está abierto o cerrado

Un quinto chakra extremadamente abierto, dentro de un sistema desequilibrado, debe ser devuelto a su tamaño original inmediatamente. Dado que este chakra está muy poco utilizado en nuestro mundo actual, parece que es él el que siempre provoca los desequilibrios espirituales. El desequilibrio en los demás parece «co-provocar» la apertura excesiva del quinto chakra, causando problemas de oído, de clariaudiencia, de garganta o de cuello y la incapacidad para comunicarse de manera efectiva.

Nuestra sociedad vive en confusión. Es incapaz de afrontar el cambio, la comunicación y el compromiso con ideales más elevados. Usted puede, no obstante, apartar su quinto chakra de la sociedad desequilibrada que le rodea y vivir su vida sin contaminarse con creencias tóxicas. El quinto chakra, en estos casos, debe recobrar su tamaño regular, de un diámetro de entre seis y diez centímetros y debe cubrirse, por delante y por detrás, con Centinelas firmemente enraizados.

En un sistema chákrico saludable (en el que el funcionamiento del chakra del corazón sea moderado y el sexto chakra sea muy claro), un *quinto chakra temporalmente abierto* indica que usted se está abriendo a nuevos niveles de compromiso, comunicación y consciencia. Esta apertura puede ir acompañada de dislocaciones de las vértebras cervicales o de un resfriado con abundante tos, estornudos y mucosidades. Si es éste el caso, sitúe Centinelas enraizados en las zonas anterior y posterior de su quinto chakra y visite a su acupuntor, a su quiropráctico o a su masajista para que le ayude a eliminar las obstrucciones de su cuerpo. No intente suprimir los síntomas, pues, al hacerlo, podría cerrar prematuramente dicho chakra. Éste debe volver a su tamaño normal en el transcurso de una semana aproximadamente. Si no es así, realice una interpretación completa para determinar si debe ser usted quien lo devuelva a su tamaño o debe dejar que permanezca abierto durante algunos días más. Teniendo en cuenta que es el centro energético de la comunicación, le expresará sin dificultad como debe cuidarlo y qué tiene que hacer.

Si el quinto chakra está cerrado y el estado general del sistema no es bueno o muestra desequilibrio, es una prueba de poca disposición para crecer, cambiar, escuchar, comunicarse o estar en conexión con el espíritu. Este cierre se puede producir en respuesta a un miedo (especialmente ante la facultad de la clariaudiencia) o algún tipo de rabieta del tipo «¡no quiero que nadie me diga lo que tengo que hacer!». No hay nada peor que una persona testaruda con un quinto chakra igualmente obcecado. Parece que se juran a sí mismas que no harán con una energía nada que pueda engañarles pensando que está cumpliendo con su deber. A menudo padecen molestias crónicas en el cuello o la garganta que vienen a ser reflejo de una vida llena de dificultades.

Las personas cuyo quinto chakra está cerrado son, con diferencia, las más difíciles con las que se puede trabajar. En el momento en el que avanzan un poco en su crecimiento dan al traste consigo mismos y con cualquiera que intente ayudarles. Al igual que la energía del quinto chakra, a la que intentan someter a toda costa, manifiestan una claras tendencias, son comunicativos y comprometidos, pero, por desgracia, sólo cuando tienen que defender su posición. Para una persona con un quinto chakra obstruido y cerrado, dicha posición está representada, generalmente, por la enfermedad, los obstáculos y la justificación.

Yo he conocido a personas suicidas con todo tipo de obstrucciones, la mayoría de las cuales se pueden liberar mediante la canalización emocional. Sin embargo, se puede identificar una manía suicida relacionada con el cierre del quinto chakra a través de un factor determinante: la persona defenderá a muerte su sufrimiento. De hecho, gritará y pataleará si alguien le sugiere que debe cambiar sus sentimientos o su forma de vida. Defenderá sus arrebatos suicidas como la leona que protege a su cachorro. Este tipo de personas es increíblemente defensivo. Su obcecada energía temperamental hace, con frecuencia, que salga la energía del quinto chakra de los demás, lo cual provoca una confrontación. Dado que los quintos chakras son capaces de llegar justo al centro de cualquier asunto, estas situaciones se vuelven bastante peliagudas e incómodas. Las pugnas del quinto chakra pueden llegar a ser sorprendentes, pero a veces son necesarias para eliminar toda la basura que se acumula en torno a él impidiéndole fluir con libertad.

Si su quinto chakra está cerrado, puede derribar lo que lo obstruye sentándose y escuchándose a sí mismo. Toda la confusión y estatismo que sufre proviene del cierre de su capacidad de escucha. Si se compromete a escuchar a su ser, su quinto chakra comenzará a recobrar la consciencia. En un sistema armonioso, la confusión se manifiesta sólo en raras ocasiones, porque la energía del quinto chakra canaliza la verdad espiritual, el conocimiento físico y el compromiso para equilibrarse y nutrirse. Si está cerrado a la escucha, no podrá utilizar estos atributos del quinto chakra y reinará la confusión. La única forma de detenerla consiste en sentarse y escucharse a sí mismo mientras realiza curaciones sobre sus chakras.

El desorden constante en su vida no es natural, ni necesario. Es más, es completamente antinatural e innecesario. El sufrimiento, el drama y el trastorno forman una parte de la vida, pero no son el único objetivo de la existencia. Puede tener un espíritu más alegre y alejar de usted las defensas y las justificaciones. Puede vivir como desee y conectar con sus sueños y esperanzas. Puede salir de entornos que le limiten y cambiar su perspectiva sobre la salud o, al menos, el concepto que tiene sobre la suya en particular. Puede soñar con determinados logros y planificar cambios en su carrera profesional y puede imaginar una vida saludable y repleta de amor. Puede hacer que las cosas tengan sentido para usted, aunque el mundo que le rodea parezca carecer de él. Su quinto chakra, abierto, le ayudará a conseguir todo esto y más. No se obceque en ideas absurdas.

Si necesita ayuda para reforzar su capacidad para escuchar, dialogar, cambiar y comprometerse con su propia vida, es una buena idea vivir con las personas que tienen un quinto chakra en perfecto funcionamiento, de las que he hablado con anterioridad. Dichas personas están vivas de verdad. Perciben la fealdad de la vida, pero no permiten que ésta les impida buscarle su sentido. Dicen: «es verdad, la vida nos va absorbiendo, todo el mundo culpa a los demás, el mal existe y los mosquitos nunca desaparecerán, pero me parece que los coches solares son una buena idea o siento el deseo de viajar y aprender o la necesidad de componer música, así que, a pesar de todo, voy a ser feliz». Estas personas no son estúpidas ilusas que viven en un mundo de ensueño, sino miembros activos, atentos y comprometidos de la sociedad que son dichosos porque viven sus sueños cada día.

Voy a repetírselo una vez más: es libre de tener problemas de comunicación, compromiso y cambio, pero no perjudique con ellos a su quinto chakra. Si lo cierra, se encontrará increíblemente estancado en un período de tiempo breve y fatal. Siga adelante y sea tan testarudo como quiera, pero deje que su quinto chakra viva tranquilo sin ser molestado, ni por usted, ni por nadie más.

Como ocurre en el caso de los demás, *el quinto chakra se puede cerrar por sí solo y tomarse un tiempo de descanso* cuando el estado de los demás es lo suficientemente saludable para permitirlo. Si están sanos, al igual que su cuello, garganta y oídos, aunque el quinto chakra esté cerrado, ¡felicidades! Puede reforzar el descanso de dicho chakra colocando un regalo simbólico frente a cada uno de los chakras abiertos y un Centinela protector en la parte delantera y trasera del mismo. Éste volverá a la actividad en una semana aproximadamente. Si no ocurre así, pregúntele qué necesita para abrirse. Generalmente, le pedirá un aura, un Centinela o un sistema de enraizamiento nuevos para mantenerse a salvo de energías perjudiciales, así como un compromiso por su parte de escucharle y actuar de acuerdo con su información. Buena suerte.

RASGOS CARACTERÍSTICOS DEL QUINTO CHAKRA SANO

Las personas cuyos quintos chakras están en buen estado escuchan o expresan, a menudo, las cosas más extrañas en las conversaciones mundanas. Sus habilidades comunicativas son extremadamente armoniosas, y aunque no se consideren a sí mismos videntes, generalmente lo son. Estas personas poseen una consciencia muy activa que los hace buenos sanadores, oradores o terapeutas. Son, también, dignos de toda confianza, porque cuando contraen un compromiso, lo mantienen hasta el final. A diferencia de las personas centradas en el chakra del corazón, que se comprometen por encima de la fatiga y el sentido común, éstas se comprometerán sólo con aquellas cosas que consideren profundas.

Son personas con las que resulta difícil mantenerse a su misma altura. Pueden parecer chifladas para algunos, porque se comprometen al cien por cien con algunos asuntos para dejarlos cuando éstos no reportan ningún servicio, curación o carecen de sentido. No dejan a los demás en la estacada, pero siempre siguen los dictados de su conocimiento interior, que es diferente al de los demás.

Compartir la vida con este tipo de personas puede llegar a ser agotador si se intenta emularlos. Pero no se trata de eso: si intentase comprometerse con sus compromisos o creer sus creencias, estaría saliéndose de su propio camino. La mejor manera de vivir con estas personas es mantener su quinto chakra en forma y buscar sus propios sueños y creencias con la amable (a veces poco ortodoxa) ayuda y ejemplo de éstos.

Son penetrantes y compasivos cuando alguien quiere escuchar la verdad, pero molestos y rudos si no es así. Si vive o se relaciona con ellos, debe estar dispuesto para escuchar la verdad, decir la verdad y vivir de acuerdo con su propia verdad. En otro caso, el viaje será accidentado y solitario. Si en su vida hay alguna persona con un quinto chakra fuerte, no oponga resistencia, bendígala; ésta, más que nadie (además de usted mismo, sus guías espirituales y Dios) hará que se mantenga honestamente en su camino. Deje que entre en su vida porque necesita su amistad y su amor.

El Sexto Chakra (o Tercer Ojo)

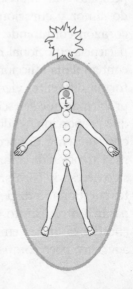

Este resplandeciente chakra receptivo, de color índigo, se sitúa justo en el centro de la frente, entre las cejas y el nacimiento del pelo y está asociado con la glándula pituitaria. El sexto chakra es el centro de la *clarividencia*, o facultad de recibir visualmente vibraciones energéticas. Cuando las personas entramos psíquicamente en contacto con otras, el primer chakra que se suele alertar es el sexto, que es muy activo y enérgico. El sexto chakra es también el centro del discernimiento, del juicio objetivo y de funciones superiores del cerebro como son el aprendizaje, el procesamiento de la información y su recuperación.

La energía del sexto chakra nos confiere una consciencia concreta que armoniza perfectamente con las energías para el enraizamiento, emotiva, protectora, empática y comunicativa de los chakras que están por debajo de él. Con la ayuda de un sexto chakra en buen estado, obtendrá seguridad acerca de usted mismo, de su camino y de las necesidades de los demás. A las personas que no sean conscientes o que dependan demasiado de los atributos de su cuarto chakra, dicha seguridad les puede parecer fría e indiferente. El sexto chakra ve las cosas como son, no como aparentan ser o como nos gustaría que fuesen, sino como son en realidad.

Su sexto chakra le ayuda a tomar decisiones basándose en los hechos y no en las esperanzas. La objetiva seguridad de este chakra, junto con la acción y comunicación comprometida del quinto, puede llegar a inquietar a las personas que prefieran las excusas en vez de la acción.

Cuando el sexto chakra percibe el sufrimiento de otras personas o del individuo mismo, manifiesta empatía, cuidado, amor y curación desde un punto de vista personal. El corazón comprende y empatiza con el dolor y posee una paciencia emocional ilimitada. El sexto chakra, sin embargo, contempla la aflicción de los demás y la suya propia de una forma diferente, viendo no sólo el dolor, sino también los problemas que se esconden tras él. Percibe el grado de alivio que proporciona el dolor y el tiempo que se le ha permitido estar presente. Conoce también de qué forma este dolor genera la atención de la familia y los amigos y cuánto esfuerzo ha sido necesario para procesar dicho sufrimiento. Por otra parte, cuestiona la disposición que existe para liberarse de él y pasar a otro asunto. El sexto chakra plantea regularmente cuestiones que el emotivo cuarto chakra puede considerar adversas, poco compasivas o carentes de sentimiento.

En cuanto a la consciencia de víctima y al trabajo con sentimientos profundos de la infancia, que se asocian a los chakras tercero y cuarto, la misión objetiva de búsqueda de la pura verdad que desempeña el sexto chakra no es apreciada ni está reconocida. La energía de dicho chakra puede resultar molesta, o incluso amenazante, para las personas que necesitan mantener su estatus de víctima como respuesta a los traumas que sufrieron en su infancia o frente a elecciones adultas que no son sanas. La energía del sexto chakra no aguanta demasiado la consciencia de víctima.

Como resultado, la mayoría de las personas cierran su sexto chakra para no tener que conocer la verdad sobre sí mismas o sobre las personas a las que han permitido que se introduzcan en sus vidas. De esta forma, además, esconden la información sobre el verdadero camino y propósito de sus vidas. Las personas cuyo sexto chakra está cerrado no tienen que pensar en su trabajo ni en la responsabilidad de sus relaciones, lo cual les conduce a momentos de considerable relajación, pues al cerrar el sexto chakra, indagador y buscador de la verdad a toda costa, consiguen un poco de paz y tranquilidad.

El problema que surge al cerrar este chakra es que éste posee además la facultad de discernir adecuadamente en las situaciones cotidianas y de procesar y calificar la información procedente del cerebro, con lo cual, las personas que cierran su sexto chakra durante meses o años tienden a no tener idea, no sólo sobre grandes cuestiones espirituales, sino tampoco sobre los asuntos mundanos. Eligen relaciones extrañas y trabajos que no llevan a ninguna parte. No saben lo que quieren hacer ni lo que sienten acera de las cosas. Van de un lugar a otro, de una idea a otra sin lógica alguna. No sueñan con ningún objetivo en concreto, ni siquiera con una vida mejor. A menudo presentan trastornos cerebrales que acompañan a sus, ya de por sí, trastornadas vidas. Estas personas pueden ser olvidadizas y poco formales. Pueden manifestar dificultades para procesar información, leer o escribir y experimentar pérdidas repentinas del pensamiento o de las palabras y períodos de abandono. Todo ello disminuirá cuando su sexto chakra vuelva a estar activo de nuevo.

Para abrir el sexto chakra se necesita valentía. Cuando ha permanecido cerrado durante un tiempo, la persona tiende a ir a la deriva en su camino personal. Al abrirse, comienza inmediatamente a plantear preguntas comprometidas: «¿qué hacemos aquí?, ¿por qué tiene su cuerpo ese aspecto y se siente de esa forma?, ¿qué ha ocurrido con nuestra faceta artística y nuestros sueños?, ¿quién es toda esa gente extraña y *qué demonios* está ocurriendo aquí?». Si usted no tiene excusas, explicaciones o respuestas, felicítese, porque eso quiere decir que se mantiene en su camino.

Lo mejor (o lo peor, dependiendo de su actitud) es que las preguntas del sexto chakra no requieren una respuesta, sólo aceptación, procesamiento y acción. Las preguntas y observaciones del sexto chakra dejan, a menudo, a las personas sin palabra. Este chakra puede percibir un dolor agudo en el brazo o la parte baja de la espalda de alguien y preguntar: «¿cuándo fue la primera vez que sintió el deseo de estrangular a su madre?» o «¿cuántas personas confían en que les va a solucionar todos sus problemas emocionales?».

La información del sexto chakra suele ser sorprendente, y a su manera, proporciona un extraño alivio porque va más allá de las tonterías. Si usted prefiere ocuparse de tonterías antes que de su salud, no querrá que haya energía del sexto chakra ni en usted ni en ninguna de las personas que le rodean; si está comprometido con su salud y su felicidad, no importa hasta qué punto, la energía del sexto chakra será su nueva amiga.

CUANDO EL SEXTO CHAKRA ESTÁ ABIERTO O CERRADO

Si el sexto chakra está muy abierto (algo más de diez centímetros, aproximadamente, de diámetro) dentro de un sistema chákrico desequilibrado, puede causar miles de problemas, desde un repentino ataque de visiones y sueños vívidos, hasta un cerebro lleno de pensamientos contradictorios y deseos de huida. Si el sexto chakra está muy abierto puede, también, transportar tal cantidad de información hasta el cerebro que sus sinapsis se disparen desordenadamente como respuesta, provocando tics, dolores agudos, migrañas y convulsiones. Los ojos pueden sufrir, también, visión borrosa, cansancio o alergia cuando hay demasiada energía descontrolada en el sexto chakra. Por otra parte, la apertura excesiva de este chakra podría hacer que la habitación de su mente se volviese desapacible e inhabitable.

Normalmente, esta apertura se producirá cuando los demás chakras estén descentrados. Cuando el segundo chakra no guarde la armonía y absorba la energía de las demás personas, el sexto se abrirá para proporcionar la energía necesaria para el discernimiento de este chakra carente de dicha facultad. Sin embargo, la absorción de energía está tan fuera del enraizamiento energético, que pronto el sexto chakra quedará también deteriorado.

Cuando el tercer chakra deje de proteger el aura y el cuerpo, el sexto se abrirá en demasía tratando de actuar como primer sistema psíquico de defensa, determinando mediante la clarividencia quién es seguro y quién no. No obstante, sin la protección del tercer chakra, el sexto resulta, a menudo, bastante dañado por personas a las que les molesta que se las examine desde tan cerca.

Cuando el cuarto chakra vacíe toda la energía del corazón fuera del cuerpo en curaciones apresuradas, el sexto, con frecuencia, se abrirá más de lo normal para ofrecer la misma capacidad de discernimiento que en el caso del segundo chakra. Dado que el corazón es incapaz de conectar con el cuerpo y el espíritu, pronto todo el sistema se vuelve inestable y pierde su enraizamiento. Además, el cuarto chakra se disputará, con frecuencia, el dominio con el sexto chakra (¡mi forma de curar es mejor que la tuya!), lo cual perturba al pobre quinto chakra, que se encuentra en medio de las dos naciones beligerantes.

Al escribir esto, me gustaría recordarle que sus chakras son símbolos de su consciencia y que es ésta la que dirige sus acciones. Si se plantea una lucha entre su cuarto y sexto chakras, es usted quien ha creado personalmente el conflicto entre su capacidad empática y su facultad para discernir. Lo único que hacen sus chakras es revelarle el conflicto, pero no actuar como agentes libres. Siguen sus indicaciones. Usted puede sanarlos y recuperar el control de todos los aspectos conflictivos anteriores. Al hacerlo, su restablecido sistema chákrico le ayudará, tanto como pueda, a mantener el nuevo equilibrio.

Cierre el sexto chakra tan pronto como le sea posible si ha perdido la armonía y está extremadamente abierto, y realice una curación completa en todo el sistema. Con un sexto chakra abierto lo único que se puede esperar son desequilibrios en todo el sistema de chakras. Agradézcale a dicho chakra el hecho de haber intentado mantenerle vivo a pesar de usted mismo. Además, recuerde que como este chakra es, a menudo, el centro del primer contacto de la comunicación psíquica, intentarán, con bastante frecuencia, entrar en sintonía con su sexto chakra para llegar a conocerle u obtener información de usted.

Si su sexto chakra está muy abierto, desprotegido y dentro de un sistema en desequilibrio, los contactos psíquicos mencionados pueden ser desconcertantes. Puede padecer dolores del lóbulo frontal de la cabeza, visiones y problemas para concentrarse, pensar o dormir debido al exceso de energía extraña en el interior de su chakra. Cúbralo, incluso después de haber realizado una curación completa en todo el sistema, con seis o siete Centinelas enraizados, al menos, tanto en su zona anterior como en la posterior. Esto le ayudará a permanecer previamente centrado cuando vuelva a aceptar la energía y las personas que acudan a él en otra ocasión. La técnica facial (véase la página 147) que se muestra en el capítulo de Técnicas Avanzadas le resultará muy útil para expulsar la energía de su cara, sus ojos y su sexto chakra; pruébela.

En un sistema sano y enraizado, el sexto chakra se abrirá para aceptar información nueva sobre la trayectoria de su vida y sus habilidades intuitivas. También se abrirá para permitir la curación de los trastornos cerebrales y de la visión. Le sugiero que contemple cuidadosamente este sexto chakra sano y abierto desde la habitación de su mente. Incluso en un sistema robusto, el sexto chakra puede atraer demasiado la atención del tejido psíquico que le rodea. La apertura sana de dicho chakra es un proceso muy emocionante y evolutivo que su familia y amigos querrían compartir con usted. Aunque tengan buenas intenciones, su atención e interés pueden afectarle física y espiritualmente.

Dado que el sexto chakra se encuentra directamente en el interior del cerebro, su apertura, y la atracción de energía que provoca, puede influir, no sólo en sus facultades clarividentes, sino también en su capacidad para procesar pensamientos. Yo le permitiría que permaneciese abierto durante dos o tres días como mucho, a menos que pueda disponer de una ermita para vivir. Si no posee ningún lugar en el que pueda pasar largos períodos de paz y soledad, devuélvalo a su tamaño original en un plazo de tres días. Utilice las manos para moldearlo hasta que alcance un diámetro aproximado de entre seis y diez centímetros o visualícelo cerrándose como lo hacen los obturadores de las cámaras fotográficas.

Si puede quedarse en algún lugar solitario y apacible, váyase a él y deje que su chakra siga abierto durante una semana aproximadamente. Sin el estrépito de la gente a su alrededor, estará más seguro para abrirse totalmente a la clarividencia. En cualquier caso, coloque un Centinela protector frente a cada uno de sus chakras y, al menos seis delante y detrás del sexto hasta que éste recupere su tamaño.

Un sexto chakra cerrado que forme parte de un sistema desestabilizado es un signo de cierre total de la información espiritual clarividente y de la inteligencia más normal para discernir y procesar la información. Como puede imaginar, esto hace que la vida consciente sea casi imposible. Sin embargo, hace más soportable la vida inconsciente y aleja a la suicida de su propio camino... durante un tiempo.

Esto es lo que me dice mi sexto chakra: cualquier camino que no sea el tuyo es peligroso para ti. Cualquier relación, trabajo, elección o idea que no te alimente te devorará. La felicidad llegará sólo cuando seas tú mismo, con valentía y autenticidad. Debes vivir tu propia vida y dejar de inventar excusas, si no vivirás y morirás con la pena de que nada tiene sentido.

¡Ay! ¡Mi empático cuarto chakra se va a volver loco con éste! Va a perder la cabeza por ser indulgente con la cantidad de posiciones que se alejan de nuestros caminos que tenemos que adoptar cada día. Pero mi sexto chakra se mantiene fiel a su información.

Éste es un interesante ejemplo del tipo de comunicación que se produce en un sistema chákrico en conexión. A medida que cada chakra se despierta, su información se añade al total. A veces, la información tiene sentido para el resto de los chakras y a veces no. Nuestro trabajo consiste en equilibrar el sistema en medio de lo que pueda parecer información contradictoria.

En realidad, el cuarto y el sexto chakras están realizando el mismo trabajo. El cuarto chakra no está menos evolucionado, ni es menos inteligente; él sabe que la resuelta información del sexto es verdad, pero desde la posición mitad cuerpo-mitad espíritu que ocupa, puede percibir la realidad física, que no es tan instantánea como la espiritual. Observa los sufrimientos que atraviesan los humanos para tratar de llegar a su plenitud y siente empatía por dicho conflicto. El cuarto ve hacia dónde se dirigen las personas, que es hacia la seguridad espiritual, pero conoce también la difícil realidad de

la vida en este planeta. Tiene más paciencia que el sexto chakra, que está más concentrado en el espíritu.

Cuando ambos chakras se comunican libremente (a
través de un quinto chakra en perfecto estado y sin segmen-
taciones), el cuarto tendrá que invertir menos tiempo inven-
tando excusas para los comportamientos que nos alejan de
nuestras trayectorias. Entonces, el sexto lo iluminará y le
ofrecerá su orientación de manera más agradable. Este equilibrio sólo se puede conseguir si se permite que el sexto se
abra y viva de nuevo.

Al principio, la comunicación procedente de un sexto
chakra que estaba cerrado con anterioridad puede resultar
estridente. Sin embargo, conseguirá un lugar armonioso dentro del sistema mediante frecuentes curaciones y trabajo con
el cordón de anclaje, el aura y las herramientas de separación.

A continuación veremos el mensaje del sexto chakra al
que nos referimos desde una perspectiva más equilibrada:
cualquier camino que no sea el tuyo puede ser peligroso para
ti si olvidas quién eres, pero todos los caminos tienen un significado y algo que enseñarte si permaneces atento.
Cualquier relación, trabajo, elección o idea que no te alimente te devorará, y a veces, lo que te alimenta aligera tu carga
y te libera para la próxima etapa de tu viaje. La felicidad llegará sólo cuando seas tú mismo, con valentía y autenticidad,
lo cual requiere tiempo, ayuda, estudio, confianza y amor.
Debes vivir tu propia vida y dejar de inventar excusas, ni para
ti ni para nadie, o morirás sin haber vivido.

Para abrir el sexto chakra después de un período de
oscuridad puede que sea necesario que pase algunos días des-
conectado de su vida y sus responsabilidades. Para que la
apertura llegue a buen término, puede que tenga que cambiar
dicha vida y reestructurar las responsabilidades. Puede que
necesite la ayuda de personas que posean un quinto chakra
en buenas condiciones, porque no se trata de un proceso

agradable para realizarlo en solitario. Podría necesitar rodearse de personas que crean en los sueños, la individualidad y los objetivos espirituales. Si no encuentra este tipo de personas en su vida, visite alguna librería o biblioteca. Deje que su sexto chakra elija algunos libros sobre curación, cambios en la trayectoria profesional, relaciones conscientes, doctrinas religiosas o espirituales y amor que le sirvan de ayuda y refuerzo. No escoja ningún libro que trate sobre el sentimiento de víctima. Su chakra se enfadará si trata de sumirse en la indefensión y la culpa.

A su sexto chakra le gusta ver el interior por delante de usted y contemplar su corazón, sus sueños y su conexión con Dios. No le gusta pasar el tiempo fuera y detrás de usted, con los culpables, las heridas del pasado y las viejas historias. Abra su sexto chakra y diríjalo hacia usted; deje que le guíe de vuelta a casa.

Como ocurre con los demás, *el sexto chakra puede cerrarse, estando sano, para descansar* cuando el conjunto del sistema esté en perfecta armonía. Un sexto chakra en estas condiciones indica, también, una vida exterior bastante saludable. Debido a que está tan alerta y es tan responsable (mandón, incluso), se cerrará con frecuencia, siempre que no haya ninguna posibilidad de peligro en su entorno. Cuando encuentre que su sexto chakra está cerrado y el sistema funciona adecuadamente, felicite no sólo al resto de los chakras, sino también a usted, ya que se ha situado en un ambiente favorable, consciente y curativo: ¡está haciendo lo que tiene que hacer!

Puede averiguar si su sexto chakra se ha tomado un descanso curativo a través del estado de los demás chakras y, en especial, a través de la salud de la porción superior del quinto, que debe manifestar un color azul claro y un movimiento fluido. Se liberará, además, del dolor de cabeza, la vista cansada y la confusión y podrá permanecer en la habitación de su mente, aunque en esos momentos su sexto chakra esté cerrado. Éste se cerrará siempre que necesite revisar su información, volver a conectarse con la información puramente espiritual del séptimo chakra o deshacerse de contratos y viejos modelos de clarividencia que hacen que el cuerpo pierda su enraizamiento.

Mientras su sexto chakra se está curando a sí mismo, entregue un regalo simbólico a cada uno de los otros chakras y a usted mismo como felicitación y cubra su aura con un manto de Centinelas fuertemente enraizados. Coloque un Centinela bien enraizado en la zona delantera y otro en la trasera de su sexto chakra y deje que éste permanezca cerrado durante una semana si lo desea. Como es tan responsable y vigilante, sólo estará cerrado unos pocos de días. No obstante, si su vida es lo suficientemente segura, puede quedarse cerrado durante un mayor período de tiempo.

Para ayudarle durante su retiro, permanezca en la habitación de su mente y no deje de vigilarlo hasta que termine la semana. Si al final del séptimo día no se ha vuelto a abrir, pregúntele qué necesita de usted. Puede que requiera que realice un cambio sustancial en su vida, que se libere de ciertas relaciones, que se dedique a unos objetivos específicos o que refuerce sus habilidades para la separación. Esté preparado: cuando su sexto chakra se vuelva a activar, su vida puede ser emocionantemente diferente.

RASGOS QUE CARACTERIZAN AL SEXTO CHAKRA SANO

Las personas cuyo sexto chakra es activo, tienen acceso a una cantidad sorprendente de información. Si es activo en respuesta a la inactividad de los demás chakras, la información tratará de otras personas y otros acontecimientos. Pero si el sexto chakra forma parte de un sistema sano, activo y equilibrado, la información se referirá más específicamente a ellas mismas, a su salud y su bienestar y a su trayectoria en esta vida.

Esta distinción es importante. Muchos videntes de talento poseen un sexto chakra extremadamente activo que les permite acceder a información acerca de y para sus clientes. Estos mismos videntes necesitarán, con frecuencia, un apoyo tremendo para mantener sus vidas en el camino correcto. Al igual que los sanadores sin control que se concentran en el cuarto chakra y nunca encuentran tiempo para ellos mismos, los clarividentes apresurados del sexto chakra nunca encuentran su verdad. Usan toda su energía clarividente en y para los demás. En un sistema chákrico armonioso, la energía del sexto chakra es respetada, protegida y utilizada, en primera instancia, en y para uno mismo, de manera que resulta fácil mantenerse en el buen camino.

Cuando las personas poseen un sexto chakra sano y equilibrado, son clarividentes naturales, lo que significa que su clarividencia no es ni rimbombante ni dramática. Los clarividentes naturales no visualizan los números de la bonoloto ni los accidentes de aviación en los Andes; sólo ven cosas que son útiles para sus vidas. Descubren piezas de antiguos camiones para sus amigos o información vital en una extraña librería de una ciudad extranjera. La clarividencia sana es tan mágica e inexplicable como la clarividencia más espeluznante o inquietante de los videntes famosos, pero como está más relacionada con la calma y la realidad interior, se le presta menos atención.

Un clarividente saludable no tiene una gran cantidad de preguntas sin resolver, ni la necesidad profunda de dinero, fama o seguridad exterior. El simple hecho de permanecer en el camino adecuado, sea cual sea, le proporciona ayuda y alivio, aunque no lo parezca desde el exterior. Su camino le puede llevar a zonas poco familiares de pobreza y conflictos o lejos de todo lo que le es cercano, pero aún así, se siente seguro.

Los caminos vitales de las personas cuyo sexto chakra está sano se presentan claros, a pesar de su dificultad. Estas personas son capaces de encontrar ayuda por procedimientos poco usuales que para ellos son perfectamente normales. Son capaces de procesar lecciones e información con facilidad y rapidez y son, a menudo, valiosos consejeros para las personas que deseen llevar una vida espiritualmente armoniosa. Las personas con un sexto chakra activo están, a menudo, separadas de los que las rodean, al igual que la energía de este chakra está separada del mundo cotidiano. Si el hecho de su unicidad no las separa de las masas, lo hará su deslumbrante honestidad. Pueden encontrar verdaderos camaradas en las personas que también poseen un sexto chakra saludable, pero en la compañía de personas menos equilibradas o armoniosas, siempre se encontrarán separados, serán muy apreciados quizás, pero al fin y al cabo estarán separados.

Si usted es lo suficientemente afortunado de encontrar en su vida una persona con un sexto chakra equilibrado, ámela, inclúyala en su vida y pronto comprobará que no es extraña ni poco realista. Lo único que está haciendo es su trabajo, como usted.

El Séptimo Chakra (o de la Coronilla)

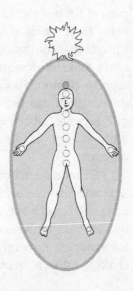

E ste chakra expresivo, de color violeta-púrpura, se localiza por encima de la zona superior de la cabeza, casi flotando sobre el cuerpo. El séptimo chakra es el centro de nuestra conexión corporal con la energía y la información puramente espiritual, ya sea la nuestra o una energía espiritual superior, la energía e información de nuestros guías espirituales y ángeles, la energía de otros seres sin conexión que no ocupan en la actualidad ningún cuerpo o la energía e información de Dios. El séptimo chakra se asocia con la glándula pineal.

Este chakra contiene el cianotipo del propósito espiritual al que accedemos antes de entrar en nuestros cuerpos y en nuestra, habitualmente, confusa y poco espiritual vida. Debido a que pasamos la mayor parte de nuestra vida confundidos entre el espíritu y el cuerpo, la energía pura del séptimo chakra es, con frecuencia, ignorada, cerrada, maniatada, aplastada y dañada. Si usted piensa que es difícil vivir de acuerdo con el compromiso puro del quinto chakra o el conocimiento puro del sexto en este mundo de trivialidades y violencia, aún no ha visto nada. El séptimo chakra contiene la certeza absoluta y el objetivo absoluto. Es puro espíritu, y vivir en este planeta a partir de él puede llegar a ser un verdadero infierno.

Dado que este chakra no está centrado en el interior del cuerpo, posee una conexión escasa con los aspectos mundanos de la vida real. Aunque su información acerca de la dirección, el propósito, los viajes espirituales, las almas gemelas y la forma adecuada de ganarse el sustento es vital, es séptimo chakra habla desde un lugar que resulta casi incomprensible para el 98 por ciento de los humanos que pueblan este planeta. Es como si el séptimo chakra hablase en una lengua muerta que sólo pudiesen interpretar los eruditos. En un sistema chákrico desequilibrado, ni siquiera habla del continuo espacio-tiempo. Su información espiritual, aunque a menudo es válida, no tiene aplicaciones reales para una persona que necesite saber *cuándo* realizar un traslado, *cómo* llegar hasta el lugar, *dónde* conseguir el dinero y *con quién* establecer contacto.

En un sistema chákrico muy equilibrado y armonioso, se puede filtrar la información del séptimo chakra y comunicarla al cuerpo a través del intelectual sexto, el comunicativo quinto y el empático corazón, pero incluso entonces, su información resultará extraña y poco realista. Cuando los chakras están activos y en armonía y la energía del cuerpo está enraizada, limpia y centrada en el interior de su aura protectora, la información procedente del séptimo chakra le proporciona una orientación clara (aunque no siempre agradable).

Cuando se equilibra la energía después de un largo período de confusión y falta de uso, la información del séptimo chakra puede llegar a ser aterradora. Éste conoce con seguridad la gran cantidad de trabajo que se debe realizar para volver al camino correcto. Dicho camino está, a menudo, fuera del alcance de personas que han llevado una vida de abusos y desesperación. Puede que usted esté viviendo en el Mediooeste con cuatro niños y un cónyuge abusivo cuando su séptimo chakra le indica que su verdadero destino se encuentra en Camboya, o en un programa doctoral alternativo. Es fácil comprobar por qué la información del séptimo chakra se ignora generalmente en este planeta: no es práctica.

A continuación veremos un mensaje estridente procedente de mi séptimo chakra: ¿no es *práctica*? ¿Es práctico encarnarse en esta vida con un propósito específico tan sólo para olvidarlo cuando llega la pubertad? ¿Es práctico permanecer en la esfera terrestre durante diez o veinte vidas sólo porque sigues olvidando por qué viniste a ella al principio? ¿Es práctico ir por ahí escarbando como una rata, haciendo acopio de asuntos y experiencias inútiles, en vez de vivir al límite de tu existencia y tu esencia?

Todos los seres poseen un propósito y un sentido y la capacidad para curarse a sí mismos y a su porción particular del mundo, pero a nadie parece importarle. La energía del séptimo chakra estimula el estudio de la medicina china o la homeopatía, pero a ella se responde con excusas acera de la economía, el tiempo y la logística, mientras que las personas que no necesitan vivir y morir entre sufrimientos la practican a millares.

La energía del séptimo chakra aboga por las creaciones artísticas y musicales, pero es rechazada mediante excusas poco convincentes sobre la falta de talento, del valor necesario o la economía, mientras que las mentes y los corazones de los niños se quedan sin utilizar y la magnificencia artística se emplea para hacer anuncios de vodka. Exhorta a las personas a relacionarse unas con otras, pero se pasa por alto cuando las personas mueren solas de enfermedades «inaceptables» o viven su pobreza, retraso, enfermedad mental o vejez en lugares insanos a los que las personas prácticas nunca llamarían hogar.

No es que la información del séptimo chakra no sea práctica, las personas de este planeta no son prácticas, precisamente porque no conceden a su información espiritual el valor que merece. Para cada problema que exista en el planeta, el espíritu ha situado diez mil seres vivos que son capaces de ayudar, diez mil individuos que tienen una participación específica en la curación de las dificultades de la Tierra y en la ayuda a los seres humanos, animales, vegetales o minerales que la habitan. ¿Ayuda tan sólo el diez por ciento de esas personas, o se rodean a sí mismas de diez mil excusas sobre lo complicado que es todo? ¿Son capaces siquiera de reciclar su *basura*? No. Tan sólo reciclan sus excusas y dicen que la espiritualidad no es práctica, mientras la maravillosa Tierra se debate bajo el peso asesino de todo su pragmatismo. Fin del sermón.

CUANDO EL SÉPTIMO CHAKRA ESTÁ ABIERTO O CERRADO

Cuando el séptimo chakra se encuentra muy abierto (con un diámetro algo superior a diez centímetros) dentro de un sistema chákrico desequilibrado es, a menudo, signo de un espíritu ávido de aire en una vida muy poco espiritual. Cuando este chakra está muy abierto, su propietario busca, con frecuencia, un apoyo tremendo desde el plano espiritual que le ayude a sobrevivir en una vida totalmente carente de enraizamiento y protección. En estos casos la escisión entre el cuerpo y el espíritu llega a ser extrema.

El primer paso que se debe efectuar cuando dicho chakra está extremadamente abierto y sobrecargado es crear una habitación en el interior de la mente, que esté enraizada y anclada con seguridad. En los casos de mal funcionamiento del séptimo chakra he observado, con frecuencia, habitaciones flotantes, habitaciones que no tienen paredes ni techo, o habitaciones de contornos difusos imposibles de utilizar que precisan una solución inmediata. Aunque el hecho de enraizar el cuerpo resulte tan importante como mantener en perfecto estado de utilización la habitación de la mente, cuando el séptimo chakra está tan abierto impide por completo que las personas vivan desde el interior de sus cuerpos, lo cual imposibilita el enraizamiento. En estos casos, prestarle atención al centro interior es un primer paso tan sencillo como enraizarse, porque centra la consciencia en el séptimo chakra. Cuando se puede utilizar y enraizar la habitación de la mente, el espíritu tiende a volver a instalarse en el cuerpo, de manera que también se hace posible el enraizamiento desde los chakras de los pies o desde el primer chakra.

Para cerrar un séptimo chakra abierto es necesario que haga que despierten el resto de los chakras, en especial los tres inferiores, más relacionados con el cuerpo. Puede que tenga que volver a comenzar desde el principio de este libro o llevar a cabo una interpretación curativa completa de los chakras. Cuando el chakra mencionado está muy abierto necesita una atención completa, porque puede llegar a ocasionarle problemas para enraizarse o vivir desde el interior del cuerpo.

Si además se encuentra en un sistema desarmonizado, esto representa una seria petición de ayuda, como ocurría cuando ascendía el kundalini desde el primer chakra cuando éste estaba trastornado. Un primer chakra muy abierto es un sistema de defensa para el cuerpo que asegura la supervivencia frente al peligro. Un séptimo chakra muy abierto es un sistema de defensa para el espíritu que le asegura la supervivencia frente a una vida antiespiritual. Con la curación de este chakra podrá volver a concentrarse en trabajar para vivir su vida con plenitud.

En un sistema chákrico sano y equilibrado, especialmente en aquel en el que el corazón proporciona una conexión excelente entre el cuerpo y el espíritu, *se abrirá el séptimo chakra* para renovarse y volver a dedicarse a su conexión con el mundo espiritual y con Dios. En algunos casos, se abrirá para recoger nuevos requerimientos una vez que se han alcanzado los propósitos de la vida pero al cuerpo no le ha llegado aún el momento de morir, o cuando se han destruido suficientes contratos espirituales para permitir que fluya nueva información procedente del supervisor octavo chakra. Cuando el séptimo chakra se abre, revela siempre indicios de una nueva y emocionante información, dirección y propósito. ¡Prepárese para ello!

Cuando este chakra esté abierto no olvide protegerlo, así como a los demás, con Centinelas que estén bien enraizados, tanto por la zona anterior como por la posterior. Cierre dicho chakra al final de la semana, a menos que él mismo le pida permanecer abierto por un período de tiempo superior. Si su sistema chákrico está en armonía, su séptimo chakra sabrá lo que significa el tiempo físico y podrá informarle de cuándo retornará a su tamaño normal. Protéjalo mientras esté abierto y aproveche ese tiempo para poner en orden su vida cotidiana. Puede que pronto se le planteen nuevas expectativas.

Cuando el séptimo chakra está cerrado o es muy pequeño (con un diámetro menor que seis centímetros aproximadamente) dentro de un sistema en desequilibrio, representa el rechazo a escuchar al espíritu, a creer en el mundo espiritual o a comunicarse con Dios. En estos días son muy frecuentes los séptimos chakras cerrados o dañados, especialmente entre intelectuales, místicos y seguidores de determinadas doctrinas. En los dos últimos casos, el daño del séptimo chakra proviene del exterior, de una experiencia de Dios a menudo represiva y severa, a la que se suelen asociar imágenes de control excesivo o contratos espirituales relacionados con la iglesia o los dirigentes de las diversas doctrinas.

En el caso de los intelectuales, el daño del séptimo chakra proviene del interior, de la resistencia a «tragarse» la supuesta idiotez de la fe ciega. Los grupos intelectuales, como las sociedades universitarias o los movimientos ateos, pueden establecer contratos con los séptimos chakras de sus miembros para asegurase de que la única información que manejen no sea otra que la prescrita y estipulada. Queme todos los contratos de ese tipo.

Cuando el séptimo chakra está cerrado, la vida se transforma en una experiencia temporal, reducida a tan sólo cinco sentidos. La capacidad intuitiva de los otros chakras pierde su vivacidad y su magia. La clarividencia del sexto chakra se vuelve simple lógica, discernimiento o mera adivinación fortuita. La clariaudiencia del quinto, casualidad o sentido común. Todo se vuelve trivial, racional, explicable y tedioso. Las maravillosas experiencias de sincronía espiritual se consideran coincidencias o efectos del azar y las peregrinaciones curativas a Lourdes, ejemplos claros de histeria colectiva. Se relega hasta el más mínimo ápice de magia o talento divino al nivel mundano del conocimiento humano, o del conocimiento estipulado por una determinada iglesia o grupo.

Para abrir el séptimo chakra frente a la presión de dichos grupos o el prejuicio intelectual se requiere coraje, pero también un poco de necedad. En los primeros estadios de dicha apertura, puede que incluso sea necesario que tenga la capacidad de considerar mágicas las cosas más comunes, mientras que con anterioridad ha considerado corrientes las cosas mágicas. Cuando camina, puede considerar que el movimiento de su cuerpo es mágico (¿cómo saben los pies moverse por sí solos?). Cuando come, puede creer que la transformación de materia en energía es un hecho mágico (¿cómo saben mis células descomponer la cena en nutrientes?). La televisión, el coche y el ordenador se vuelven maravillas inimaginables hace tan sólo un centenar de años. ¡Los poderosos emperadores de un pasado no tan lejano lo habrían dado todo por poseer agua corriente limpia y poder utilizar su aseo en determinadas ocasiones! ¡Párese a pensarlo!

Este mundo, cada segundo de cada día, es mágico, espiritual e inexplicablemente complejo. Creemos que la religión y el intelecto pueden hacer que todo el planeta se someta a una especie de orden racional, pero no es así. Si usted ha conocido alguna vez a una persona realmente santa, o a un genio verdadero, habrá comprobado que están llenos de una capacidad de asombro infantil y de millones de preguntas sin respuesta. Los científicos más afamados y los líderes religiosos pueden explicar muchas cosas, pero saben que seguramente nunca llegarán a explicarlo todo. Tampoco lo desean, porque están demasiado ocupados explorando, comprobando, indagando, experimentando y viviendo para pretender conocer por completo la historia del universo, o los planes de Dios. Los que poseen un intelecto y una espiritualidad vastos, no se separan de la magia y los prodigios, como tampoco deberíamos hacerlo nosotros.

Si su séptimo chakra se encuentra cerrado por cualquier razón, puede que anhele racionalidad, pero cerrarlo no es el camino para encontrarla. La racionalidad precisa significados, conexiones y propósitos, o de otro modo los hechos, cifras y toda la información reunida racionalmente nunca se concretarán en nada. Incluso los científicos más mediocres lo saben: la experimentación y la investigación carecen de utilidad sin el apoyo de una teoría operativa. Cuando alguien cierra (o permite que un grupo de personas cierren) su séptimo chakra, se destruye el acceso al significado, la conexión y el propósito del espíritu. Cualquier investigación que se emprenda con el séptimo chakra cerrado, especialmente si lo que se pretende es explicar el significado de la vida o de Dios, carecerá de sentido. No tendrá base racional. Cada uno de nosotros podemos, tan sólo, descubrir el significado de la vida y el amor de Dios a través del canal establecido específicamente para dicho propósito, que no es otro que un séptimo chakra en perfecto funcionamiento.

En ningún modo estoy insinuando que las búsquedas de las religiones o los intelectuales son erróneas, ni siquiera perjudiciales. En estos momentos nos estamos refiriendo en concreto a un chakra enfermo. Cuando el séptimo chakra está abierto y en perfecto estado, los estudios religiosos y de determinados grupos tienen su lado curativo. No hay nada intrínsecamente erróneo con las experiencias de grupo, a menos que el grupo requiera que el séptimo chakra esté dañado para mantener la cohesión. Si para la comunicación en un grupo o cualquier tipo de relación es necesario que se dañen o trunquen determinados chakras, auras o personalidades, son perjudiciales. Usted mismo se puede imaginar lo que ocurriría después.

Aunque la información y el camino espiritual de su séptimo chakra no parezcan del todo correctos ante la sociedad y no puedan ser científicamente demostrable, pueden ser completamente racionales para usted. En su vida sólo funcionará su propia información espiritual, aunque en ocasiones las enseñanzas de Jesús o Buda o como quiera llamarle hagan que su espíritu vibre en lo más profundo; déjese vibrar, mantenga sus chakras abiertos y en buen estado y escuche con atención.

Dentro de un sistema armonioso, el séptimo chakra se cerrará cuando necesite sacudirse el polvo de los mensajes que le controlan o los viejos contratos. Reconocerá que el séptimo chakra está de descanso porque los demás presentarán una salud perfecta, en especial el cuarto, que comunica el cuerpo con el espíritu, y el clarividente sexto. Experimentará también una ausencia de tensión en el cráneo, será capaz de permanecer en la habitación de su mente y su aura y su cordón de enraizamiento serán fuertes y saludables, aun cuando en ese momento el séptimo chakra esté cerrado. Felicite al resto de sus chakras mediante un regalo simbólico por haber realizado un trabajo tan eficiente que ha permitido el descanso del séptimo. Coloque, al menos, siete Centinelas firmemente enraizados tanto en la zona delantera como en la trasera de dicho chakra para protegerlo. Puede dejar que éste permanezca cerrado durante una semana; si, transcurrida ésta, desea permanecer en descanso durante más tiempo, pregúntele por qué.

A menudo, su séptimo chakra necesitará que examine sus creencias espirituales para comprobar las que encajan en su vida y las que no. En este momento le resultará útil quemar determinados contratos que haya contraído con sus creencias espirituales o religiosas. Después de haber realizado dicha limpieza espiritual, compruebe de nuevo su séptimo chakra para ver si está dispuesto a abrirse. Si no es así, puede que tenga que reforzar también la porción superior de su aura. Coloque algunos Centinelas enraizados frente a su séptimo chakra como protección contra sistemas de creencias carentes de validez.

Cuando cualquier chakra se niega a volver a abrirse, puede indicar que hay alguien en su vida que permanece aún contractualmente conectado a él. Siéntese y escuche con atención a dicho chakra, realice una curación chákrica completa y queme esos contratos.

RASGOS QUE CARACTERIZAN A UN SÉPTIMO CHAKRA SANO

El séptimo chakra contiene el propósito específico de la vida, el camino espiritual, la información curativa y la conexión con Dios de cada ser. Cuando se permite que su energía fluya, se alcanza el nivel máximo de conocimiento espiritual, que es el conocimiento de uno mismo. Cuando nos conocemos a nosotros mismos de verdad y honramos dicho conocimiento, éste se extiende a todo nuestro alrededor. Se honra la vida y a Dios, se honran nuestros pensamientos y sentimientos, en su propio momento y de acuerdo con su lenguaje específico. Se honra el cuerpo y sus necesidades y se aceptan todas las facetas de la vida como partes intrínsecas del propósito espiritual.

Cuando el séptimo chakra, dentro de un sistema desequilibrado, está abierto, su energía puede separar a los individuos de las interacciones humanas normales; pero cuando está abierto dentro de un sistema armonioso y sin anomalías, hace que uno forme, de verdad, parte integrante de la vida. Las personas con un séptimo chakra sano son capaces de trabajar, tener dinero e hijos, conducir, comer y todo lo demás sin salirse de su camino espiritual. Viven en el mundo y en el interior de sus cuerpos, pero mantienen una consciencia constante mientras lo hacen. Atraviesan dificultades, porque en este planeta es muy difícil vivir, se enfadan, enferman, se enfurecen y lloriquean, pero se mantienen en su camino, permanecen cumpliendo con su cometido. Son amigos y amantes maravillosos para las personas que quieran llevar a cabo su misión, pero, dado que su sola presencia es capaz de agitar el tejido físico que les rodea, es frecuente que pasen sus vidas en soledad.

En una persona de estas características encontramos pensamientos conflictivos, emociones fuertes, sexualidad sana, sentido del humor, poderosas habilidades intuitivas, algo de necedad y divinidad. En las personas cuyo séptimo chakra ha perdido la armonía encontramos, a menudo, sólo las habilidades intuitivas y la divinidad. Finalmente, esta falta de equilibrio cae por sí sola, pero sólo después de que cientos o miles de seguidores intenten experimentar en sus propias vidas dicho desequilibrio, mientras que su líder se derrumba estrepitosamente.

Ya lo ve, todo se reduce al equilibrio. La energía del séptimo chakra es muy importante, pero si intenta conseguirla sólo por sí misma, sin la ayuda de las energías de los demás chakras, sufrirá conflictos relacionados con el enraizamiento espiritual y la seguridad.

Mientras habita en un cuerpo, dispone de tiempo real, de un cometido real que realizar en esta vida. Dicha tarea precisa del apoyo de todas sus habilidades, todos sus conocimientos y todos sus chakras. La adquisición de la energía saludable del séptimo chakra dentro de un cuerpo humano sano e imperfecto hará que su trabajo sea maravilloso, lleno de sentido, divertido y posible. Llegará a ser espiritual *al mismo tiempo que* humano; se puede conseguir.

El Octavo Chakra
(o del Sol Radiante)

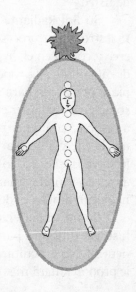

Su octavo chakra es un centro de energía radiante como la del Sol que se localiza por fuera y por encima de su aura. El chakra del Sol no es tanto un indicador o receptáculo de habilidades específicas como una fuente energética. Su función consiste en supervisar las energías del interior de su aura y de su vida. Su Sol Radiante supervisa todos sus aspectos, que incluyen sus cuerpos espiritual, mental y emocional, su cuerpo físico, su pasado, su presente y su futuro.

Ni el octavo ni el primer chakra están asociados a ninguna glándula en particular. En lugar de ello, el octavo chakra actúa, en consonancia con el primero, como regulador espiritual o de la energía cósmica del sistema endocrino. Los chakras primero y octavo actúan como «sujetalibros» energéticos del sistema endocrino. El octavo chakra le proporciona al sistema glandular energía limpia y neutra, energía que es almacenada y regulada por el primer chakra. Si éste último está dañado, o no puede acceder a la energía del Sol Radiante, tanto el sistema chákrico como el endocrino pueden perder la armonía. Para más información acerca del desequilibrio del sistema endocrino consulte la *Guía de Dificultades* (página 341).

La función específica de su Sol consiste en limpiar y redirigir la energía. Actúa como faro de su propia energía, a la que limpia de cualquier tipo de vínculo antes de hacer que vuelva a estar a su disposición. Su Sol clasifica, también, la energía extraña que usted ha recogido en forma de imágenes, mensajes y contratos. Éste es capaz de identificar y limpiar la energía externa si usted se responsabiliza y la expulsa fuera de usted.

Su Sol Radiante es como un ángel de la guarda o un maestro en su proceso de crecimiento espiritual. Si usted le cree y confía en él, le puede ayudar a afrontar cualquier tipo de dificultad. Al proporcionarle constantemente energía limpia y preparada para su uso, le puede ayudar a encontrar la solución a cualquier cuestión. La energía de su Sol le ayudará a resolver cualquier problema. También le puede proporcionar la energía necesaria para perjudicarse a usted mismo o a los demás, si es eso lo que elige hacer. Su chakra del Sol es un almacén y una cámara de compensación de energía. Lo que haga con ambos es decisión suya.

Como su Sol vive fuera de su aura, está separado de su historia o drama particular. Es desapasionado, imparcial y neutral. No le ocultará energía como castigo, como tampoco le proporcionará más cantidad como recompensa. Si aprende a llevar su vida espiritual de manera responsable, dispondrá de más energía. Si elige despilfarrarla en vínculos y adicciones, dispondrá de menos. El estado de su Sol dependerá de usted, de su trato hacia usted mismo y hacia los demás y de su compromiso de establecer una comunicación espiritual responsable.

El chakra del Sol Radiante existe en cada una de las personas que pueblan este planeta. Todo el mundo tiene la oportunidad de experimentar el flujo de una energía abundante, limpia y curativa, aunque la mayoría de las personas no se dan cuenta de que existe dicha oportunidad.

Estuve trabajando con el símbolo del Sol Radiante durante quince años antes de percatarme de que se trataba del octavo chakra. Al principio pensé que era sólo una bonita visualización o un ardid de la concentración, pero cuando comencé a observar el Sol por encima de todas las personas supe que era real. Gracias a su neutralidad, adiviné que tenía algo que ver con los guías espirituales. Creí que era una representación de la información que guiaba a cada persona, pero la energía dorada que lo rodeaba seguía siendo un misterio. La energía Dorada ha simbolizado siempre la energía de Cristo, sea éste Jesús, Buda, Alá u Horus. Con el paso de los años comencé a descifrar el rompecabezas.

El chakra del Sol Radiante es la energía de Cristo, la energía de la guía espiritual y la energía personal. Es el receptáculo energético que Dios ha creado para cada uno de nosotros. Es el supraconsciente y el inconsciente. Cuando hacemos que nuestra energía vuelva a nosotros o expulsamos energía fuera de nuestras auras, cuerpos, imágenes o contratos, nuestro Sol Radiante comienza a trabajar. Actúa como faro y purificador de energía. El Sol es el chakra más idóneo para este cometido porque vive fuera del aura y del cuerpo. Si cualquiera de los chakras que están por debajo de él intentasen hacer entrar en su interior energía estancada o extraña tendrían verdaderos problemas.

Si los chakras de las manos o del corazón que han perdido su salud, limpiasen energía, podrían provocar dolor en el pecho, los brazos, las manos y el cuello. Si el tercer chakra intenta eliminar energía, al principio creará problemas estomacales que derivarán en numerosas molestias más tarde. El segundo chakra, con su hábito de absorber energía, puede llevar al cuerpo a sufrir, incluso, cáncer o enfermedades reproductivas. Si el primer chakra o los de las manos son demasiado receptivos interferirán en el enraizamiento espiritual y podrán provocar subidas incontroladas de la energía kundalini. Ninguno de los chakras inferiores dispone de tiempo o espacio para limpiar y purificar la energía ajena a ellos. En el chakra del corazón, esto conducirá a la curación fuera de control y a posibles problemas coronarios y pulmonares. Un quinto chakra demasiado receptivo puede provocar esquizofrenia, mientras que en su caso, el sexto chakra quedará exhausto por las interminables visiones que le proporciona su facultad clarividente. En cuanto al séptimo chakra, una receptividad excesiva puede derivar en disfunciones cerebrales y desórdenes convulsivos.

Ninguno de los chakras asociados al cuerpo debe evacuar energía; no es ésa su función. El chakra del Sol Radiante sí que puede y debe hacerlo, porque se nos ha entregado para ese propósito. Es nuestra cámara de compensación energética, nuestro vínculo con la energía de Cristo y nuestra herramienta energética de limpieza. El chakra del Sol Radiante es la energía que hace que funcionen todos los demás chakras, la que nos mantiene vivos. Cuando realizamos la Curación del Sol cumplimos con el principal propósito de dicho chakra.

CUANDO EL OCTAVO CHAKRA ESTÁ ABIERTO O CERRADO

Yo nunca he visto un Sol Radiante cerrado; ni siquiera creo que sea posible cerrarlo. Se supone que nuestros chakras, íntimamente relacionados con nuestro cuerpo, reaccionan ante nuestras debilidades y fortalezas y que así es como crecemos y aprendemos. Sin embargo, el chakra del Sol permanece disponible para que lo utilicemos durante todo el tiempo.

Podemos, y de hecho lo hacemos, ignorar nuestros ocho chakras, pero siempre aparecerán cuando se lo pidamos. He visto Soles menos luminosos en personas que malgastan su energía, pero nunca he encontrado un Sol completamente cerrado. Los Soles Radiantes siempre están abiertos.

RASGOS QUE CARACTERIZAN A UN OCTAVO CHAKRA SANO

Creo que esta sección debería titularse «Rasgos que caracterizan a una persona que le presta atención a su Sol Radiante». Este chakra, incluso en el caso de que sea muy tenue, puede resplandecer en minutos cuando las personas se sientan en estado meditativo y se asienten espiritualmente. No existe un truco determinado para curar el chakra del Sol, lo único que hay que hacer es prestarle atención.

Si usted permanece en contacto con su chakra del Sol Radiante, dispondrá de todo el conocimiento que necesita. Podrá acceder a toda la información curativa, a toda la alegría, a todo el amor hacia uno mismo, a todo el perdón, a todos los sentimientos y a todo lo demás. Al estar conectado a su Sol, dispondrá de más energía de la que jamás pueda utilizar, más riquezas reales de las que nunca haya soñado y más oportunidades de las que posiblemente pueda emprender. Con este tipo de respaldo, es muy fácil estar sano y ser de utilidad para el mundo entero. Con este tipo de apoyo, su servicio será inestimable.

Los Chakras
de las Manos

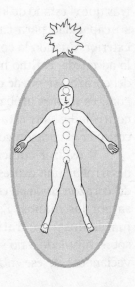

Los chakras de las manos se
sitúan en el centro de cada
una de las palmas. Pueden ser
expresivos o receptivos dependiendo de las circunstancias.

Durante una curación o un
momento de expresión artística, los
chakras de las manos canalizan
energía desde el interior del cuerpo
o desde un guía curativo y la
envían al mundo exterior. Durante
momentos de estudio intenso, del
acto amoroso o de meditación, las

manos pueden canalizar energía externa e información hacia el interior del cuerpo.

Aunque haya perdido una o ambas manos, esta información también le incumbe, porque aunque ya no existan las manos físicas, las manos energéticas y sus correspondientes chakras permanecen vivos y activos, de manera que: continúe leyendo.

Los chakras de las manos no son exactamente como los siete chakras principales. Son algo más pequeños de tamaño (entre cuatro y seis centímetros de diámetro aproximadamente cuando están abiertos), se abren y cierran con más asiduidad que los chakras fundamentales y carecen de un color en particular. Los chakras de las manos son, más bien, una especie de canales por los que puede fluir cualquier energía, en vez de ser almacenes de alguna energía en concreto. Sus chakras de las manos están conectados con el chakra del corazón y su estado general le muestra en qué situación se encuentra su capacidad de dar, recibir y crear en el mundo.

El estado de su chakra del corazón está relacionado con su capacidad para canalizar hacia el interior el amor y la información artística por todo el cuerpo y el espíritu, mientras que el estado de los chakras de las manos nos informa de su capacidad para canalizar dichas cosas hacia el mundo exterior. Cuando la conexión entre las manos y el corazón es la adecuada, el flujo hacia el exterior de la energía del chakra del corazón se puede controlar a través de las manos, con lo cual, es menos probable que se produzcan curaciones descontroladas. En esta sección se incluye un método para conectar el corazón con las manos.

Al realizar curaciones interpersonales, hacer el amor o desarrollar una expresión profunda de creatividad, el chakra del corazón envía su energía a través de los brazos y la expulsa por las manos. Ésta puede llegar a ser una sensación maravillosa y curativa, a menos que dicho chakra esté sobrestimulado o no sea consciente y pase demasiado tiempo vaciándose de ese modo. Sin la existencia de una conexión consciente entre el corazón y las manos, el chakra del corazón puede deformarse al intentar salir de sí mismo para recorrer los brazos. Como ocurre con la subida de energía kundalini, con un poco de energía que se desborde del chakra del corazón es mucha la distancia que se recorre. La interpretación y curación de dicho chakra hace que esta energía vuelva a concentrarse de nuevo, al igual que ocurre conectando de manera consciente el corazón y las manos.

Los masajistas y los sanadores intuitivos son los que utilizan los chakras de las manos de forma más activa, y quienes, en muchos casos, no saben cómo mantener la buena salud de dichos chakras. He encontrado numerosos casos de problemas de manos, muñecas, codos y hombros en estas personas. Por supuesto, se pueden atribuir al exceso de trabajo o a un uso indebido de los músculos. Pero también pueden ser signos de que los curadores están permitiendo que penetre por sus manos la energía de sus clientes y fluya por sus cuerpos.

Los sanadores no son las únicas personas que sufren este problema en los chakras de sus manos; los asistentes domésticos, las secretarias de los ejecutivos, los maestros de escuelas elementales y los consejeros de todo tipo también absorben con frecuencia el malestar que les rodea mientras limpian, mecanografían memorandos o posan sus manos sobre otras personas. Los síntomas de esta absorción de energía a través de los chakras de las manos incluyen dolor en las manos y los brazos, rigidez en los hombros, debilidad en los brazos y la zona superior de la espalda y molestias en la región del corazón.

A su cuerpo no le gusta llenarse con la energía, la atención, los problemas y los deseos de otras personas. Ante esto reaccionará con dolor y malestar, porque sabe que, cuando se introducen en él los problemas de los demás, siempre se ignoran sus propias necesidades. Si usted ha asimilado el mal hábito de la absorción empática de energía a través de los chakras de las manos (vea el capítulo dedicado al segundo chakra), es probable que su cuerpo lleve un tiempo protestando por ello. Pídale disculpas, aprenda el método correcto para conectar el corazón con las manos y rompa el hábito.

CUANDO LOS CHAKRAS
DE LAS MANOS ESTÁN ABIERTOS O CERRADOS

Los chakras de las manos se abren y se cierran constantemente y cambian su grado de apertura a cada momento. A este respecto, son mucho más activos que los siete chakras centrales. Si su sistema chákrico está medianamente alineado y sano pero sus chakras de las manos están extremadamente abiertos o completamente cerrados, frote sus manos entre sí y compruebe si se producen cambios. Al frotar las manos le proporciona energía a dichos chakras a la vez que llama su atención. Durante una interpretación chákrica, los chakras de sus manos deben tener un diámetro aproximado de entre cuatro y seis centímetros y deben estar en disposición de trabajar. Si no están preparados o no parecen proclives a abrirse a sus planes, continúe leyendo.

Los chakras de las manos que están constantemente abiertos dentro de un sistema chákrico que no está en armonía pueden afectar a las articulaciones y los músculos de las manos, lo cual puede volverlas más débiles de lo normal o hacer que sean incapaces de agarrar o sostener las cosas. Toda la energía que debe estar en las manos sale de ellas, debilitándolas. Las personas cuyas manos son torpes o que están constantemente golpeándose, arañándose o quemándose tienen, por lo general, los chakras de las manos demasiado abiertos para garantizar su salud y su seguridad. Este estado de debilidad de las manos va, a menudo, acompañado de un chakra del corazón extremadamente abierto y cuyas curaciones son incontroladas.

Los chakras de las manos abiertos son necesarios durante tareas específicas como las curativas o las de creación artística, pero debe ser capaz de volver a cerrarlos cuando sea necesario. Si su entrenamiento ha puesto demasiado énfasis en los atributos curativos del chakra del corazón y en la entrega de amor incondicional, puede que sus chakras de las manos estén abiertos y expulsen la energía del chakra del corazón durante las veinticuatro horas del día. Si es éste el caso, su chakra del corazón tendrá una forma oblonga aplastada horizontalmente, en lugar de la habitual forma circular. De hecho, en esta situación, parece como si el chakra del corazón comenzase a vaciarse en los brazos.

Ya hemos hablado del modo de cerrar un chakra del corazón fuera de control. El trabajo con los chakras de las manos es de vital apoyo para restablecer el equilibrio del corazón. Cerrando los chakras de las manos, lo cual se puede hacer cerrándolas en puño, se bloquea la vía tradicional de drenaje de la energía del corazón. Cuando los chakras de las manos están cerrados, la energía del corazón tiene que permanecer en el interior del cuerpo, lo cual puede resultar incómodo al principio, especialmente si su concepto de sí mismo se basa en su capacidad para amar y curar a los demás. Puede que no sepa qué hacer con su propia energía curativa; puede que no sepa como cuidarse a sí mismo ni que, incluso, quiera hacerlo; hágalo de todas formas.

Cuídese facilitándose las cosas, alimentándose con comidas caseras, dedicándose tiempo a usted mismo, diciendo «no» a la mitad de las demandas de tiempo que le vienen del exterior y cuidando de la habitación de su mente. Reserve algo de tiempo al día para hacer lo que le apetezca, sin importar lo estúpido que pueda parecer. Coloree en un libro para colorear, compre una camisa desenfadada, juegue con una mascota o vaya al zoo. Alégrese y diviértase un poco y coloque las manos sobre el corazón cuando sienta la necesidad de ignorarse a sí mismo y sumergirse de improviso en una relación curativa. Tenga siempre entre manos su vida, literalmente.

Los chakras de las manos abiertos pueden, en lugar de drenar, absorber energía. Si dichos chakras introducen energía en el cuerpo, el chakra del corazón no se vaciará ni se deformará. Será, en este caso, algo más pequeño y brillante. Puede que su contorno, en vez de ser redondo, sea cuadrado. En cualquier chakra, el contorno exterior cuadrado es, a menudo, signo de agotamiento. Encontrará esquinas y ángulos en los chakras que intentan proteger su energía frente a energías incorrectas o sistemas de creencias que dañan su funcionamiento.

Un chakra cuadrado o poligonal está intentando desviar la energía que recibe presentando ángulos afilados en vez de recibirla con benignas curvas. Un corazón que esté atrapado entre dos chakras de las manos que no sean conscientes y que absorban energía se pondrá a la defensiva, como debe hacer. Los síntomas físicos pueden incluir dolor o malestar en la zona superior de la espalda, problemas respiratorios y todo tipo de molestias digestivas que se producirán al intentar intervenir el tercer chakra para proteger al corazón.

Una persona que realice sus curaciones absorbiendo energía a través de los chakras de sus manos, experimentará también agotamiento durante o tras sus sesiones de curación, limpieza, organización o consejo, por lo que necesitará un buen descanso. En esencia, este tipo de sanador se derrumbará pronto. Por fortuna, les puede ayudar la técnica de la correcta conexión entre el corazón y las manos que se enseña en este capítulo.

Los chakras de las manos excesivamente cerrados pueden entumecer e inflamar las articulaciones y los músculos de éstas. Éste es un signo de que la capacidad de entrega y creación está atrofiada, y en cierto modo, artrítica. Si los chakras de sus manos están completamente cerrados, puede resultar negativamente afectado el flujo normal de energía de su cuerpo. Se sentirá «atorado». Si no es capaz de hacer un pequeño dibujo ni tocar una sencilla melodía en el piano, por favor, encuentre otra manera de crear un flujo de energía en sus manos. Nuestra sociedad le impone a la expresión artística o creativa requerimientos tan imposibles que es una maravilla que haya alguien que salga a la luz y ame y pinte, baile o cree. Pero usted no tiene que satisfacer los requerimientos de la sociedad; puede hornear o cocinar algo con sus manos, limpiar y restaurar una pieza del mobiliario o un engranaje, darle a alguien un masaje en los hombros o un corte de pelo, practicar Tai Chi o Yoga o pasar algo de tiempo acariciando a un animal. Concéntrese en aprender a conectar su corazón y sus manos de manera saludable y haga que su energía fluya de nuevo. Si los chakras de sus manos se han cerrado, realice la curación de la conexión corazón-manos al menos dos veces al día hasta que haya restablecido su flujo.

Los chakras de las manos también pueden tomarse un descanso, pero dado que están en uso la mayor parte del tiempo, es bastante inusual que se desactiven durante más de un día o dos. Podrá reconocer el estado de descanso de dichos chakras por la buena salud y la forma adecuada de su chakra del corazón y por la sensación de relajación y gracia de sus brazos, manos y dedos, aun en caso de que los chakras de sus manos estén cerrados.

Estos chakras se desactivan cuando se está procesando nueva información acerca de la curación adecuada y el amor a uno mismo. Sus manos se cerrarán para que se mantenga la energía de su corazón dentro de su cuerpo y para apartarle por un tiempo del papel de sanador-dador. Los chakras de las manos, sin embargo, necesitan estar disponibles para que los utilice, así que debe comprobar su estado dos o tres veces al día mientras estén cerrados y felicitar mediante regalos simbólicos al resto de sus chakras, en especial al del corazón. Haga que cada uno de sus chakras sepa que usted aprecia el equilibrio y las habilidades comunicativas que han hecho posible el descanso de sus chakras de las manos.

Para el bien de éstas, cúbralas con unos guantes de Centinelas enraizados y pídales que le muestren qué tipo de apoyo energético necesitan para volver a abrirse. Por lo general, lo describirán manualmente. Obsérvelas y aprenda de ellas.

Cómo conectar los chakras
de las manos con el del corazón

Por lo general, las manos y el corazón están conectados en la mayoría de las personas, pero siempre será buena idea examinar la calidad de dicha conexión, especialmente en los casos en los que el chakra del corazón esté perturbado o deformado o las manos o los brazos muestren rigidez o sean propensos a los accidentes.

La conexión entre las manos y el corazón comienza con un chakra del corazón sano, de manera que el primer paso de este proceso es la curación del corazón. Cuando esté concentrado y en el interior de su mente, visualice su chakra del corazón como un centro de energía circular de color verde esmeralda y de un diámetro aproximado de entre seis y diez centímetros. Ahora, visualice cada uno de los chakras de sus manos en el centro de la depresión redonda de sus palmas como centros circulares e igualmente abiertos. Éstos deben ser de entre cuatro y seis centímetros de diámetro, de manera que se acomoden con facilidad en las palmas de sus manos.

Mientras permanece sentado y tras sus ojos, visualice cómo una porción de energía esmeralda de su chakra del corazón asciende hacia cada uno de sus hombros. Asegúrese de que la forma de su chakra del corazón permanece circular y del tamaño normal. Sepa que no está drenando la energía fuera de su corazón, sino que simplemente está redirigiendo una parte de su amplio suministro. Observe cómo la energía esmeralda de su corazón asciende hasta cada uno de sus hombros para descender después por sus brazos. Sienta la energía de dicho chakra mientras se desplaza suavemente a través de la médula de la zona superior de sus brazos, hacia los codos, y desciende por la zona inferior de los brazos. Contemple, desde el interior de su mente, cómo la energía desciende por sus muñecas y fluye hacia el exterior a través de sus manos empujando las obstrucciones de energía.

Cuando los chakras de sus manos estén conectados con el de su corazón, deberá experimentar en aquéllos calor creciente o presión. Si no es así, puede ser que haya una obstrucción en algún lugar de sus manos o sus brazos. Libérela, junte las manos y frótelas enérgicamente hasta que pueda sentir calor en su interior. Entonces, deje que cuelguen a ambos lados de su cuerpo y sienta pesadez y hormigueo. Eso es lo que debe sentir cuando la energía de su corazón fluya en el interior de los chakras de sus manos.

Junte de nuevo las manos y frótelas entre sí. Cuando estén templadas, úselas para introducir la energía de su chakra del corazón en sus brazos. Coloque su mano derecha a unos centímetros de su chakra del corazón y describa un pequeño círculo sobre él, como si removiese la energía de éste. Utilice su mano derecha para llevar parte de la energía esmeralda de su corazón hasta su hombro izquierdo. Con suavidad, desplace parte de esta energía a lo largo de su brazo izquierdo. Cuando llegue a la palma de la mano, utilice la mano derecha para describir un círculo alrededor del chakra de esa palma y observe cómo éste se llena de la energía verde procedente del corazón.

Cuando haya establecido la conexión con su mano izquierda, deje caer su mano derecha y utilice la izquierda para llevar la energía del corazón hasta ella. Si usted es un sanador que absorbe energía inconscientemente, puede que necesite realizar esta conexión varias veces al día, pero ésta comenzará pronto a fluir por sí misma.

Mueva sus manos y brazos. Abra y cierre las palmas y sienta cómo varía el flujo de energía del corazón al hacerlo. Coloque las manos abiertas sobre alguna zona de su cuerpo en la que sienta malestar y podrá realizar una pequeña curación con el chakra del corazón sobre usted mismo. Sitúe sus manos extendidas sobre su chakra del corazón y podrá cerrar el circuito energético y darse amor a sí mismo cuando su corazón pierda el equilibrio.

Mantenga esta conexión corazón-manos en cada momento, pero tenga presente que si la curación descontrolada forma parte de su pasado no debe dejar que la energía del corazón salga por sus manos de manera inconsciente. Tampoco debe comenzar a absorber la energía que le rodea. Cuando su corazón está conectado conscientemente con sus manos y posee el control y el conocimiento de la energía de su corazón, es menos probable que se produzcan curaciones descontroladas o absorción de energía. No obstante, el peligro no termina ahí. Si recae en antiguas formas de relación, vuelva a leer las secciones dedicadas a las señales de advertencia de los chakras de las manos que están muy abiertos y al hábito de absorber energía del segundo chakra.

Si encuentra dificultad para mantener su energía curativa dentro de su cuerpo, coloque las manos sobre el corazón cada mañana y cada noche durante un mes aproximadamente. Si siente que su corazón se dirige hacia otra persona que no le ha pedido específicamente una curación, coloque de inmediato las manos sobre el corazón. Recuérdese a sí mismo que todos tenemos nuestra propia energía curativa. En estos momentos no tiene que curar al mundo entero, primero debe curarse a usted mismo.

Ahora que sabe cómo conectar el corazón y las manos, examine dicha conexión cada vez que compruebe el estado de sus chakras o haga una interpretación de ellos o cada vez que realice la Curación del Sol. Preste especial atención a la forma de su chakra del corazón, que no debe estar aplastada horizontalmente como si tratase de vaciarse hacia sus brazos. La forma de este chakra, conectado a las manos, debe permanecer circular, al igual que lo hace el primer chakra aunque una porción de su energía se dirija hacia abajo a través del cordón de anclaje. No permita que sus manos absorban energía de forma inconsciente. Lo único que conseguirá será provocar estragos en el chakra del corazón y en el resto del sistema. Deje de hacerse daño a sí mismo.

RASGOS QUE CARACTERIZAN A
LOS CHAKRAS DE LAS MANOS SANOS

Las personas cuyos chakras de las manos están en buen estado pueden traducir al mundo exterior la información de su saludable sistema chákrico. Son capaces de dar y cuidar de forma natural (y no compulsiva), pero poseen una dimensión extra: también son capaces de recibir. Pueden recibir ayuda, cumplidos, presentes y consejos amables sin perder su centro. Y pueden darle todas esas cosas a los demás sin establecer deudas, provocar sentimientos de culpabilidad ni recriminaciones.

Los chakras de las manos que gocen de buena salud confieren a sus propietarios una creatividad natural. La creatividad de estas personas fluye. No sufren los dramáticos bloqueos artísticos ni las pérdidas de inspiración. Poseen un talento especial para vestirse, cocinar, decorar la casa, arreglar el coche o todas aquellas cosas que les hacen sentirse bien. No necesitan confiar en maestros ni instituciones para refrendar sus expresiones artísticas. Mantienen una relación agradable y mutua con el mundo y con las personas que les rodean. También poseen una maravillosa relación con su propia energía y son capaces de proteger su naturaleza generosa cerrando la conexión corazón-manos cuando se encuentran en presencia de determinadas personas.

Los Chakras de los Pies

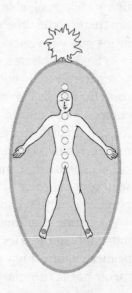

C ada uno de los pies posee
un chakra que está situado
en el centro de su arco. Al igual que
los chakras de las manos, los de los
pies pueden ser tanto receptivos
como expresivos, dependiendo de
las circunstancias: durante el
enraizamiento espiritual o el ejercicio físico, los chakras de los pies
ayudan al cuerpo a canalizar la
energía hacia la Tierra; durante los
paseos meditativos o las excursio-
nes campestres, dichos chakras se

abrirán para permitir que la energía de la Tierra ascienda por su cuerpo y lo purifique.

Aunque haya perdido uno o ambos pies, esta información también le incumbe, pues aunque carezca de un pie físico, su cuerpo energético posee piernas, pies y chakras en ellos, de modo que continúe leyendo.

La salud de sus chakras de los pies está relacionada, no sólo con su capacidad para permanecer conscientemente en su cuerpo y enraizado, sino también con su habilidad para actuar en el planeta, en el tiempo real, como espíritu enraizado. Esta distinción es muy importante. Es bastante posible que permanezca en el interior de su mente y enraizado desde su primer chakra, sin una conexión real a la Tierra, en especial si sus chakras tercero, cuarto y quinto son incapaces de comunicarse entre sí.

Si una comunicación tan primordial como la que se establece entre el cuerpo y el espíritu queda bloqueada en el chakra tercero, cuarto o quinto, la conexión entre éstos no será pura. La capacidad de enraizamiento, signo de la armonía entre el espíritu y el cuerpo, será más un ideal intelectual que una realidad palpable. Para descubrir si su enraizamiento es tan fuerte como debería serlo, basta con observar sus chakras de los pies y la conexión de éstos con su primer chakra.

Los chakras de los pies, como los de las manos, se abren y se cierran a su voluntad en respuesta a la necesidad de conectar con la Tierra o de introducir la energía de ésta en el cuerpo. Son, también, más pequeños que los chakras centrales, con un diámetro aproximado de entre cuatro y seis centímetros cuando están abiertos. Estos chakras no poseen un color específico; a menudo muestran sombras marrones, semejantes al color de la energía de la Tierra, o rojas, cuando están en conexión con la energía del primer chakra.

Cuando el enraizamiento y la conexión corporal en un individuo son fuertes, puede ser que parte de la energía del primer chakra fluya por el interior de las piernas (generalmente por la médula) y descienda hasta salir por los chakras de los pies. Este flujo significa que el primer chakra se encuentra en óptimas condiciones y que su función de enraizamiento no es conceptual, sino real. Cuando la energía del corazón fluye adecuadamente por las manos, se pueden observar ejemplos concretos de amor y curación hacia uno mismo y hacia los demás. Del mismo modo, cuando la energía del primer chakra fluye por los pies, observará ejemplos concretos de enraizamiento y de una perfecta conexión entre el cuerpo y el espíritu.

Los chakras de los pies que están sanos crean y favorecen un vínculo con la energía sabia y amable que reside en el interior de la Tierra. Sus chakras de los pies le ponen en contacto con la naturaleza al permitir que la energía de la Tierra penetre en su cuerpo, purificándolo, centrándolo y asentándolo. Dichos chakras le proporcionan, además, la oportunidad de descargar cualquier tipo de estrés, fatiga o falta de armonía que sufra su cuerpo al hacer que éste expulse energía hacia el suelo, que la aceptará y limpiará.

Si sus chakras de los pies se encuentran en buen estado, cualquier movimiento que realice la parte inferior de su cuerpo favorecerá el enraizamiento. Caminar, bailar, patinar e incluso empujar al carro de la compra se volverán ejercicios espirituales encaminados al enraizamiento mientras permita que sus pies mantengan una conexión constante y recíproca con la Tierra.

CUANDO LOS CHAKRAS DE LOS PIES ESTÁN ABIERTOS O CERRADOS

Los chakras de los pies extremadamente abiertos, dentro de un sistema chákrico desequilibrado, suponen una herramienta de emergencia para el enraizamiento. Si se encuentra desarmonizado y carece de enraizamiento y sus pies tratan de mantenerle conectado a la energía de la Tierra permaneciendo muy abiertos, considérese afortunado. Aunque sea importante que cure y alinee el resto de sus chakras tan pronto como le sea posible, es de igual modo relevante que felicite a sus chakras de los pies por haber hecho lo que debían. Si éstos intentan mantenerle enraizado, aunque usted no colabore activamente, significa que su cuerpo está muy evolucionado y es extremadamente responsable. Trátelo con amor y cuidado, pues estos cuerpos tan evolucionados suelen pasar apuros en una sociedad tan estrepitosa y caótica como es la nuestra..., ¡especialmente si sus dueños les ignoran!

Al realizar la curación chákrica completa necesaria cuando sus chakras de los pies estén muy abiertos, preste especial atención a las conexiones entre sus chakras tercero, cuarto y quinto. Sus acuerdos o disputas entre el cuerpo y el espíritu son, por lo general, factores que influyen en caso de dificultades para enraizarse. Cuando llegue al primer chakra, observe cómo una porción de su energía rojo rubí fluye en descenso por los huesos de sus piernas hasta alcanzar el centro de sus chakras de los pies (de lo que se hablará con más detalle al final de este capítulo). Esta conexión contribuirá a calmar y hacer que vuelvan a su tamaño habitual los chakras de los pies, de manera que puedan relajarse un poco. Si necesita un apoyo visual para restaurar dichos chakras a su tamaño, visualice el mecanismo del obturador de las cámaras de fotografía.

Al final de la curación completa de los chakras, dedique algún tiempo a realizar la Curación del Sol para los Chakras que se describe al final del libro. Establezca un flujo de energía dorada que circule por su pelvis, caderas, muslos, rodillas, pantorrillas, tobillos y pies. Puede que estas zonas necesiten atención extra durante un tiempo. Sería bueno realizar una Curación del Sol cada día, hasta que se mantenga constante el flujo de energía desde el primer chakra hasta los chakras de los pies.

Los chakras de los pies que están demasiado abiertos pueden provocar problemas físicos como pesadez, tropezones constantes o tendencia a los esguinces de tobillos y rodillas.

Estas molestias remitirán una vez que se haya restablecido el flujo curativo de energía y los chakras de los pies hayan sido devueltos a la consciencia.

Los chakras de los pies que están muy abiertos dentro de un sistema chákrico sano indican que el cuerpo está familiarizándose con la sabiduría y la curación de la energía terrestre. Aunque muchas personas piensen que la sabiduría verdadera sólo procede de arriba, del cosmos o el reino espiritual, el hecho es que la sabiduría real procede del equilibrio entre la energía terrestre y la energía cósmica. Ésta contribuye a la armonía del espíritu, mientras que la energía terrestre favorece la armonía del cuerpo en el que habita dicho espíritu. El equilibrio físico resulta vital en estos tiempos en los que se ha perdido el enraizamiento. Cuando los chakras de los pies están muy abiertos pero el sistema completo goza de buena salud, están reuniendo sabiduría y orientación para armonizar el cuerpo con los ritmos, los ciclos y las energías del planeta. Esta información se presenta como una revelación curativa para cada uno de los chakras centrales.

Aunque por lo general sea aconsejable cerrar cualquier chakra extremadamente abierto en el plazo de una semana, puede ser que los chakras de los pies y la energía terrestre necesiten algo más de tiempo para establecer su vínculo curativo. Dado que la Tierra funciona por ciclos, estaciones y tiempo real, podría necesitar más tiempo para involucrar por completo a su cuerpo en alguna experiencia en particular o en determinada modalidad de curación; permítaselo.

Mantenga la salud y alineación de sus chakras centrales y realice meditaciones regulares para fortalecerlos mientras los chakras de sus pies participan en esta curación terrestre. Siéntese y practique su meditación y curación cada día a la misma hora y en el mismo lugar. La energía de la Tierra es muy sensible al tiempo, al espacio y a la estabilidad. Cuando se centre en un horario regular, la energía terrestre se amoldará a su rutina y le ofrecerá su información curativa mientras usted medita. Escúchela y aprenda; la energía de la Tierra es infinitamente curativa e infinitamente sabia.

Los chakras de los pies que están cerrados y forman parte de un sistema en desequilibrio evidencian la falta de disposición para conectar con la Tierra o la respuesta de ésta al daño localizado en el primer chakra. Los chakras de los pies se pueden cerrar también cuando el cuerpo no está obteniendo un ejercicio diario lo suficientemente agradable y razonable que le permita mantener en movimiento su energía. Y digo agradable y razonable porque hay muchos adictos al deporte que han cerrado sus chakras de los pies y son propensos a daños constantes en éstos, en las piernas y en la parte inferior del cuerpo.

El ejercicio compulsivo es un acto contrario al enraizamiento porque hace caso omiso de las señales corporales normales, como el dolor, el hambre, la fatiga y el simple sentido común. Si usted es una de esas personas que piensan que no hay recompensa sin sufrimiento, que se entrena hasta la extenuación, que tiene problemas para enraizarse y cuyos chakras de los pies están cerrados, alégrese. No tiene por qué dejar de practicar deporte, pero debe aprender a escuchar a su cuerpo en vez de forzarlo a hacer tantas repeticiones o recorrer tantos kilómetros o cualquier otra cosa. Le ayudará sobremanera mantenerse en contacto con su cuerpo y con los chakras de sus pies.

Los chakras de los pies que están cerrados pueden afectar a éstos y a las piernas volviéndolos tirantes, inflexibles y posiblemente artríticos. Éstos pueden, incluso, mostrar indicios de insuficiencia vascular porque la energía deja de fluir a través de ellos. Pueden también sufrir amplias oscilaciones en su temperatura como respuesta del cuerpo ante la falta de energía en su interior.

A menudo encuentro esta cerrazón de los chakras de los pies en personas a las que yo llamo *hadas del séptimo chakra* y entre las que me incluyo, en ocasiones. Éstas son personas cuya tendencia principal se inclina hacia el espíritu. A menudo están repletos de información, intuición y orientación espiritual, pero sus cuerpos, sus hogares y sus relaciones personales se encuentran en medio de una terrible confusión. Curiosamente, muchas de las doctrinas espirituales le han restado importancia al mundo físico (llamándolo ilusión), precisamente porque sus discípulos, inclinados en exceso hacia la espiritualidad, no podrían funcionar en él.

No nos llevemos a engaño. Somos espíritus en cuerpos y nuestro propósito principal al encarnarnos es aprender a vivir en nuestros cuerpos y comunicarnos con ellos dentro del mundo físico.

CÓMO CONECTAR LOS CHAKRAS DE LOS PIES CON EL PRIMER CHAKRA

En las personas enraizadas de manera natural, los chakras de los pies se conectan a sí mismos con la energía curativa de la Tierra sin necesidad de ayuda. En las personas que sufren una escisión entre el cuerpo y el espíritu, los chakras de los pies se encuentran por lo general apartados de la energía sanadora de la Tierra, lo cual hace que el enraizamiento y la vida misma se vuelvan muy difíciles.

Cuando se logra canalizar la energía del primer chakra a través de las piernas hasta los chakras de los pies, las propias piernas funcionan como herramientas para el enraizamiento. Mediante la conexión entre el primer chakra y los de los pies, los paseos y los ejercicios físicos se transforman en procesos meditativos. Cada vez que sus piernas se mueven o que sus pies tocan el suelo, se restaura su conexión con la Tierra. Cuando sus chakras de los pies están conectados, los simples movimientos de su cuerpo le proporcionarán enraizamiento.

Esta conexión entre el primer chakra y los de los pies parte de la buena salud de aquél. A estas alturas, si ha mantenido con regularidad su cordón de anclaje, el estado de su primer chakra debe ser bastante saludable. Si no es así, estudie las anomalías que pueda presentar y remédielas antes de intentar conectarlo con los chakras de los pies. Si la energía de su primer chakra experimenta un ascenso súbito, consulte el apartado dedicado a la curación del kundalini en la *Guía de Dificultades* y realice una curación sobre la totalidad del sistema chákrico antes de retomar este punto.

Cuando esté centrado y en el interior de la habitación de su mente, visualice su primer chakra como un centro energético circular, de aspecto saludable y color rojo rubí. Observe el vínculo claro y fuerte que existe entre éste y su cordón de anclaje. Entonces, visualice los chakras abiertos y circulares que se encuentran en el empeine de cada uno de sus pies.

Desde el interior de su mente, permita que una porción de la energía roja de su primer chakra fluya fuera de éste y descienda por cada uno de sus muslos. Contemple cómo viaja esta energía rubí a través de la médula de ambos miembros. Siga con la vista el flujo de energía hasta las rodillas y las pantorrillas sintiendo la certeza de que no está vaciando su primer chakra, sino redirigiendo parte de su inagotable energía.

Permanezca concentrado en su mente. Observe cómo desciende la energía hasta los tobillos y sale por cada uno de los chakras de los empeines de sus pies. Sienta el flujo energético que se establece entre sus piernas y la Tierra.

Si esta sensación de conexión con la Tierra le resulta muy extraña o siente calor o pesadez en las piernas, puede estar seguro de que anteriormente no había utilizado estos chakras. Si los cambios que percibe son leves, puede ser que sus chakras de los pies estuviesen funcionando por sí solos de manera adecuada. Para finalizar, ate un cordón de anclaje a cada uno de ellos.

Si le resulta muy difícil establecer esta conexión, utilice las manos, previamente vinculadas al corazón, para ayudar a que la energía del primer chakra descienda por las piernas. Cuando llegue a cada uno de los pies, describa círculos manualmente sobre los chakras de los pies y sienta cómo se agita su energía. Este ejercicio hará que se despierten y se pongan en funcionamiento.

Puede ser que, en numerosas ocasiones, necesite la ayuda de sus manos para desplazar la energía desde su primer chakra hasta los pies. Es normal que esto ocurra al principio, pero transcurrido cierto tiempo, la conexión entre ambos no requerirá ningún esfuerzo.

Mantenga una consciencia constante de dicho vínculo, especialmente si en el pasado ha tenido dificultades para enraizarse. Esta conexión le ayudará a aclarar la energía atrapada en la zona inferior de su cuerpo, lo cual favorecerá el enraizamiento. Llegado a este punto, compruebe la conexión cada vez que realice un examen de los chakras o la Curación del Sol.

Algunos estudiantes concluyen que la conexión entre estos chakras se puede sustituir por el cordón de anclaje del primer chakra. Si usted es capaz de mantener su enraizamiento mejor del modo que he descrito, deje caer el cordón de anclaje de su primer chakra y asiéntese desde los chakras de los pies. De hecho, una vez que haya liberado y revitalizado su primer chakra, este método le resultará más natural.

RASGOS QUE CARACTERIZAN A LOS CHAKRAS DE LOS PIES SANOS

Cuando los chakras de los pies funcionan adecuadamente, hacen del enraizamiento un acto completamente natural. Le conectan con la información, la energía y las facultades curativas de la Tierra y ayudan a su cuerpo a sentirse más real. Los signos externos que evidencian la existencia de un vínculo estrecho y curativo con el planeta son: respeto hacia uno mismo, práctica razonable de ejercicio físico, dieta apropiada, condiciones cotidianas y laborales apacibles y cuidado inteligente de la salud.

Los chakras de los pies que están en buenas condiciones confieren a sus propietarios una energía centrada, estable, enraizada y profundamente espiritual muy similar a la que poseen los miembros de tribus cuya energía está centrada en la naturaleza. Cuando el cuerpo mantiene su honorable posición de árbitro entre la tierra y el cielo, todos sus movimientos se tornan parte de los movimientos del espíritu y viceversa. Los chakras de los pies, así como la conexión planetaria que proporcionan, harán posible este estado de interconexión.

En ocasiones, los chakras de los pies pueden hacer que el cuerpo se sienta algo pesado, como si experimentase la fuerza de la gravedad más que el resto de los cuerpos. Esto ocurre cuando las personas, pese a poseer unos chakras de los pies saludables, se encaminan hacia una escisión entre el cuerpo y el espíritu. La pesadez de los pies es directamente proporcional al énfasis excesivo que se otorga a la información espiritual centrada en el cosmos. Si siente una fuerte atracción hacia abajo en las piernas o la pelvis, no crea que es porque está *muy* enraizado. Significa que, de nuevo, se dirige a la separación entre su cuerpo y su espíritu, lo cual, más bien, quiere decir que está *poco* enraizado. Préstele atención a esta sensación, vuelva a centrarse en su cuerpo y conecte de nuevo sus pies con su primer chakra. Para su tranquilidad, su cuerpo y su espíritu comenzarán a comunicarse con facilidad.

Cómo Interpretar
los Chakras

U na vez que haya realizado el examen preliminar de
los chakras y se encuentre en un estado meditativo
despejado, enraizado y concentrado, puede volver a visitar
cada uno de los chakras, comenzando por el séptimo y continuando hacia abajo. Ahora que sabe realizar el examen de
los chakras, su interpretación más exhaustiva será un procedimiento simple.

Durante la interpretación chákrica coloque, en primer
lugar, la imagen de un chakra ideal sobre el que usted posee
para poder apreciar mejor los cambios que éste quiera mostrarle. Tras alzar la imagen del aspecto que *debería* tener un
chakra perfecto, deje lugar para que le enseñe la que tiene *en
realidad*.

Ésta es la técnica que utilizan la mayoría de los videntes buenos para aclarar sus pensamientos y liberar sus preconcepciones: establecen una imagen de lo que piensan que debería ocurrir o de lo que creen que saben acerca de su cliente y se sientan a esperar los cambios. Los videntes que no son capaces de ser honestos con sus prejuicios impregnan, a menudo, sus interpretaciones de sus propios problemas personales. Muchos videntes principiantes me dicen: «¡No puedo con esto! ¡Mi séptimo chakra no se parece en absoluto a lo que debería ser! ¡Me rindo!». Se creen que los videntes reales lo saben todo, que son todopoderosos, y están totalmente equivocados.

Los buenos videntes no son engreídos sabelotodo. Emprenden sus interpretaciones con la intención de descubrir lo que *no* saben. Los aprendices confundidos y preocupados que asisten a mis clases están en el buen camino que conduce a la destreza porque ¡tampoco saben nada aún! Sus chakras no responden a las imágenes del examen de los chakras porque están preparados para su inmediata curación. Estos chakras no desperdician ni un segundo de su tiempo.

Los cambios que muestran los chakras pueden ser terribles en cuanto a su forma, tamaño y color, o leves, como cuando un chakra manifiesta una sombra algo más clara que el color que usted le ha asignado durante el examen preliminar. Si no percibe ningún cambio, no crea que carece de intuición. Puede que su sistema chákrico sea tan saludable que no necesite mostrarle ningún signo de daño o trastorno. Quizás el simple examen preliminar haya sido todo lo que necesitaban para volver a sus puestos. ¡Estupendo! En ese caso, todo lo que tiene que hacer, en realidad, es continuar con la Curación del Sol para Chakras que se trata en el capítulo siguiente.

LA INTERPRETACIÓN DE LOS CHAKRAS

Comience la interpretación por el séptimo chakra (o de la coronilla) y continúe hacia abajo hasta el primero. Revise los chakras de las manos junto con el del corazón y los de los pies junto con el primero.

Para llevar a cabo dichas interpretaciones, coloque una imagen del aspecto que crea que debe presentar cada chakra y permanezca atento a cualquier cambio que pudiera percibir. Si descubre desviaciones o anomalías con respecto al modelo, estudie los posibles significados según las indicaciones que se presentan más adelante o deje que su chakra le indique qué es lo que no funciona.

A medida que interprete cada uno de sus chakras centrales, preste atención a su tamaño y forma; debe ser de contorno circular y medir entre seis y diez centímetros de diámetro. Compruebe su tamaño y alineación con respecto a los demás. Todos deben tener un tamaño similar y describir una línea recta que recorra la zona frontal del cuerpo. Advierta la pureza de su color. Sus colores deben ser claros y diferentes unos de otros. Examine la perfección de su contorno, que debe carecer de desgarros, agujeros, protuberancias o zonas más delgadas. La energía de cada chakra debe fluir apaciblemente.

Al interpretar los chakras de los pies y los de las manos, tenga presente que su tamaño normal es de entre cuatro y seis centímetros de diámetro y que no poseen un color regular. Los chakras de los pies pueden ser rojos si están conectados a la energía de su primer chakra, o de color marrón verdoso si están conectados a la Tierra. Los de las manos pueden ser verdes si están en conexión con el corazón, aunque pueden también mostrar otros colores. Ambos, los de los pies y los de las manos, deben ser circulares, con contornos bien definidos que no presenten agujeros, roturas ni secciones difusas.

Después de interpretar cada chakra, envíele otra imagen de su aspecto ideal y desplácese hacia el siguiente chakra. Si es necesario, puede utilizar las manos para devolverles a sus chakras el tamaño y la forma correcta y para remover su energía con los dedos antes de continuar con el siguiente. Cuando haya finalizado con todos y sus manos y pies estén vinculados a sus respectivos chakras centrales, habrá terminado. Entonces, todo lo que quedará será realizar la Curación del Sol especial para los Chakras que se describe en el capítulo siguiente.

Estas revisiones y curaciones chákricas le pueden llevar bastante tiempo; tanto más si sus chakras precisan gran cantidad de atención por su parte. Una vez que los tenga alineados y conectados, éstos se encargarán de mantener su armonía y las interpretaciones posteriores no le ocuparán más de cinco minutos desde el principio hasta el fin. Al principio, puede que sienta la necesidad de curar sus chakras a diario; más tarde, se volverá más descuidado, como es natural. Yo realizo una curación chákrica exhaustiva unas tres o cuatro veces al año, pero hago un examen preliminar cada dos o tres días para mantenerme al corriente.

QUÉ HACER CUANDO LOS CHAKRAS PRESENTAN PROBLEMAS

Aunque vamos a referirnos al significado de las anomalías que presentan los chakras, todos los problemas chákricos se deben tratar colocando una imagen ideal de cada uno de ellos sobre los chakras dañados. Si no obtiene una respuesta inmediata a su sugerencia modélica, deberá dejar que actúe durante algún tiempo más. No se esfuerce en vano con los problemas de sus chakras; cada uno de ellos está vivo y es consciente. Los chakras saben, de manera natural, lo que están haciendo. Si deja, simplemente, que se comuniquen entre sí, se vincularán por sí solos.

Lo mejor que puede hacer para curar sus chakras es estar atento a sus mensajes y responsabilizarse de ellos. Mantenga en funcionamiento sus facultades meditativas y curativas para que la energía de su cuerpo permanezca saludable el mayor tiempo posible. No es necesario que se obsesione o se preocupe demasiado por sus chakras; lo único que necesitan es un poco de atención y orientación. Si algún chakra que esté dañado no responde a sus sugerencias, cúbralo con la imagen del aspecto ideal que debería tener y prosiga su examen con el siguiente. Cuando termine de interpretarlos todos, realice la Curación del Sol para los Chakras con el fin de alinearlos y llevarlos al momento presente. Esta técnica les proporcionará toda la energía curativa que necesitan. Efectúe otra interpretación completa un día o dos después y podrá comprobar los cambios que ha realizado su sistema chákrico por sí solo. Sin embargo, si éste se encuentra tan deteriorado como antes, sin modificaciones de ningún tipo, puede ser un indicio de la necesidad de quemar determinados contratos, prestarle más atención a su sistema endocrino o liberarse del perjuicio producido por el consumo de drogas.

Si se ha planteado seriamente llegar a ser una persona espiritualmente consciente, limpie su cuerpo de sustancias químicas y déle un descanso a sus pobres herramientas energéticas. Estas sustancias siembran el caos entre sus chakras, pero el daño que producen se puede mitigar si las expulsa de su cuerpo. La ayuda de un buen acupuntor o naturópata no sólo le facilitará la desintoxicación, sino que además reequilibrará su campo energético para que pueda continuar su trabajo con él. De no ser así, malgastará todo su tiempo curativo y meditativo intentando apartarse de los estragos que causan las drogas en vez de avanzar en capacidad, consciencia y fortaleza.

ANOMALÍAS CHÁKRICAS

LA ALINEACIÓN: Los siete chakras centrales deben estar alineados, tanto vertical como lateralmente, y orientados hacia el frente desde la línea central del cuerpo. Cuando los chakras pierden dicha alineación, pierden también el contacto entre ellos.

En ocasiones, se apartarán de dicha línea si el sistema se llena de información que les resulte perjudicial o intolerable. Los chakras intentarán entonces alejarse del canal principal de energía para poder funcionar por sí solos hasta cierto punto. Esta desviación, tanto hacia la derecha como hacia la izquierda, se puede subsanar fácilmente mediante la Curación del Sol para los Chakras, pero es bueno también considerar estas desviaciones desde un punto de vista filosófico.

Para algunas personas, los aspectos particulares de cada chakra se manifiestan sólo en un sexo: las mujeres pueden experimentar la empatía del cuarto chakra, mientras que los hombres no; los hombres son capaces de manifestar la sexualidad del primer chakra que no se les permite a las mujeres; éstas pueden poseer la intuición del sexto chakra, mientras que los hombres sólo se pueden basar en hechos reales, etc. Todos sabemos que esto son tonterías, pero compruébelo de todos modos: ¿están sus receptivos chakras «femeninos» (segundo, cuarto, sexto y octavo) desplazados hacia la izquierda mientras que sus expresivos chakras «masculinos» (primero, tercero, quinto y séptimo) tienden más hacia la derecha? Si es así, revise de nuevo el capítulo dedicado al segundo chakra y a las desviaciones relacionadas con ambos sexos, para devolverlos al centro.

En otro tipo de anomalía, los chakras pueden estar bien alineados en sentido vertical, pero puede que no miren hacia el frente, como debería ser; por el contrario, pueden estar orientados hacia arriba, hacia abajo, hacia la izquierda o hacia la derecha. Esto ocurre, generalmente, en personas que sufren una desconexión entre el cuerpo y el espíritu y una falta de enraizamiento durante mucho tiempo. Los chakras de estas personas mirarán hacia abajo en busca de enraizamiento o de la energía terrestre, o hacia arriba para obtener información y orientación espiritual. Podría ser, también, que estuviesen

orientados hacia la izquierda o la derecha si estas personas dependieran de las enseñanzas de una figura autori-
taria o un gurú con respecto a su concepto de bienestar.
Como este tipo de chakras no pueden confiar en que su
propietario les proporcione la suficiente información y
seguridad, tratarán por sí solos de conectarse con
alguien o con algo.

En todos los casos de pérdida de la alineación correcta de
los chakras, se les debe desplazar con suavidad hasta el
centro y orientarlos hacia el frente. Esta tarea se puede
realizar mediante la Curación del Sol para los Chakras.
No obstante, se deben revisar también las primeras técnicas de enraizamiento, de permanecer en el interior de
la mente y de definir el aura.

EL COLOR: Cuando un chakra manifiesta un color diferente
del de su imagen ideal, le está transmitiendo un mensaje. Para ayudarle a descifrarlo, le remito a la breve guía
sobre el color que aparece en la página 163. No obstante, debo advertirle que los colores son completamente
subjetivos y que la interpretación que haga de su significado será *siempre* mejor que la mía.

Existe una anomalía del color muy específica (yo la llamo *asistencia*) que debemos comprender en primer
lugar. Si descubre el color de otro chakra en el que esté
interpretando en ese momento, alégrese: ¡su sistema
chákrico es perfectamente comunicativo! A veces, cuando un chakra se cierra o pierde su salud y el resto del sistema permanece bien alineado y consciente, uno de los
chakras contiguos al que está enfermo le cederá parte de
su energía. A diferencia de lo que ocurre con la subida del
kundalini, en la que el primer chakra invade exagerada-
mente el resto del sistema con su energía, la asistencia es
una capa directa que se presta, parcial o totalmente, al
chakra determinado que ha sufrido un deterioro.

Por ejemplo: si a un hombre le resulta difícil comunicar su conocimiento psíquico, se debilitará la conexión entre su clarividente sexto chakra y su comunicativo quinto chakra. Éste último puede, incluso, perder energía y llegar a cerrarse u oscurecerse a medida que decaen sus facultades comunicativas. A menudo, los chakras tercero, cuarto o séptimo tomarán consciencia del problema y puede que envíen parte de su propia energía a su chakra de la garganta, enfermo, hasta que se supere la crisis. A esto lo llamo yo una asistencia, y significa, por lo general, que el chakra que cede su energía está sano y que el conjunto del sistema está bien equilibrado, es consciente y tiene iniciativa. En un sistema armónico, los chakras comunicativos velarán unos por otros.

Cuando me encuentro con una asistencia de color, felicito siempre a la persona y a cada uno de sus chakras por el excelente trabajo realizado. Luego le pido que expulse del chakra enfermo el color asistente mediante un cordón de anclaje y ponga en su lugar el color correcto, lo cual no supone mucho trabajo. Como ya he mencionado anteriormente, un sistema chákrico que es tan consciente que es capaz de realizar una asistencia está lo suficientemente sano como para volver a su estado idóneo con sólo una leve curación espiritual.

En términos generales, la asistencia es una buena señal, a menos que el chakra que la proporciona se halle a más de tres chakras de distancia del enfermo. Si descubro energía roja procedente del primer chakra en el chakra del corazón, quiero saber por qué ni el segundo ni el tercero han advertido el problema y qué les ocurre exactamente. O, si encuentro la energía violeta del séptimo chakra en el segundo, debo saber a qué se dedican mientras tanto los chakras que van del tercero al sexto.

La asistencia la debe realizar un chakra contiguo; si no es así, puede ser porque el sistema no esté bien alineado o equilibrado. Podría ser una evidencia de que sólo funcionan uno o dos chakras y de que estos pocos se están sobrecargando por responsabilizarse de los débiles. Reconocerá esta situación cuando encuentre el color de un determinado chakra en más de dos de los chakras restantes. En este caso, se requiere una interpretación/ curación completa del sistema que haga especial énfasis en la alineación y el tamaño de los chakras y preste atención primordial a la Curación del Sol para Chakras. Sepa, no obstante, que las motas o manchas de color no son lo mismo que una asistencia, que se manifiesta como una capa completa o parcial del color de otro cha- kra en el que se está interpretando.

En cualquier caso, el matiz y la energía son más impor- tantes que el color mismo. Si su quinto chakra es com- pletamente azul, no crea que su interpretación ha ter- minado; ¿es azul pastel? Si es así, puede significar que sus facultades comunicativas son, también, tenues y débiles. ¿Es el color violeta de su séptimo chakra dema- siado intenso? Entonces puede que su espiritualidad sea demasiado oscura y rígida. ¿Se parece el color esmeralda de su cuarto chakra al del agua estancada? Entonces el amor que posee no tendrá tanta fluidez como debería. ¿Tropieza la energía anaranjada de su segundo chakra como una bola de billar? Puede que, entonces, sus senti- mientos deban ser canalizados. Si se sienta a contemplar sus chakras y les permite comunicarse con usted, el color que manifiesten será sólo una parte de su mensaje. Hay muchas otras cosas más que debe observar y sentir.

EL CONTORNO: el contorno de cada uno de sus chakras debe ser continuo y estar bien definido, tanto por la energía que le rodea como por la que contiene. Me gusta encon- trarme con contornos más oscuros o de un matiz más vibrante que el color del propio chakra, porque esto le ayuda a recordar quién es y dónde se supone que debe estar su energía. Los contornos pasteles o difusos provocan una confusión en la delimitación de la energía que puede derivar en determinados problemas chákricos.

Las anomalías que se presentan en los contornos de los chakras son semejantes a las del contorno del aura (véase el capítulo dedicado a la Interpretación del Aura), excepto en el hecho de que su información es más concreta. Un contorno áurico dentado significa que se está tomando demasiada energía e información y que el aura está sobrecargada. El mismo caso, en el contorno del segundo chakra indica que está abarcando, específicamente, demasiada energía emocional o sexual, lo cual se puede arreglar. Una muesca en el aura significa que hay algo fuera de usted que le está invadiendo y anulando. En el tercer chakra, indicará que algo está invadiendo y anulando sus procesos mentales o su capacidad para procurarse seguridad y poder personal, lo cual es mucho más específico, más fácil de observar y, por tanto, de subsanar. Para conocer el significado de los problemas que manifiestan los contornos de sus chakras, vuelva a la sección dedicada a las anomalías del contorno del aura en el capítulo Cómo Interpretar el Aura, y aplique las definiciones que aparecen en ella a las facultades y funciones específicas de cada chakra. Por otra parte, reforme el borde circular de cada uno de ellos visualizándolos como un sistema completo, sano y de energía y color vibrantes. Si sus visualizaciones no son lo suficientemente fuertes puede utilizar las manos para devolver la forma a sus chakras.

Si los problemas que plantean son constantes, puede que no esté lo suficientemente centrado en el interior de su cuerpo. Vuelva a repasar las primeras técnicas curativas y meditativas, así como la Curación del Sol para Chakras.

EL FLUJO DE ENERGÍA: Cada uno de sus chakras debe estar repleto, no sólo de color, sino también de flujo y movimiento. Dependiendo del día o del momento, la energía de su chakra puede girar circularmente, burbujear, deambular y rebotar en su contorno como una bola de billar o fluir formando remolinos y ondas. Su propio flujo energético le indicará lo que ocurre, qué componente emocional está guiando a cada chakra. En numerosos casos, lo mejor es un flujo circular en constante movimiento regular, pero puede que sus chakras tengan diferentes ideas sobre la velocidad o el modo como debe girar su energía.

El único imperativo real sobre el flujo chákrico es que se produzca en el momento presente. Un chakra completamente inmóvil o cristalizado es un chakra estancado. Si muestra el color perfecto, un contorno bien definido y la forma apropiada, pero está completamente inmóvil, su estado no será saludable. La energía de cada chakra debe tener movimiento; de no ser así, no podrá cambiar, crecer ni reaccionar de manera adecuada ante las energías del mundo que le rodea. He encontrado chakras cristalizados, absolutamente inmóviles, en principiantes intuitivos que se quedan atrapados en los mitos de la perfección espiritual. Sus chakras se muestran perfectos en todos los aspectos, pero demasiado encasillados y encorsetados para preservarlos del exterior. Yo les recuerdo que esa perfección, al menos en su definición actual, es estática, y por tanto, no es algo vivo o vital.

Por otra parte, los chakras que no se mueven ni cambian no pueden funcionar (ni contribuir a que los demás funcionen) en la turbulenta vida real. Se debe permitir que los chakras se muevan y reaccionen ante las energías con las que se encuentran. Si no percibe movimiento en alguno de sus chakras, aunque en el resto de sus facetas goce de buena salud, introduzca sus dedos en él y agite la energía que contiene formando círculos. Inténtelo, en primer lugar, en el sentido de las agujas del reloj, pero si no le funciona, invierta el sentido. Tenga siempre presente que todo en la vida fluye y, por tanto, cuando un sistema chákrico está sano debe fluir también para seguir el curso de la vida.

Cuando realice la Curación del Sol para Chakras (página 335), asegúrese en especial de que la energía dorada penetra en cada uno de sus chakras y se agita en ellos para ayudarles a despertar de la trampa de la perfección.

LAS IMÁGENES: En algunos chakras puede encontrar imágenes que representan personas, lugares, seres mágicos, etc. Puede que oiga sonidos, que perciba determinados aromas o se sienta transportado en el espacio y en el tiempo. Las personas que encuentran imágenes son, por lo general, lectores voraces o soñadores cuya mente e imaginación son extremadamente activas. Se trata de los fabulistas y místicos que se esconden entre nosotros. Sus aspectos mentales y emotivos necesitarán una historia bonita para explicar el buen o mal funcionamiento de un chakra, mientras que las personas más pragmáticas experimentarán el mismo proceso de manera más simple y directa. Ambos métodos son correctos.

Las imágenes y visiones que aparecen en el interior de un chakra son, por lo general, mensajes procedentes del mundo espiritual, del propio espíritu, de los ángeles o guías espirituales o de Dios. Trate de verlos, no sólo desde un punto de vista superficial, sino también a un nivel más profundo y simbólico. Por ejemplo, una estudiante vio en su séptimo chakra una playa en la que había un pequeño bote varado. Ella interpretó que quería decir que su espiritualidad era muy extensa, pero que el vehículo del que disponía para explorarla era demasiado pequeño. Se dispuso a curar el resto de sus chakras y después volvió al séptimo. Esperaba ver un bote mayor o una menor cantidad de agua, pero en esta ocasión su séptimo chakra le mostró la imagen de un monje cuidando un enorme campo de flores al tiempo que pequeños animales hacían piruetas a su alrededor. Lo interpretó como un mensaje acerca de la incongruencia que existía entre el amor por la naturaleza que sentía en su infancia y su actual estilo de vida, que discurría en el interior de un edificio, frente al ordenador. De repente, había descubierto una de las piezas principales del puzzle de su vida adulta.

Para aprender determinadas lecciones son necesarias las imágenes, pero no para todas. Si percibe imágenes por todas partes, puede que esté demasiado obsesionado con ellas. Si usted, no obstante, es muy pragmático y se siente acosado por las imágenes, podría haberse desviado de su camino. Su forma de pensar, menos fluida, puede que requiera una barrera de imágenes antes de lograr la consciencia plena. Generalmente, aparecerán más imágenes antes o durante períodos de confusión o transición. Obsérvelas para aprender de ellas.

LA FORMA: Todos los chakras que son circulares gozan de buena salud, pero si están dañados o se han adentrado en territorios que les son desconocidos, pueden llegar a adoptar variopintas formas. Para determinar rápidamente si una forma extraña es saludable o no, se debe observar el color y el contorno del chakra. Si el color es correcto y el contorno está bien definido, puede que el chakra se esté abriendo a una nueva información.

Por ejemplo, una rutina nueva, que tenga sentido pero que vaya en contra de su educación, puede provocar que su antes saludable tercer chakra realice una leve contorsión hasta que digiera la nueva información. O un chakra del corazón del que se ha abusado previamente y ha perdido energía se puede deformar en varias ocasiones mientras usted intenta llevarlo de nuevo a su correcta forma circular. Estas deformaciones indican que tanto usted como su chakra han estado fuera de juego, pero que existe una buena disposición para aceptar su nueva e incluso contradictoria información con el fin de volver al equilibrio.

Cuando los chakras, a pesar de estar sanos, presentan una forma extraña, les puede preguntar qué está ocurriendo y confiar en que volverán por sí solos a su forma originaria cuando llegue el momento. Si su color, no obstante, es extraño, o sus bordes no son perfectos, necesitarán una cura inmediata. Los chakras deformes indican daños psíquicos producidos por una abertura demasiado rápida del chakra o por un abuso. El abuso engloba el consentimiento hacia numerosos contratos, la negativa a reconocer las facultades del chakra dañado o ese viejo mal que consiste en consumir libremente determinadas sustancias. Se puede terminar con todos los abusos al igual que se pueden corregir todas las desviaciones chákricas.

Si sus chakras han perdido la forma circular, vuelva a consultar todas las técnicas relativas a la definición del contorno del aura que se presentan en las partes primera y segunda de este libro y estudie la sección dedicada a la Curación del Sol para Chakras. Cuando vuelva a dirigir su energía y la de los chakras dañados, asegúrese de utilizar las manos para curarlos y restaurar su forma. Si sus chakras saben que usted cuida de ellos, se curarán más rápidamente.

La Curación del Sol
para los Chakras

L a Curación del Sol contiene energías que velan por su
aura, su cuerpo y el resto de sus chakras. Ahora que
sabe trabajar con su sistema chákrico, la Curación del Sol
debe incluir a sus chakras, individualmente y como miembros de un sistema interconectado y operativo.

La siguiente técnica se añade a la Curación del Sol habitual y supone un método sencillo para volver a alinear sus
chakras. Cuando éstos están alineados, son capaces de mantener una comunicación fluida entre sí y cederse color unos
a otros en épocas de crisis, lo cual es mil veces mejor que
tener un chakra cerrado y, como respuesta, abrir demasiado
los demás. Esta curación especial para los chakras se debe realizar al final de cada meditación, sesión curativa o interpretación chákrica.

CÓMO CURAR LOS CHAKRAS CON LA ENERGÍA DEL SOL

Para alinear los chakras mediante la energía del Sol Radiante, asiéntese y concéntrese. Visualice su Sol, canalícelo a través de su aura e introdúzcalo en su cuerpo mediante la respiración según el procedimiento habitual (consulte la sección dedicada a la Curación del Sol).

Cree un cordón sólido (de, al menos, diez centímetros de anchura) de energía dorada que parta desde su Sol y haga que descienda a través del séptimo chakra, transformando la energía color púrpura de éste en energía dorada. Observe cómo se introduce el cordón en su cabeza y atraviesa su sexto chakra, transformando su color índigo en dorado y continuando después hasta el chakra de la garganta, volviéndose dorado su color azul. Contemple cómo se desplaza después hacia su chakra del corazón y hace que su energía verde se vuelva dorada. Permanezca en el interior de su mente.

Si lo cree necesario, puede valerse de las manos para sujetar el cordón y tirar de él hacia abajo, guiándolo a través de cada uno de sus chakras. Sienta cómo el cordón atraviesa su pecho y se introduce en su chakra del plexo solar cambiando su color amarillo en dorado. Sienta cómo atraviesa, después, su segundo chakra tornando dorada su energía anaranjada y se desplaza hasta el primer chakra al que también invade con su color dorado. Observe cómo desciende por su cordón de anclaje y alcanza el centro del planeta.

Cuando llegue a dicho punto, deje que la fuerza de la gravedad tire de él y lo tense. Visualice un camino totalmente recto que parte de su chakra del Sol, atraviesa todos los chakras centrales y desciende por el cordón de anclaje hasta llegar al centro de la Tierra. Esta alineación contribuirá a que sus chakras intercambien energía e información entre sí, mantengan la armonía y funcionen a una velocidad similar y con el tamaño correcto.

Deje que este cordón dorado lleve energía presente y curativa a cada uno de sus chakras durante, al menos, un minuto o más si eso le hace sentirse bien. Llene todos los chakras de energía dorada y póngalos al corriente de su información curativa y sus facultades actuales. Durante esta curación, permita que fluya algo de energía dorada desde el chakra del corazón hasta los de las manos y desde el primer chakra hasta los de los pies. Esto hará que se purifiquen los canales de sus brazos y piernas y que los chakras de las manos y los pies se desplacen, también, al momento presente.

Cuando haya terminado, muestre su agradecimiento a su Sol, cierre la zona superior de su cabeza, cierre su aura y deje que la energía dorada salga, si lo desea, de su cuerpo. Inclínese hacia abajo y toque el suelo. Deje su cabeza en suspensión y que sus manos y pies entren en contacto con la Tierra. Puede que sienta un exceso de energía que sale de usted y puede que no. Puede que su cuerpo, su aura y sus chakras prefieran quedarse con toda la energía dorada, así que no se preocupe si ve que no evacua nada. Incorpórese y... ¡eso es todo!

Esta Curación del Sol para Chakras puede reemplazar a la Curación del Sol convencional. Se debe realizar al final de cada sesión curativa o meditativa. Esta técnica restablecerá el flujo, el equilibrio y la alineación de sus chakras, y preservará la salud del sistema, liberándole de ese modo de la necesidad de realizar extensas curaciones o interpretaciones chákricas.

Cuarta parte

LA GUÍA DE DIFICULTADES

La Guía
de Dificultades

M e encantan los libros y las ideas nuevas, pero odio que me surjan dudas sobre su contenido, porque es casi imposible contactar con los autores. Aunque lo consiga, casi siempre recibo una respuesta impersonal y genérica o un costoso boletín de suscripción, lo cual es inadmisible.

Antes de escribir un libro que contuviese tantas técnicas energéticas, reflexioné durante muchos años. Habrá muchas personas que las hojeen e intenten ponerlas en práctica sin tener muchos conocimientos al respecto. Yo he curado a decenas de personas que se han aventurado a realizar viajes astrales y no han podido volver totalmente a sus cuerpos después; al igual que he calmado numerosas subidas del kundalini en personas que no han podido controlarlas. Creo que las actitudes irreflexivas y las expectativas que aparecen en muchos manuales de autoayuda suscitan más interrogantes de los que podrían resolver, mientras que otros libros contienen dogmas tan rígidos que sus lectores optan por no plantearse demasiadas preguntas antes de embarcarse en las nuevas técnicas.

La solución que propongo es doble: le ofrezco esta Guía de Dificultades, ordenada alfabéticamente y similar a las que se pueden encontrar en los manuales informáticos o electrónicos. Quiero que, si se queda bloqueado, consulte esta parte del libro para que pueda encontrar respuestas concretas. Además, incluyo la manera real de contactar conmigo si comprueba que su nivel de consciencia comienza a conducirle a zonas que no he mencionado. Si necesita más ayuda, escríbame y trabajaremos juntos para encontrar las posibles respuestas. Prometo no enviarle una foto firmada, ni un folleto publicitario ni la lista de los artículos promocionales que puede comprar. Buena suerte.

Karla McLaren,
P.O. Box 1155, Columbia,
CA, 95310-1155

AFLICCIÓN: La aflicción es un sentimiento bonito, lánguido y poético que nos ayuda a sentirnos humanos. El espíritu no siente la aflicción, porque no concibe la muerte ni la pérdida. Éste sólo percibe la continuidad de toda la energía y todos los seres. El cuerpo, por otra parte, conoce la pérdida. Los humanos experimentamos la muerte y la pena. Ya no podremos tocar o hablar con la persona que ha fallecido, aunque podamos sentir aún el abrazo de un amante perdido u oír la risa de un niño fallecido mucho tiempo atrás. Los cuerpos añoran los miembros perdidos y los recuerdan con dolor. Los cuerpos viven aquí, en el planeta. Experimentan a diario la realidad del daño, la pérdida, la separación y la muerte. La aflicción es natural al cuerpo y su canalización le ayudará a llorar el daño o la pérdida real. El espíritu no es capaz de comprender este sentimiento, mientras que el intelecto intenta ahuyentarlo en un mar de explicaciones, pero los cuerpos sí lo sufren. La canalización de la aflicción contribuye a que, tanto el espíritu como el intelecto, la integren y la maduren. Consulte el apartado «Tristeza» de esta guía y el capítulo «Cómo Canalizar los Sentimientos» (página 119).

ALINEACIÓN CHÁKRICA: Los siete chakras principales, que se sitúan en una línea que parte de los genitales y llega hasta la zona superior de la cabeza, trabajan mejor si están alineados verticalmente. La alineación chákrica forma parte de la Curación del Sol para Chakras a la que se hace referencia en el capítulo del mismo nombre.

ANSIEDAD: Como sucede con cualquier otro sentimiento, la ansiedad comporta una energía curativa especifica. A menudo, la única pista que obtendrá una persona consciente de que algo va mal será una ansiedad corrosiva. Sentirá miedo de salir o desplazarse, miedo a los desastres naturales o a los ataques, experimentará reacciones severas ante ciertos estímulos o un pavor generalizado hacia las personas. El trato psicológico de la ansiedad puede ser útil, porque puede desenmascarar las causas que la producen. Las terapias de grupo y de desensibilización aplicadas a hechos específicos desencadenantes de la ansiedad pueden hacerla real y, por tanto, curable. Sin embargo, la desensibilización sintomática de los individuos puede ser un simple remedio rápido. Puede enfatizar demasiado el miedo a las alturas, o a salir al exterior, pero fracasar a la hora de tratar el desequilibrio subyacente que provocó los primeros síntomas. Cuando se canaliza la ansiedad a través de las diferentes herramientas energéticas, se vuelve clara, concisa y útil. Su energía protectora, orientada hacia la acción, ayuda a obtener soluciones y cambios reales. Consulte los apartados dedicados al Miedo, Ataques de Pánico y Terror y la sección «Cómo Canalizar los Sentimientos» de la página 119.

ATAQUES DE PÁNICO: Los ataques de pánico son mensajes de miedo que proceden del interior del subconsciente, mensajes que han sido suprimidos o ignorados durante años o incluso décadas. Su energía, sin embargo, puede utilizarse aún en las sesiones de canalización emocional. Consulte Miedo y Terror, así como el capítulo «Cómo Canalizar los Sentimientos» (página 119).

Los ataques de pánico pueden causar (o proceder de) desequilibrios orgánicos, de manera que sería bueno que se visitara a un acupuntor u homeópata. Algunos de los remedios de las Flores de Bach, como la Jara, el Álamo o la Cereza pueden ayudar a restablecer el equilibrio.

AURA: Es un área que rodea a cualquier organismo viviente, mejor descrita como su territorio energético o piel espiritual. El aura se ve, a menudo, como un halo o una aureola de energía coloreada que emana del cuerpo. Se trata de una frontera energética protectora. Los daños áuricos afectan a todo el organismo. Para obtener información general sobre la consciencia áurica y su curación, consulte la sección denominada «Defina su Aura» (página 41). Para estudiar con más detalle las técnicas de interpretación y curación del aura, diríjase a «Cómo Interpretar su Aura» (página 159).

CANALIZAR LOS SENTIMIENTOS: Aunque ignorados, degradados y devaluados, los sentimientos son, de hecho, valiosos mensajes que provienen de la sabiduría profunda del alma. Cuando se alcanza un determinado estado emocional ineludible, se puede obtener una claridad y curación absoluta canalizando los sentimientos a través del cuerpo, el aura y el cordón de anclaje. Consulte la sección «Cómo Canalizar los Sentimientos» (página 119).

CHAKRA DE LA CORONILLA: Otra denominación para el séptimo chakra, que es un centro energético localizado en la zona superior de la cabeza. Consulte la sección dedicada al séptimo chakra (página 281).

CHAKRAS: Los chakras son una serie de centros energéticos que existen dentro y fuera del cuerpo físico. Al igual que el aura se considera la piel energética, éstos serían las glándulas u órganos de la energía. Cada chakra representa un aspecto determinado del ser susceptible de ser interpretado, curado, liberado de daños y conducido hacia la plena consciencia. Consulte todas las secciones dedicadas a los chakras de la Tercera Parte.

CLARIAUDIENCIA: Se trata de la facultad para percibir vibraciones psíquicas a través del quinto chakra o de la garganta. A menudo, la clariaudiencia, o capacidad para oír voces, se diagnostica erróneamente como esquizofrenia. Consulte Oídos y Zumbidos en los Oídos y la sección dedicada al quinto chakra en la página 251.

CLARISENSIBILIDAD: Es la facultad de recibir vibraciones psíquicas de manera emocional o empática a través del segundo chakra. La clarisensibilidad puede constituir un método peligroso de curación si se practica con personas que no sean familiares cercanos. Consulte la sección dedicada al segundo chakra (página 209).

CLARIVIDENCIA: Se trata de la facultad de percibir vibraciones psíquicas a través del sexto chakra, o tercer ojo. Consulte Visiones y la sección dedicada al sexto chakra (página 267).

CÓLERA: La cólera es un síntoma de que se han atravesado las fronteras sin permiso. Aunque este hecho puede provocar también miedo, tristeza o depresión, la cólera señala el daño causado a la vez que crea nuevas fronteras tras cualquier incidente perjudicial. Debido a la base emocional que se esconde tras la cólera, a ésta se la ha representado erróneamente como un sentimiento secundario, lo cual hace que las personas la consideren poco importante o falsa. Craso error: la cólera es tan importante como la tristeza, el miedo, la alegría o el deseo. Es un estado emocional real e irreemplazable que ofrece protección y requiere acción. Consulte el apartado llamado «Cómo canalizar los Sentimientos» (página 119) para obtener una visión general de la utilidad de los sentimientos en la comunicación espiritual.

COLORES CHÁKRICOS: Los siete chakras principales poseen colores específicos que recorren el espectro vibratorio desde el rojo del primer chakra hasta el violeta púrpura del séptimo. Estos colores, a diferencia de los áuricos, que son más subjetivos, contienen un propósito, significado e interpretación específicos. Consulte la sección «Cómo Interpretar los Chakras» (página 321).

COLORES DEL AURA: Las personas que poseen el talento psíquico de la clarividencia pueden percibir los colores del aura con la ayuda de su sexto chakra. Aunque éstos pueden tener significados específicos, sus mensajes variarán, generalmente, de un individuo a otro. Además, los colores áuricos cambian a lo largo del día como respuesta a la comunicación espiritual, los problemas de salud, los estados emocionales y los procesos mentales; cualquier color que se percibe puede cambiar en cuestión de segundos. Se pueden encontrar interpretaciones generales del color en la sección «Cómo Interpretar su Aura» (página 159), pero su tamaño, forma y estado son indicadores más útiles que se mencionan en dicha sección.

COLORES: Los colores son, con frecuencia, valiosas herramientas para realizar interpretaciones, curaciones y otros tipos de comunicaciones psíquicas, pero su significado es extremadamente subjetivo. Consulte la guía de colores de la sección «Cómo Interpretar su Aura» (página 159).

CONTRATOS: Consulte Quemar Contratos y el capítulo llamado «Cómo Quemar Contratos» (página 103).

CURACIÓN ÁURICA: Las auras se pueden curar con suma facilidad mediante las meditaciones que se indican en este libro. La simple definición del aura que aparece en el capítulo «Defina su Aura» (página 41) es una técnica de por sí curativa. Para obtener información sobre técnicas avanzadas, consulte la sección «Cómo Interpretar su Aura» (página 159).

CURACIÓN DE LOS CHAKRAS: Los chakras se pueden interpretar, curar, alinear y limpiar con suma facilidad. Consulte las secciones «Cómo Interpretar los Chakras» (página 321) y «La Curación del Sol para Chakras» (página 335).

CURACIÓN DEL KUNDALINI: Cuando asciende súbitamente la energía del primer chakra, lo hace para limpiar momentáneamente al resto de los chakras o para prestarle su poder al cuerpo en situaciones de peligro inmediato. El kundalini es la energía de la lucha en situaciones extremas, la que permite que una mujer de 50 kilos de peso sea capaz de levantar un coche, un camión o una máquina pesada si su hijo ha quedado atrapado en ella. Es muy poderosa, pero también muy peligrosa cuando la subida dura mucho tiempo.

El exceso de kundalini puede trastornar todo el sistema chákrico, provocar quemaduras en el aura y expulsar a una persona de su cuerpo. El cuerpo también podría verse dañado. Los síntomas incluirían vértigo, falta de apetito, insomnio, fotofobia, sonambulismo y visiones, erupciones y tics y espasmos parecidos a los del mal de San Vito. Para obtener información general sobre el kundalini, consulte el capítulo dedicado al primer chakra.

Para calmar una subida de kundalini, realice la siguiente curación: (advertencia: al realizar esta curación no presupongo ningún conocimiento acerca de las técnicas contenidas en este libro, pero le sugiero que se dirija al principio y comience por él si no posee ninguna experiencia acerca del enraizamiento espiritual, de la concentración en la habitación de la mente o de la definición del aura. Sin el dominio de estas técnicas básicas no será lo suficientemente competente para proteger a su primer chakra, o a cualquier otro, de las subidas del kundalini. Siéntese erguido en una silla. Apoye bien los pies en el suelo y coloque las manos, con las palmas hacia arriba, sobre sus rodillas. Respire con normalidad y mantenga los ojos abiertos, esto le ayudará a centrarse, mientras que, si los cerrase, le haría sentir vértigo. Visualice o sienta el estado de la energía de su cuerpo y su aura en este momento. Debe ser cálida y estar en movimiento. Puede que sea de color anaranjado o emita un leve zumbido. Puede, también, que la perciba como una llamarada o un fuego. Se trata de la energía de su primer chakra, o kundalini.

Ahora visualice una luna fría de color azul a unos treinta o cuarenta centímetros por encima de su cabeza (ilustración 12, página 349). Contemple su color y su textura, sienta su frescor calmante y entre en armonía con su apacible y relajante energía. Sumérjase en la paz de su

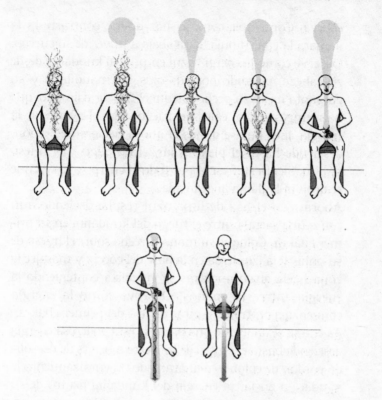

Figura 12. La Curación del Kundalini.

resplandor azulado. Visualice su llamarada de kundalini como una columna que se origina en sus genitales y sube en línea recta por el centro de su cuerpo hasta alcanzar su cabeza. La energía que sale por su cabeza debe tener el aspecto de una llama, de una serpiente a punto de atacar o un lanzallamas. También puede parecerse a los fuegos artificiales.

Cuando visualice claramente el kundalini y la luna azul (recuerde que ambos están hechos a partir de su propia energía, lo cual significa que su aspecto y su comportamiento dependen de usted), haga que la luna lance un haz de luz hacia abajo, hacia el fuego que sale de su cabeza. Contemple cómo el haz de luz contrarresta la llamarada y la empuja hacia abajo a través de su cuerpo. Observe cómo la energía azul empuja al kundalini desde su cabeza, pasando por sus ojos, su mandíbula y su garganta hasta su pecho. Sienta el frescor calmante que ha reemplazado al calor del fuego. Siga el avance de la energía azul que se desplaza ahora hacia su esternón, desciende hasta el plexo solar, el ombligo y el hueso púbico. Sienta su frescor por todo el cuerpo a la vez que se debilita la llama anaranjada.

Ahora, con el haz de luna azul resplandeciendo aún como una saeta, centre el fuego del kundalini en su primer chakra. Coloque su mano derecha sobre el hueso de su pubis y la izquierda en la base del cóccix y masajee la zona hacia abajo mientras se visualiza conteniendo la energía entre sus manos. Observe cómo la energía comienza a centrarse y girar dentro del primer chakra.

Asiéntese dejando que una parte de esta poderosa energía descienda hasta el centro de la Tierra a través de un sólido cordón de color rojo anaranjado. El enraizamiento le ayudará a anclar la energía del kundalini dentro de su primer chakra. Como aprendió en el capítulo correspondiente a dicho chakra, éste estará dispuesto a llevar a cabo todo lo que usted le pida. Todo lo que tiene que hacer es comunicarse con él de forma clara. Una vez que sepa lo que usted desea, se centrará y dejará de hacer ascender su energía.

Exprésele su agradecimiento a la luna azul y hágala desaparecer. Deje que el haz de energía azul abandone su cuerpo a través del nuevo cordón de su primer chakra.

Cuando se sienta preparado, vuelva al capítulo «Cómo interpretar los Chakras» (página 321). Después de una curación del kundalini, deberá curar el resto de los chakras, y especialmente, hacerlos volver a su tamaño, forma y color correctos. Durante las subidas del kundalini, todos los chakras se ven forzados a trabajar al nivel vibratorio del primer chakra, lo cual es muy desconcertante y perjudicial para ellos. Después de la curación del kundalini, deberá mantener la consciencia en su primer chakra y en los de los pies mientras cura y armoniza el resto del sistema chákrico.

DEMENCIA: Más allá del modelo mundano de desorden psíquico inducido por un desequilibrio químico, está el concepto del desequilibrio espiritual. Las formas de tratamiento psiquiátrico ni siquiera consideran la posibilidad de la clariaudiencia de los esquizofrénicos, de los trances mediúmnicos y los problemas de kundalini en los individuos afásicos y los propensos a las convulsiones y de las crisis en los chakras segundo y tercero de los pacientes depresivos. Una cosa es cierta: nunca se ha justificado definitivamente el lugar privilegiado que ocupan el empleo de fármacos y los ingresos en centros de salud mental en el tratamiento de estas personas.

Esto forma parte del legado de la medicina occidental, que se esfuerza por encontrar bonitos nombres para nombrar a las enfermedades sin preocuparse por descubrir la crisis natural que las ha causado. Los estudios alternativos sobre la mente y el cuerpo están haciendo incursiones en la medicina moderna, pero los aspectos espirituales y emocionales de la enfermedad continúan sin conocerse.

No me malinterprete. Es importante darle un nombre a las enfermedades y la medicina occidental ha triunfado a ese respecto, pero ser el depresivo bipolar de la Sala 2 o el infarto de miocardio de la mesa de operaciones es encasillar demasiado el espíritu. La identificación de una enfermedad y el tratamiento de sus síntomas específicos es sólo el primer paso del viaje y no el fin de la curación. No existen curas simples para los trastornos psíquicos, sino que se deben explorar también los desarreglos nutricionales y los daños psíquicos. Además, será muy útil enseñar a las personas psíquicamente perturbadas a enraizarse, a centrarse, meditar y curar sus chakras. Yo nunca he visto a una persona mentalmente perturbada que poseyera un cuerpo energético equilibrado. Los fármacos y la hospitalización pueden ser necesarios en ocasiones, pero una vez que se han calmado los síntomas un poco, el cuidado correcto del cuerpo y el enraizamiento espiritual competente pueden ayudar a este tipo de personas a descubrir y curar lo que les hizo abandonar el mundo «normal» en primera instancia. Mi sugerencia a propósito de los trastornos emocionales en el contexto de este libro consiste en dedicar un tiempo y una energía extra a repasar las primeras técnicas que aparecen en la Primera Parte y la Segunda, así como a la curación del aura y la alineación de los chakras.

DEPRESIÓN: Las depresiones son muy curiosas; ni siquiera sé si se las debe llamar sentimientos porque, o bien enmascaran todas las emociones, o mantienen a las personas atrapadas en un sentimiento constante que no las lleva a ninguna parte. Es muy difícil acordarse de canalizar los sentimientos durante una depresión, porque ésta llega a absorber toda la energía, privándole de todo interés por llevar a cabo ningún tipo de tarea (lo cual supone un síntoma significativo).

Recuerde que debe ver las depresiones como signos vitales que le avisan de que la energía de su cuerpo se está «escapando» y usted no hace nada para que vuelva. Su cuerpo está lo suficientemente evolucionado para detener cualquier avance en esos momentos. ¿Por qué? Generalmente, porque su energía se queda estancada en una relación dolorosa o en un acontecimiento penoso y su cuerpo sabe que no es posible realizar ningún avance real, así que, ¿por qué fingir que todo va bien?

Agradézcale a su cuerpo y a sus sentimientos que no hayan estado dispuestos a mentirle. Asiéntese y busque los contratos dolorosos que ha contraído con determinadas energías. Elimine la energía negativa de su aura y su cuerpo, queme los contratos que haya establecido con sus recuerdos desagradables y dinamite las imágenes que representan su pasado doloroso. Llénese de la energía del Sol Radiante y continúe con la labor de vivir y curar en el momento presente.

Si estas pautas no le liberan de la depresión y continúa agotando su energía, diríjase a alguien que practique los Remedios de las Flores de Bach y pídale los remedios de la Mostaza, la Aulaga, la Castaña o la Rosa Silvestre. Los cuerpos que sufren depresiones necesitarán, a menudo, un refuerzo antes de que sus propietarios sean capaces de volver a él y reanudar el trabajo de purificación energética en su interior. Cuando haya eliminado la depresión, vuelva a las secciones dedicadas a la definición del aura, la destrucción de imágenes y contratos y la curación de los chakras. Consulte también «Desesperación y Tendencias Suicidas», así como la sección «Cómo Canalizar los Sentimientos» (página 119).

DESEQUILIBRIO HORMONAL: El sistema endocrino (u hormonal) está conectado al sistema chákrico. Si se produce un desequilibrio en cualquiera de los dos sistemas, interferirá en el funcionamiento del otro. Además, al igual que ocurre en el sistema chákrico, las molestias en alguna glándula individual pueden provocar desarreglos en todo el sistema. A menudo, los desequilibrios hormonales se beneficiarán de las curaciones chákricas y viceversa. Consulte los capítulos dedicados a los chakras que se tratan en la Tercera Parte de este manual y el libro *Healthy Healing* de Linda Rector-Page (véase la bibliografía) para obtener una información más exhaustiva acerca de la curación del sistema endocrino y del resto del cuerpo.

DESESPERACIÓN: La desesperación y el abatimiento indican una tristeza ignorada durante mucho tiempo que se ha transformado en un estado emocional prevalente y difícil de afrontar. Cualquier sentimiento profundo e inexorable es una llamada de atención, y cada uno de ellos posee una propiedad curativa específica y casi mágica oculta en su interior. Si canaliza la desesperación en el cuerpo como lo haría con cualquier otra energía, descubrirá finalmente lo que este sentimiento ha estado intentando comunicarle. Consulte «Aflicción, Tristeza y Tendencias Suicidas», así como el capítulo «Cómo Canalizar los Sentimientos» (página 119).

DESORIENTACIÓN: Los casos de desorientación son, normalmente, signos que nos indican que no estamos viviendo desde el interior de nuestro cuerpo. Para curar la falta de armonía entre cuerpo y espíritu que puede delatar la desorientación le serán muy útiles el enraizamiento y las técnicas de meditación. Consulte Kundalini o La Curación del Kundalini y los capítulos «Una Habitación en su Mente» (página 19) y «El Enraizamiento del espíritu» (página 25).

Un caso especial: si vive plenamente desde el interior de su cuerpo y aún así se siente desorientado, puede ser que haya colocado la habitación de su mente en un lugar muy alto, centrada directamente tras su sexto chakra, que es clarividente. Destrúyala y cree una nueva justo detrás de los ojos de manera que su techo quede por debajo de las cejas. Esto le ayudará a centrarse.

DOLOR DE ESTÓMAGO: El dolor de estómago pasajero puede, a menudo, ser una señal de su aura y su tercer chakra relacionada con la intromisión de una energía negativa en su área. Cuando su cuerpo se ve implicado en sus mecanismos espirituales de defensa, se hace necesaria la revitalización del contorno del aura, así como el fortalecimiento de los Centinelas. Si sus molestias estomacales persisten durante mucho tiempo, e incluyen hernias de hiato, úlceras o daños en el colon o el intestino, puede que esté sufriendo un caso crónico de daños en el tercer chakra. Preste especial atención a su Centinela y a su aura a través de las técnicas expuestas a lo largo de este libro y revise las secciones «Cómo Interpretar su Aura» (página 159), «Técnicas Avanzadas» (página 135), así como los capítulos dedicados a los chakras segundo y tercero (páginas 209 y 225).

DOLOR: El dolor es la forma en la que el cuerpo nos indica la existencia de un problema o trastorno. El dolor requiere conocimiento y asistencia para descifrar su mensaje. Huir de él o ignorarlo lo intensifica, y puede sentar las bases para una enfermedad más seria. Dado que el dolor es un mensaje del cuerpo, las personas que sufren desconexiones entre éste y el espíritu harían bien en escucharlo. Para liberar el mensaje que emite la molestia, resulta muy útil enraizar las zonas que presentan dicho dolor. Consulte la sección «El Enraizamiento del Espíritu» (página 25).

DOLORES DE CABEZA: Más allá de las razones físicas como la enfermedad, el hambre, los desequilibrios electrolíticos y químicos y los tumores, los dolores de cabeza pueden deberse a una falta de enraizamiento y de contacto con el cuerpo. Consulte Kundalini, así como el capítulo «El Enraizamiento del Espíritu» (página 25). Los dolores de cabeza pueden significar, también, que no se encuentra en la habitación de su mente (diríjase a la página 19, «Una Habitación en su Mente») o que ha perdido el contacto con sus chakras sexto y séptimo (consulte los capítulos dedicados a dichos chakras, páginas 267 y 281).

EL CHAKRA DE LA GARGANTA: Conocido también como el quinto chakra, es el centro energético de la comunicación y la clariaudiencia, del compromiso y de la capacidad de cambio. Consulte Oídos, Pitidos en los Oídos y el capítulo dedicado al quinto chakra (página 251).

EL CHAKRA DEL CORAZÓN: Conocido también como el cuarto chakra, es el centro energético de la curación empática, de la comunicación entre el cuerpo y el espíritu y del amor hacia uno mismo y hacia los demás. Consulte la sección dedicada a él (página 241).

EL SOL RADIANTE: Se trata del octavo chakra y del símbolo que se utiliza para representar la cantidad ilimitada de energía de la que dispone cada una de las personas que pueblan la Tierra. El Sol Radiante se emplea para volver a utilizar la energía tras una curación, para llevar a la consciencia al cuerpo y a todas las herramientas energéticas, para despertar la consciencia en el momento presente y para curar el cuerpo. Consulte el capítulo «La Curación del Sol» (página 89).

EL VACÍO EN EL ENRAIZAMIENTO: Los cordones de anclaje que se utilizan para centrar el cuerpo se pueden emplear para evacuar y limpiar energía. Este uso se presenta en los capítulos «Defina su Aura» (página 41) y «El Enraizamiento del Espíritu» (página 25).

ENRAIZAMIENTO: Se trata de una técnica energética que ayuda a centrar el espíritu en el cuerpo y éste en el planeta. Consulte los capítulos «El Enraizamiento del Espíritu» (página 25) y «Técnicas Avanzadas» (página 135).

ESQUIZOFRENIA: Se trata de un trastorno psíquico incurable según el modelo de medicina occidental, asociado a menudo a la malinterpretada facultad del quinto chakra de escuchar voces, o clariaudiencia. La clariaudiencia descontrolada se puede remediar fácilmente mediante las técnicas de curación psíquica que hemos aprendido a lo largo de este libro, en especial la del enraizamiento, la de la creación de una habitación en el interior de la mente, las de interpretación y curación de los chakras y la de quemar contratos. Consulte Oídos, Clariaudiencia y Demencia, así como el capítulo dedicado al quinto chakra (página 251).

EUFORIA: Aunque célebre en el mundo entero como un sentimiento positivo, la euforia excesivamente prolongada conlleva tantos problemas como la propia tristeza, la ira, el miedo o el dolor. La euforia es especialmente dañina si se introduce en la existencia y queda retenida por todos aquellos que sólo ven el lado deslumbrante, alegre y positivo de la vida. Se ignora la tristeza, se justifica hábilmente el miedo, la ira provoca vergüenza y el dolor es reprimido mientras que el resto de la vida sucumbe asfixiada por el peso de la euforia.

En esencia, la euforia se utiliza a menudo como droga de la que se abusa, de manera que la vida real y los sentimientos verdaderos pasan como algo superficial. Los desequilibrios en cualquier tipo de sentimiento ocasionan trastornos, pero los que sufren las personas subyugadas por la euforia son, con frecuencia, los más trágicos, porque por lo general, implican a un extenso número de personas. Las personas infinitamente jubilosas suelen arrastrar tras de sí a muchos seguidores. Viven una mentira irresistiblemente seductora en virtud de la cual uno puede ser feliz y estar gozoso en todo momento, como si sólo existiese este sentimiento. Y cuando, irremediablemente, aparecen las dificultades, cuando hay conflictos de intereses o estrecheces económicas, el grupo de los «adictos» a la euforia comienza a aprovecharse de los demás.

Estas personas no tienen la menor idea de cómo canalizar sus «malos» sentimientos. Su ira se transforma en una rabia inconsciente, pasiva y agresiva; su miedo se traduce en ansiedad y paranoia; su tristeza se torna en una depresión inabordable unida a numerosos trastornos del sueño y su aflicción busca la desaparición del grupo o del gurú de su euforia.

Como cualquier emoción real, la euforia posee también su honorable lugar en el Olimpo de los sentimientos. El truco consiste en considerarla como parte de un todo y aceptarla como lo que es cuando se presenta. La euforia hace que las personas comprendan que han concluido un ciclo vital (y, en ocasiones, doloroso) de experiencias instructivas. Si las personas alegres por naturaleza pretenden mantenerse en un estado constante de euforia, carecerán de un arsenal emocional que les capacite para pasar a la siguiente experiencia formativa.

El júbilo y la euforia hacen que las personas se consideren a sí mismas maravillosas, poderosas y partes integrantes del universo. Entonces, es el momento de madurar y volver al trabajo real que las conducirá, inevitablemente, de vuelta a la alegría real. La alegría sana está concebida como algo efímero, al igual que la ira sana, la aflicción, el miedo o cualquier otro estado emocional fuerte. Nunca se ha concebido como algo para apresar y utilizar para ganar prestigio en un mundo emocionalmente atrofiado. Consulte el capítulo «Cómo Canalizar sus Sentimientos» (página 119).

FALTA DE SUEÑO: Después de que se estudien y descarten todas las causa físicas, el insomnio se puede considerar como una incapacidad para conciliar el sueño mientras que queden cosas por hacer y asuntos por resolver. La falta de sueño es buena si se entiende como una consciencia superior que no nos permitirá dejarnos llevar por la inconsciencia. Un cuerpo que no pueda dormir, sin embargo, necesita ayuda. Con el objeto de ayudarle a liberar la energía que le mantiene despierto y activo, consulte Insomnio y los capítulos «La Destrucción de Imágenes» (página 79), y «Cómo Quemar Contratos» (página 103).

FURIA: La furia es la cólera unida al fuego, o la cólera junto con parte de la poderosa energía del primer chakra. Si se utiliza para el trabajo emocional que se describe en el capítulo «Cómo Canalizar los Sentimientos» (página 119), la furia puede resultar extremadamente útil para crear separaciones reales de viejas relaciones o modelos energéticos restrictivos. No obstante, la furia indica también una violación de las fronteras que es amenazadora para la vida, así como la incapacidad generalizada para proteger el cuerpo o el campo energético.
El entorno de una persona furiosa necesita ser revisado. Puede que debiese haberlo abandonado mucho tiempo atrás. Los ataques incontrolados de furia pueden derivar, también, de causas orgánicas o desequilibrios mentales provocados por agentes químicos o trastornos endocrinos, así que deberá visitar a un acupuntor o a algún otro profesional de la medicina alternativa.

HARA: Conocido también como segundo chakra, el hara es el centro de la musculatura, los sentimientos, la sexualidad en cuanto a la identidad sexual y la facultad psíquica de la clarisensibilidad. Véase Clarisensibilidad, así como el capítulo dedicado al segundo chakra (página 209).

INSOMNIO: Cuando los niños no quieren o no pueden dormir, es generalmente porque tienen miedo de perder la ocasión de hacer algo. Algo similar ocurre con los adultos. El insomnio que no está causado por molestias relacionadas con la salud o el entorno, radica, generalmente, en una corrosiva falta de conclusión de situaciones o relaciones. El cuerpo es incapaz de relajarse y dejarse llevar, porque el día no ha terminado en realidad. En los casos de incapacidad para conciliar el sueño, es bueno preguntarse: «¿qué me queda por hacer?» mientras nos enraizamos y meditamos. Por lo general aparecerá el problema, y las técnicas de destrucción de imágenes y quema de contratos nos ayudarán a liberarnos de su energía. Consulte Falta de sueño y los capítulos «La Destrucción de Imágenes» (página 79) y «Cómo Quemar Contratos» (página 103).

Un caso especial: Si su insomnio se prolonga durante mucho tiempo y, tras una experiencia espiritual, se siente inquieto, descentrado y ha perdido su enraizamiento, puede que haya estado haciendo subir la energía del kundalini y sea necesario hacerla volver a su primer chakra. Consulte la Curación del Kundalini y lea el capítulo dedicado al primer chakra (página 199).

INTERPRETACIÓN DE LOS CHAKRAS: Es una técnica curativa que consiste en escuchar la información que contiene cada chakra. Consulte todas las secciones de la Tercera Parte.

INTERPRETACIÓN DEL AURA: El aura contiene y procesa una tremenda cantidad de información, a la mayoría de la cual se puede acceder durante la simple meditación o sesión de interpretación a la que se hace referencia en la sección «Cómo Interpretar su Aura» (página 159).

JÚBILO: Vea Euforia.

KUNDALINI: Es el término sánscrito que designa la energía del primer chakra, que es una apasionada energía roja que, en ocasiones, asciende hasta los otros chakras durante las meditaciones o en situaciones de amenaza inminente. Existen numerosas prácticas espirituales que alientan y manipulan dichas subidas de energía, pero si los estudiantes no poseen conocimientos avanzados, pueden tener dificultades. Consulte Curación del Kundalini, así como los capítulos dedicados al primer chakra (página 199) y a los chakras de los pies (página 311).

LA CURACIÓN DEL SOL PARA CHAKRAS: Se trata de una técnica curativa avanzada pero sencilla que sirve para limpiar y alinear los chakras. Consulte la sección del mismo nombre (página 335).

LA CURACIÓN DEL SOL: Consulte el capítulo del mismo nombre (página 89).

LA HABITACIÓN EN LA MENTE: Se trata de un santuario meditativo que se sitúa detrás de los ojos, especialmente en personas que han sufrido una falta de conexión entre el cuerpo y el espíritu durante mucho tiempo. Consulte el capítulo «Una Habitación en su Mente» (página 19). Si le resulta difícil permanecer en dicho santuario, asegúrese de que su habitación está centrada debajo de su sexto chakra (consulte Desorientación y Vértigo) y que su Centinela y su aura son lo suficientemente fuertes como para permitirle algo de intimidad. Consulte los capítulos «Defina su Aura» (página 41) y «Técnicas Avanzadas» (página 135).

LIMPIEZA DEL AURA: Se trata de un ejercicio de enraizamiento que sirve para limpiar y redefinir un aura dañada o difusa. Consulte la sección «Defina su Aura» (página 41).

LLANTO: La tristeza es una forma maravillosa de restaurar el alivio que proporciona el agua en un sistema árido. La tristeza permite que el cuerpo se relaje en sí mismo tras un período de rigidez o autosacrificio. A veces, sin embargo, la tristeza y el llanto se vuelven ingobernables.

Éste es un signo de desequilibrio en todo el sistema y un aviso de la necesidad de una sesión de canalización emocional. Consulte Tristeza y Desesperación, así como la sección «Cómo Canalizar los Sentimientos» (página 119).

MAREOS: Consulte Desorientación y Vértigo.

MIEDO: Todas las formas de miedo son mecanismos protectores que no se deben ignorar nunca. Sin este sentimiento, las personas no sobreviviríamos. No tendríamos ningún sentido de la autopreservación. El miedo, al igual que cualquier otra emoción, contiene información vital cuando se le permite manifestarse tal y como es. No debemos ignorarlo ni tampoco desvivirnos por él, sino canalizarlo de manera adecuada. Consulte Terror y Ataques de Pánico, así como el capítulo «Cómo Canalizar los Sentimientos» (página 119).

NERVIOSISMO: El nerviosismo, los espasmos y los sobresaltos (tanto si están provocados por sonidos fuertes o no) son, a menudo, indicios de falta de enraizamiento (vea la sección «El Enraizamiento del Espíritu» en la página 25). Si esta reacción súbita parece emanar de un chakra en particular o afectarle directamente, puede significar que el aura se ha colapsado y que dicho chakra ha quedado desprotegido. Consulte Problemas del Aura, Problemas Chákricos y Problemas de Enraizamiento.

NORMAS PARA EL ENRAIZAMIENTO: El enraizamiento es uno de los primeros pasos en el proceso de crecimiento espiritual que conduce a la responsabilidad. Consulte las secciones dedicadas específicamente a las normas que se deben seguir para realizar el enraizamiento espiritual en el apartado «Técnicas Avanzadas» (página 135).

ODIO: El odio, o la aversión hacia otra persona, lugar o situación, indica una clara falta de fronteras, la presencia de material perjudicial que no se ha integrado y la posibilidad de violaciones del territorio espiritual peligrosas para la vida. El odio, como cualquier otro sentimiento apasionado, es difícil de controlar o utilizar de manera racional. Cuando se canaliza y se utiliza para llevar a cabo separaciones energéticas (como la destrucción de imágenes o la quema de contratos), confiere una fuerza, certeza y resolución tremendas. No exprese su odio en el mundo, ni se lo guarde para usted; en lugar de eso, consulte el término Cólera y lea el capítulo «Cómo Canalizar los Sentimientos» (página 119).

OÍDOS: Los oídos están conectados físicamente con el quinto chakra, y en ocasiones, pueden percibir transmisiones psíquicas audibles que pueden adoptar la forma de zumbidos, pitidos, infecciones crónicas del oído, una necesidad constante de abrir y aclarar el oído medio o la escucha de voces. La facultad psíquica de la clariaudiencia (audición de voces) es difícil de dominar y, dado que es uno de los principales síntomas de esquizofrenia, es también difícil de compartir con los profesionales de la sanidad.

Sin ayuda competente ni información útil, muchas personas que perciben voces comienzan a considerarlas directrices, como si la información que les proporcionan proviniese de su interior o de Dios, y debiesen actuar según sus indicaciones. Si las personas que poseen esta facultad se unen a personas o seres desequilibrados y lleguen a creer que la información que reciben es un aspecto de su propia personalidad, por lo general, sobrevendrá el caos.

Todas estas personas necesitan una preparación espiritual encaminada, específicamente, a lograr una separación con respecto a la información que se percibe.

Pueden utilizar este manual para separarse de determinadas percepciones psíquicas molestas o descontroladas. Véase Demencia y Pitidos en los Oídos, así como la sección dedicada al quinto chakra (página 251).

PITIDOS EN LOS OÍDOS: Los pitidos o los zumbidos de los oídos pueden tener un origen físico, como un desequilibrio eléctrico o el desplazamiento de una vértebra. También pueden estar causados por los empastes de metal que reciben transmisiones de radio o televisión. Los pitidos de los oídos pueden ser también un indicio de que el quinto chakra, o de la garganta, está recibiendo y traduciendo una comunicación espiritual. Consulte Oídos y Clariaudiencia, así como el capítulo dedicado al quinto chakra (página 251). Preste especial atención a la destrucción de contratos en los chakras quinto y sexto y siga las recomendaciones que se presentan para mantener la buena salud de su quinto chakra.

PROBLEMAS AUDITIVOS: Lea Oídos y la sección dedicada al quinto chakra (página 251).

PROBLEMAS CHÁKRICOS: Los problemas de los chakras se presentan, por lo general, como anomalías en su forma o color que se pueden percibir en las curaciones o interpretaciones chákricas. Los problemas crónicos pueden indicar desequilibrios en la salud general, en la mental o en el sistema endocrino, daños provocados por el consumo de determinadas sustancias, aceptación de contratos energéticos perjudiciales durante mucho tiempo (véase Quemar Contratos) o negativa a trabajar con la energía del chakra dañado. Consulte la sección «Cómo Interpretar los Chakras» (página 321).

PROBLEMAS DE ENRAIZAMIENTO: Las dificultades para enraizarse son muy comunes. Los temas que se abordan en este libro intentan tratar el mayor número posible de razones así como las posibles soluciones. Consulte las secciones «El Enraizamiento del Espíritu» (página 25), «Cómo Quemar Contratos» (página 103) y «Técnicas Avanzadas» (página 135). Para obtener más información acerca de los problemas para enraizarse relacionados con el primer chakra, consulte los capítulos dedicados a éste (página 199) y a los chakras de los pies (página 311).

PROBLEMAS DEL AURA: Los daños crónicos o graves están causados, generalmente, por perjuicios en el entorno como condiciones de vida o laborales abusivas o insanas. Aunque los problemas del aura puedan ser desconcertantes, resultan instructivos y eminentemente subsanables. Si el aura es lo suficientemente consciente para bloquearse en respuesta al estrés exterior, es porque se está desplazando hacia un nuevo estilo de vida que buscará alertando a su propietario sobre lo que la hace sentirse bien y lo que no. Consulte las secciones «Defina su Aura» (página 41) y «Cómo Interpretar su Aura» (página 159).

Una advertencia: el aura se puede bloquear también cuando el cuerpo se vea abocado a una enfermedad seria o como respuesta ante el consumo de drogas o alcohol. Si su aura se bloquea en torno a determinadas áreas de su cuerpo, abandone el consumo de dichas sustancias y visite al especialista.

QUEMAR CONTRATOS: Cuando las personas se relacionan entre sí establecen, a menudo, una serie de posturas, comportamientos, acciones y reacciones que permiten que la relación se adueñe completamente de sus vidas. Si se consideran dichas relaciones como contratos, se pueden definir y curar o destruir. Consulte la sección «Cómo Quemar Contratos» (página 103).

RABIA: La rabia es cólera unida a la energía del kundalini, que no permite que nadie le diga qué tiene que hacer, adónde tiene que ir, cómo se tiene que sentir o cómo debe vivir. La rabia es una energía curativa maravillosa cuando se canaliza y se utiliza en técnicas de separación, pero peligrosa cuando se descarga sobre otras personas o se reprime. La rabia reprimida se suele transformar en instintos suicidas (vea Tendencias Suicidas), pero incluso entonces, se puede canalizar y utilizar para la curación. Consulte Cólera y Furia, así como el capítulo «Cómo Canalizar los Sentimientos» (página 119).

SENTIMIENTOS: Los sentimientos envían mensajes desde el cuerpo emocional a los cuerpos físico, mental y espiritual. Cada sentimiento posee su propio propósito, su propia voz y carácter, junto con una información curativa específica a la que se puede acceder fácilmente. El truco consiste en no expresar las emociones por el mundo exterior ni tampoco ocultarlas o ignorarlas hasta que produzcan heridas irreparables, sino utilizarlas como energías curativas. Consulte el capítulo «Cómo Canalizar los Sentimientos» (página 119).

SOBRESALTO: Consulte Nerviosismo.

TENDENCIAS SUICIDAS: Son, con frecuencia, un signo de cólera, rabia y furia reprimidas, y poseen un poder que puede abrumarle con facilidad, tanto a usted como a sus amigos, su familia, su grupo de apoyo o su terapeuta. Cuando se pueden controlar y canalizar, los instintos suicidas pueden proporcionar seguridad ante confusiones emocionales persistentes o relaciones complicadas y oscuras. Las tendencias suicidas se pueden canalizar también en acciones inmediatas y decididas ante situaciones en las que se corre el riesgo de quedar paralizado por la indecisión.

La energía del suicidio reclama una muerte, ¡pero no la muerte del ser! Los instintos suicidas dicen: «Dame la libertad o la muerte». Si les preguntase qué quieren que mate le responderían con términos inciertos: «Esta debilidad, esa relación, aquel recuerdo, la pobreza, el sentimiento de inutilidad, esta depresión, aquella situación...». Le dirán qué parte de su vida resulta insoportable y, si les deja, le ayudarán a eliminar el aspecto de su vida que le está atormentando. En esencia, usted puede canalizar los instintos suicidas para destruir imágenes, quemar contratos o realizar separaciones. Su energía suicida le ayudará a liberarse a un nivel energético y esta liberación interior le hará sentirse libre en el mundo.

Ésta es una repetición de la información que se presenta en «Cómo Canalizar los Sentimientos», pero no viene mal si vive atemorizado por sus propios instintos suicidas. No existe nada en su vida ni en su mente que no haya sido concebido para estar en ella. Todas sus facetas poseen atributos curativos junto con atributos destructivos. Cada enfermedad, recuperación, triunfo y catástrofe forman parte de su ser integral. Cada uno le ayudará a evolucionar conscientemente tan sólo si está atento a su mensaje y concibe la necesidad de su presencia. Todo lo que está en su psique ha sido colocado en ella, específicamente, por usted o por sus opciones de vida. Cada parte de usted es un arma de doble filo que puede protegerle y curarle o partirlo en dos y las tendencias suicidas no son una excepción.

A veces, los sentimientos suicidas son los únicos que nos ofrecen una vía de escape. En ese sentido, pueden ser reconfortantes. Nos ofrecen un final para el drama y la posibilidad de descansar. Sabemos, sin embargo, que llevarlos a cabo terminaría con nuestra vida, mientras que reprimirlos nos sacaría de nuestra mente y nuestro cuerpo. Como en la canalización de cualquier otro estado emocional fuerte, la canalización de las tendencias suicidas nos puede procurar notables cambios curativos y, junto con ellos, el cese de dichas tendencias incontrolables. Cuando no se llevan a cabo ni tampoco se reprimen, sino que se canalizan, su exquisito arsenal puede utilizarse para ayudarnos a acabar con los aspectos intolerables de nuestra vida.

La corriente actual de intentar mitigar las tendencias suicidas mediante bonitas historias acerca del significado inherente de la vida o mediante el uso de calmantes, no las abordan en modo absoluto desde la realidad. Los instintos suicidas reclaman muerte, y, a menudo, una muerte violenta. Para un suicida, toda la dulzura y alegría del mundo no son sino falacias. El optimismo sólo sirve para degradar e ignorar el mensaje brillante e integral del instinto suicida.

El suicida dice que obtendrá la liberación o dejará de existir. No pide litio ni Prozac, ni quiere que le encandilen con historias maravillosas. Quiere matar. Si utiliza su energía para hacer añicos las imágenes y quemar los contratos en una enorme pira, tendrá la muerte que buscaba y se calmará. En un sistema saludable, los sentimientos son efímeros: llegan, nos conquistan y se van. Incluso las tendencias suicidas, si se canalizan de manera apropiada, se marcharán hasta que necesiten una nueva muerte. Si mantiene su consciencia emocional, surgirán con menor frecuencia.

En nuestra sociedad, sin embargo, los sentimientos son trágica y fatalmente incomprendidos. Los calificamos de buenos o malos. Asfixiamos la vida con los positivos tratando de mantenerlos a cada momento, sin importar lo que nos esté ocurriendo en realidad. Rechazamos e ignoramos los negativos o los enterramos en una pila de charlatanería pseudo-psico-espiritual, y nos embarcamos en un proceso demente. Luego, nos preguntamos por qué no podemos tomar decisiones, por qué nuestras vidas no tienen sentido y por qué nos sentimos totalmente indefensos, desconectados de nuestro cuerpo y de nuestro espíritu.

Volvamos sobre este punto una vez más: el bienestar verdadero implica integridad, no perfección; abarca el cuerpo con todo su conocimiento, la mente con todos sus datos, el espíritu con toda su información y los sentimientos con todos sus mensajes. El equilibrio se produce cuando las cuatro partes de la cuaternidad trabajan en comunión. No es fácil armonizar la mente, el espíritu, el cuerpo y los sentimientos, pero es absolutamente necesario.

Si alguna vez ha experimentado deseos suicidas, vuelva a leer el capítulo «Cómo Canalizar los Sentimientos» (página 119). Recuerde que es contraproducente evocar un sentimiento para canalizarlo. Si tiene deseos suicidas en estos momentos, sus sentimientos le están indicando que es el momento de canalizarlos. Si está leyendo este apartado por simple curiosidad, pero no está experimentando este tipo de sentimientos...

¡NO LOS CANALICE! Si vive inmerso en la cultura actual tendrá mucha práctica en lo que se refiere a jugar con los sentimientos, devaluarlos y enmascararlos. No lo haga ahora. Ya han tenido bastante.

Como en el caso de otros estado emocionales fuertes, para mitigar los deseos suicidas se puede recurrir a los Remedios de las Flores de Bach. Yo he experimentado resultados fascinantes y duraderos con los remedios de la Cereza, la Aulaga, la Mostaza, la Castaña, la Estrella de Belén y la Nuez.

TERCER OJO: Conocido también como el sexto chakra, el tercer ojo es el centro energético de la clarividencia y el discernimiento. Consulte Visiones y la sección dedicada al sexto chakra (página 267).

TERROR: El terror es un miedo irrefrenable y un signo de que los niveles normales de miedo se han ignorado y despreciado durante mucho tiempo. Esta intensa y ardiente energía indica la existencia, en el ámbito interior o exterior, de un peligro tremendamente amenazador para la vida. Como tal, el terror se debe tratar inmediatamente y no se debe suavizar o razonar para llevarlo a niveles de miedo más manejables. Como ocurre con cualquier emoción fuerte, la causa se puede hallar en un desequilibrio físico subyacente, por lo que sería aconsejable realizar una visita a algún acupuntor. La canalización del sentimiento de terror, sin embargo, desvelará la raíz de manera más efectiva. Consulte Ansiedad, Miedo y Ataques de Pánico, así como los capítulos dedicados al tercer chakra (página 225) y a la canalización de sentimientos (página 119).

TORPEZA: La torpeza que no está provocada por un desequilibrio en el oído interno o en el sistema límbico es, con frecuencia, un signo de la existencia de algún problema en el enraizamiento o el sistema chákrico. Los tropiezos y traspiés pueden estar relacionados con dificultades para conseguir el enraizamiento, o bien en el chakra primero o en los de los pies. La falta de equilibrio puede estar también relacionada con determinados problemas en la habitación de su mente o en sus chakras quinto y sexto. La torpeza en las manos o los brazos puede tener relación con la existencia de problemas en los chakras de las manos o del corazón. No dude en consultar las secciones relacionadas con el área que encuentre afectada.

TRISTEZA: La tristeza es una bella energía que puede proporcionar estabilidad a un cuerpo emocional sobreexcitado. La tristeza nos conmina a calmarnos, a sentir las pérdidas de la vida y llorarlas como se merecen. Sin embargo, la tristeza se puede hacer crónica cuando se ignora o reprime. Consulte Llanto y Desesperación, así como el capítulo «Cómo Canalizar los Sentimientos» (página 119).

VÉRTIGO: La sensación de vértigo puede ser síntoma de todo tipo de desequilibrios médicos que deben ser examinados. No obstante, esta sensación puede derivar también de una falta de enraizamiento, o de haber perdido la concentración en el cuerpo o en la habitación de la mente. Consulte Kundalini o La Curación del Kundalini y los capítulos «Una habitación en la Mente» (página 19) y «El Enraizamiento del Espíritu» (pagina 25).

VISIONES: Las visiones son signos de actividad en el sexto chakra o tercer ojo. Si éstas tienen una relación razonable con su vida, disfrútelas. Si son confusas o incoherentes, su sexto chakra, y con toda probabilidad, todo el sistema pueden haber perdido la armonía. Trabaje sobre las secciones dedicadas a los chakras y aprenda a interpretarlos, curarlos, protegerlos y alinearlos.

Un caso especial: Si ha creado una habitación en su mente y, poco después han comenzado a aparecer las visiones, puede que haya situado la habitación en un lugar muy alto, detrás de su sexto chakra, que es clarividente y recibe visiones y no detrás de los ojos. Destruya la habitación y cree otra cuyo techo no sea más alto que sus cejas.

Bibliografía

Bly, Robert. *A Little Book on the Human Shadow.* San Francisco: Harper San Francisco, 1988.
- *Iron John.* Nueva York: Vintage Books, 1990.
- *The Sibling Society.* Nueva York: Addison-Wesley, 1996.
De Becker, Gavin. *The Gift of Fear: Survival Signals that Protect Us From Violence.* Boston: Little, Brown,1997.
Estes, Clarisa Pinkola. *Women Who Run With the Wolves.* Nueva York: Ballantine, 1992.
Gawain, Shakti. *The Path of Transformation.* Mill Valley, CA: Nataraj, 1993.
Grant, Joan. *The Eyes of Horus.* Columbus, OH: Ariel Press, 1988.
Hillman, James. *The Soul's Code: In Search of Character and Calling.* Nueva York: Random, 1996.
Hillman, James y Ventura, Michael. *We've Had a Hundred Years of Psychotherapy, and the World's Getting Worse.* San Francisco: Harper San Francisco, 1992.

Jeffers, Susan. *Feel the Fear and Do It Anyway*. Nueva York: Harcourt Brace, 1987.

Johnson, Robert. *He: Understanding Masculine Psychology*. Nueva York: Harper Perennial, 1977.

– *She: Understanding Feminine Psychology*. Nueva York: Harper Perennial, 1977.

– *Owning Your Own Shadow*. San Francisco: Harper San Francisco, 1993.

Kopp, Sheldon B. *If You Meet Buda on the Road, Kill Him!* Nueva York: Bantam, 1972.

McLaren, Karla. *Rebuilding the Garden: Healing the Spiritual Wounds of Childhood Sexual Assault*. Columbia, CA: Laughing Tree Press, 1997.

Meade, Michael. *Men and the Water of Life*. San Francisco: Harper San Francisco, 1993.

Myss, Caroline. *Energy Anatomy*. Six-Tape audio series: Sounds True, 1995. Boulder, CO (800) 333-9185.

– *Spiritual Madness*. Audiotape: Sounds True, 1996. Boulder, CO (800) 333-9185.

Rector-Page, Linda. *Healthy Healing: A Guide to Self Healing for Everyone*. Palm Beach, FL: Healthy Healing Publications, 1996.

Roberts, Jane. *The Education of Oversoul Seven*. Englewood Cliffs, NJ: Prentice Hall, 1973.

Scheffer, Mechthild. *Bach Flower Therapy: Theory and Practice*. Rochester, VT: Healing Arts Press, 1988.

Sher, Barbara. *Wishcraft: How to Get What You Really Want*. Nueva York: Ballantine, 1979.

Vonnegut, Kurt. *Cats Cradle*. Nueva York: Holt, Rinehart and Winston, 1963.

Wing, R.L. *The I Ching Workbook*. Nueva York: Doubleday, 1979.

Yutan, Lin. *The Importance of Living*. Nueva York: John Day, 1937.

Zweig, Connie y Abrams, Jeremiah. *Meeting the Shadow: The Hidden Power of the Dark Side of Human Nature*. Nueva York: Tarcher/Putnam, 1991.

Zweig, Connie y Wolf, Steve. *Romancing the Shadow: Illumining the Dark Side of the Soul*. Nueva York: Ballantine Books, 1997.

Índice
de Materias

Acerca de la Autora

En sus casi treinta años de estudio espiritual, Karla McLaren ha explorado numerosas formas de curación, descubriendo que sólo las podía aplicar a sí misma en caso de real necesidad. En los últimos quince años ha centrado su trabajo en los supervivientes de traumas disociativos como: vejaciones, encarcelamientos, crisis psícóticas, violencia y tortura que habían estado sometidos durante cinco años, por término medio, a terapias convencionales sin llegar a recuperarse completamente. Decidida a ofrecerles una alternativa, Karla McLaren descubrió una forma rápida, segura y

agradable de ayudarles a liberarse de sus traumas y volver al presente. Sus dos primeros libros, dedicados a las víctimas de vejaciones, *Rebuilding the Garden* y *Further into the Garden* (Laughing Tree Press, 1997) son verdaderas crónicas sobre dicho proceso. Tras comprobar por sí misma la increíble confusión y los daños que se derivan de una práctica espiritual inmadura e insegura, escribe en la actualidad para difundir sus conclusiones sobre este tema. McLaren imparte cursos y clases por todo el país y vive, junto con su familia, rodeada de una multitud de gatos callejeros en las estribaciones de Sierra Nevada, en Carolina.

Índice